Πτολεμαίου Πρόχειροι Κανόνες

Ptolemy's Handy Tables

PUBLICATIONS DE L'INSTITUT ORIENTALISTE DE LOUVAIN

59b

Raymond MERCIER

Πτολεμαίου Πρόχειροι Κανόνες

Ptolemy's Handy Tables
volume 1b
Tables A1-A2

Transcription and Commentary

Cet ouvrage a bénéficié du soutien de l'Union Académique Internationale
dans le cadre du projet *Corpus des Astronomes Byzantins*,
et du soutien financier de l'Institut des Civilisations, Arts et Lettres
de l'Université Catholique de Louvain

UNIVERSITÉ CATHOLIQUE DE LOUVAIN
INSTITUT ORIENTALISTE
LOUVAIN-LA-NEUVE
2011

Couverture: *Vaticanus gr.* 1291, f. 47v (photo Biblioteca Apostolica Vaticana)

Institut Orientaliste de l'Université Catholique de Louvain
Collège Érasme
Place Blaise Pascal, 1
B-1348 Louvain-la-Neuve

Orders should be sent to:
Peeters, Bondgenotenlaan 153, B-3000 Leuven

A catalogue record for this book is available from the Library of Congress.

ISSN 0076-1265
ISBN 978-90-429-2436-9 (Peeters Leuven)
ISBN 978-2-7584-0117-9 (Peeters France)
D/2011/0602/104

Οὐρανίων ἄστρων πορείην καὶ κοιλα (*pro* κύκλα) σελήνης
ἐξεθέμην σελίδεσσι πολύφρονα δάκτυλα κάμπτων

The course of the heavenly stars and the cycles of the moon,
these I have set out in columns, curving my industrious fingers

This is the second part of the first volume of the critical edition of Ptolemy's *Handy Tables*. The first part gives the Greek text of the tables of Right and Oblique Ascension, along with an account of the manuscripts, while in this part we have the transcription of the tables, a detailed commentary, and essays on the role of the *Handy Tables* in Syriac and Arabic communities.

My debt to my colleague Anne Tihon is immeasurable, for her forbearance and patience over the years while we have been occupied with this material. We are happy to express our gratitude for financial support from the UAI (Union Academique Internationale) and from the Institut des Civilisations, Arts et Lettres de l'Université Catholique de Louvain (Louvain-la-Neuve), and I am grateful as well for travel grants from the British Academy when some of this work was presented at the International Congress of History of Science.

Raymond Mercier
St Ives, 30th of March 2011

INTRODUCTION

Of all the astronomical works of Greek antiquity the *Handy Tables* of Ptolemy went further than any other to satisfy the needs of practical and straightforward calculation.

As the name suggests the work provides in accessible form all that is needed for the ready determination of the positions of Sun Moon and planets. In form we have here a coherent set of tables which permits the computation of the mean and true positions of the Sun, Moon and planets, along with the solution of related astronomical problems, such as the determination of the horoscope and the character of lunar and solar eclipses. These tables correspond broadly with those of the *Almagest*, yet there are numerous differences, for the *Handy Tables* are designed above all to permit efficient calculation. In the form in which they survive in the manuscripts there is no explanatory text, for although Ptolemy wrote a Manual describing the use of the tables this is preserved only in a distinct group of manuscripts.

It is however in the Manual where Ptolemy reveals more clearly than in the tables themselves the true complexity of his intentions. For here he repeatedly refers not only to the tables but to graphical procedures for the determination of the true positions of Sun, Moon, planets, etc. Ptolemy's *Hypotheses*, on the other hand, elaborates a frankly three dimensional view of the world, although this work and the *Handy Tables* have much in common at the level of numerical parameters, beginning with the Era of Philip. We can therefore see these three works as forming a natural triptych. The Manual was edited by Heiberg, and is included in his *Claudii Ptolemaei Opera astronomica minora.*[1] The part of the Manual relevant to the tables A1, A2 is given in translation in Appendix C.

Compared with the *Almagest* the *Handy Tables* show certain improvements, not merely in the way the tables of mean motion are

---

[1] Heiberg (1907), pp. 159-185.

set out, being referred to an Era closer to the period of application. For example, the equation of time is also set out clearly instead of being merely adumbrated, as it is in the *Almagest*. With these improvements we have a work that is much more practical than the *Almagest*, and designed for the person who may not be primarily interested in the scientific basis of astronomy, but who only wishes to have at hand the means to carry out calculations in the most direct way. In so doing Ptolemy succeeded in creating a work which made superfluous all previous works of this type, as in the *Almagest* we have a work which made superfluous earlier efforts at a systematic treatise.

If astrology provided the most common application in antiquity of the *Handy Tables*, no doubt those of a more scientific mind also valued the ready means these tables provided for verifying the observation of solar and lunar eclipses, and other observations. The early Church also made use of this work in determining the date of Easter, as we learn from early Christian writers, Greek, Syriac and Latin.

Ancient commentaries

From the time of Ptolemy we have clear evidence in the papyri and manuscripts of a tradition of teaching and commentary on his astronomical work.[2]

The many tables in the *Handy Tables* carry clear titles, so that people who were already active within the oral tradition of astronomical calculation would be able to employ these tables in order to calculate a horoscope, for example. Nevertheless the need was felt at an early stage to assemble basic written instructions, especially since Ptolemy's Manual in itself was not really all that clear from the point of view of someone who sought step by step instructions, and – above all – examples. One can understand therefore why the Manual came to be isolated from the tables in the manuscript tradition. Theon himself, in his long commentaries, refers on only a few occasions to the Manual.

An anonymous commentator writing about the year 213 produced a commentary which refers to both the *Almagest* and the *Handy Tables*.[3] Theon in the fourth century wrote commentaries on

---

2 Tihon (1992) especially § 5, 'Notes sur la transmission des *Tables Faciles*'.

3 Jones (1990).

the thirteen books of the *Almagest*, and as well his Small and Great Commentaries on the *Handy Tables*. The commentary on the *Almagest*, apart from that on Books 5, 6, was printed in Basle, 1538.[4] These commentaries on the *Almagest* make many references to the *Handy Tables*. Adolphe Rome produced editions of the commentaries of Pappus on the *Almagest*, Books 5 and 6, and of Theon on the *Almagest* Books 1 to 4.[5] Of the commentaries missing from the Basel edition, that on Book 5 has been found in the margin of a manuscript of the *Almagest*.[6] The reader is referred to section VIII of the Introduction to this edition, 'Brève histoire des Tables Faciles', for an extended account of the tradition of commentaries in the centuries following Ptolemy.

The wider transmission of the Handy Tables

The *Handy Tables* became known not only in the Greek milieu but in Latin, Syriac and Arabic communities. They are cited by Syncellus (fl. 800) in a way that shows that they were known to the earlier Christian chronologist Panodorus (fl. 400).[7] In their search for a stable calculation of the date of Easter there is no doubt that the Christian authorities turned to the astronomers of Alexandria, as we see in the letter from Pope Leo to the Emperor Marcian (ca 455).[8] Although the Alexandrian Easter tables all used the 19 year cycle, nevertheless the precise derivation of their Easter dates from the *Handy Tables* remains obscure. Cassiodorus (ca 580) noted the 'Canons' among the works of Ptolemy, meaning no doubt the *Handy Tables*, which he held to be useful for the determination of Easter.[9] A Latin work of the sixth century, the *Preceptum Canonis Ptolemei*, draws on Theon's *Small Commentary*.[10]

Among Syriac writers known to us Severus Sebokht (fl. 650) stands out, providing evidence of a Syrian scientific community,

---

4 PTOLEMY (1538).
5 ROME (1931), (1936-9), (1943). The three volumes of his *Commentaires de Pappus et de Théon d'Alexandrie sur l'Almageste*, include many passages of relevance to the *Handy Tables*: I XXVIII, XXXV, XLIX-LVI, LX, LXII, LXIII; II LXXX-LXXXI, CIII; III CXXXIII-CXXXVI.
6 TIHON (1987).
7 See below, 1.2.9.
8 Letter cxxi, MIGNE PL 54, 1056.
9 HALPORN (2004), p. 227.
10 PINGREE (1997); MERCIER (1987), 115.

one which was of great historical importance, because of its links with Greek, Persian, and even Indian sources, as well as the eventual transmission to the Arabic world. Appendix E is devoted to a brief survey of the work of Severus Sebokht.

The *Handy Tables* certainly appeared in Arabic, but since we are still without an extant Arabic text of the work, we provide what little material is available. This includes the long quotation from the Taʾrīkh al-Yaʿqūbī, which is discussed at length in Appendix F. There has come to light, however, a fragment of an Arabic translation of the *Small Commentary* by Theon. This is found in a palimpsest of *Vat. Syr.* 623, and discussed also in Appendix F.

Modern editions and commentary

Although not previously published in a critical edition, Ptolemy's *Handy Tables* have nevertheless been the subject of extensive study and commentary in modern times. The modern editions begin with the Abbé Halma, who provided the Greek texts and translations of the Manual and of the Tables, but drawing only on later manuscripts in the Bibliothèque Royale, Paris. This work is found in volumes V, VI, VII of his eight volume *Oeuvres de Ptolémée* (1813-1828).[11] Contemporary with Halma is Delambre's brief but still valuable survey of the tables, which included an attempt to clarify the equation of time.[12] Rome also published a number of articles bearing on the *Handy Tables*, concerning eclipse calculations and the equation of time.[13]

B.L. van der Waerden made a number of contributions to the study of the *Handy Tables*, drawing attention to the salient differences from the models of the *Almagest*, and providing concise statements of the rules of usage of the tables. In his comprehensive survey in *Paulys Realencyklopaedie* the *Handy Tables* are placed in the broad context, along with warnings about the unsatisfactory state of Halma's text.[14]

William Stahlmann transcribed the tables from the Vatican manuscript *Vat. gr.* 1291, and provided as well a sound mathematical overview, and also a most useful introductory survey.[15]

---

[11] HALMA (1813).

[12] DELAMBRE (1817), pp. 616-638.

[13] ROME (1939), (1948), (1952).

[14] VAN DER WAERDEN (1953), (1958), (1959).

[15] STAHLMAN (1960).

Otto Neugebauer of course has much to say of the *Handy Tables* in his great historical survey, and before that wrote many papers bearing on the Tables.[16] Olaf Pedersen in his *Introduction to the Almagest* had on many occasions to mention the *Handy Tables*.[17] The numerous articles and volumes produced by Joseph Mogenet and Anne Tihon follow Rome in the tradition of Belgian scholarship, which serve to lay a comprehensive foundation for all future studies.[18] Finally the edition of the Oxyrhynchus papyri by Alexander Jones reveals something if, alas, only a few fragments, of the earliest records of the work.[19]

Structure of the present work

This part of the volume opens with the transcription of the tables A1 and A2. This is the transcription of the Greek text given in the edition based on the MS F.

The commentary follows the transcription of the tables and opens with a brief statement of the Egyptian and Babylonian calendars, followed by a thorough discussion of the Eras of Philip and Nabonassar, and as well as the Seleucid Era.

The commentary on Tables A1 and A2 covers the matter of the Greek terms that occur in the titles of the tables, the scientific content, and the subtle question of interpolation. For as Theon explains, these tables stand in a certain relation to those of the *Almagest*, and are derived from the latter by a process of interpolation. In A1 the third column is the equation of time, and the correct derivation of this raises a number of subtle problems.

In addition to the tables A1 and A2 the table B1 is included, that is the table of oblique ascension for Byzantium.

Examples of usage are provided for tables A1 and A2.

The seven Appendices cover various matters such as the details of the occurrence of the *Handy Tables* in Syriac and Arabic.

---

16 Neugebauer (1958), (1975), (1983).

17 Pedersen (1974).

18 Mogenet (1985), Tihon (1987), (1999), (2004),

19 Jones (1999b).

TRANSCRIPTION

A1-A2

Principles of transcription

The tables presented in the edition of the Greek text are taken from MS F (Laur 28/26), and they are given here in transcription. The numbering of the tables follows that of the edition in Part I, a. In the edition each table is accompanied by textual variants from the three other manuscripts used in the edition, where the correctly calculated value is given. The Greek text of the edition is now transcribed in this section, Part I, b.

Whenever any entry departs from the correct calculated value that value is noted in a footnote; if such footnotes would be too numerous, they are replace by an additional column, as in Tables A1 (III), A1 (IV).

In the apparatus of the Greek text the variations among the manuscripts are noted, but in this transcription we note cases where the manuscripts all agree while the calculated value may differ from that in any of the manuscripts. In that case the calculated value is marked with an asterisk * where the entry is isolated. In other parts many entries are so qualified; this is noted in the footnote as 'None attested in mss'.

In the footnotes of three entries in the apparatus of A1 (III) 'Pal' is written to indicate that the calculated value is attested in the Syriac palimpsest *Vat.Syr.* 623.

Sigla of the manuscripts

F = *Laurentianus* 28/26 (Biblioteca Medicea-Laurenziana, Florence)
H = *Leidensis* BPG 78 (Bibliotheek der Rijksuniversiteit, Leiden)
M = *Marcianus gr.* 331 (Biblioteca Nazionale Marciana, Venice)
v = *Vaticanus gr.* 1291 (Biblioteca Apostolica Vaticana, Vatican)
Palimpsest :
Vaticanus syr. 623 (fragments) ((Biblioteca Apostolica Vaticana, Vatican)

A1 (I) : Ascensions of the right sphere (F, f. 55)

Title : Right sphere along with culmination (everywhere)

♑	Capricorn				Aquarius				Pisces			
°	ascensions		times		ascensions		times		ascensions		times	
1	1	6	18	40	33	18	31	16	63	7	32	13
2	2	12	19	11	34	20	31	28	64	4	32	0
3	3	18	19	12[1]	35	22	31	40	65	1	31	47
4	4	24	20	13	36	24	31	52	65	58	31	33
5	5	30	20	44	37	26	32	4	66	55	31	20
6	6	35	21	15	38	28	32	15	67	51	31	6
7	7	40	21	45	39	29	32	24	68	47	30	50
8	8	45	22	14	40	30	32	32	69	43	30	34
9	9	50	22	44	41	31	32	41	70	39	30	18
10	10	55	23	13	42	32	32	45[2]	71	35	30	2
11	12	0	23	42	43	32	32	58	72	31	29	46
12	13	5	24	11	44	32	33	6	73	27	29	30
13	14	10	24	38	45	32	33	9	74	23	29	11
14	15	15	25	4	46	32	33	12	75	19	28	51
15	16	20	25	31	47	32	33	15	76	15	28	32
16	17	25	25	57	48	32	33	18	77	10	28	12
17	18	30	26	24	49	32	33	20	78	5	27	53
18	19	34	26	50	50	32	33	23	79	0	27	33
19	20	38	27	13	51	31	33	20	79	55	27	11
20	21	42	27	36	52	30	33	17	80	50	26	49
21	22	46	27	58	53	28	33	14	81	45	26	47[4]
22	23	50	28	20	54	26	33	14[3]	82	40	26	5
23	24	54	28	42	55	24	33	8	83	35	25	43
24	25	58	29	4	56	22	33	5	84	30	25	21
25	27	1	29	24	57	20	32	59	85	25	24	58
26	28	4	29	44	58	18	32	52	86	20	24	34
27	29	7	30	4	59	16	32	44[5]	87	15	24	11
28	30	10	30	24	60	14	32	35[6]	88	10	23	48
29	31	13	30	44	61	12	32	33	89	5	23	24
30	32	16	31	4	62	10	32	26	90	0	23	0
	32	16			29	54			27	50		

[1] 19;42 [2] 32;49* [3] 33;11 [4] 26;27 [5] 32;46* [6] 32;39

A1 (II) : Ascensions of the right sphere (F, f. 55[v])

Title : Right sphere along with culmination (everywhere)

♂	Aries				Taurus				Gemini			
°	ascensions		times		ascensions		times		ascensions		times	
1	90	55	22	36	118	48	10	57	148	47	6	16
2	91	50	22	11	119	46	10	40	149	50	6	19
3	92	45	21	47	120	44	10	24	150	53	6	23
4	93	40	21	22	121	42	10	7	151	56	6	26
5	94	35	20	58	122	40	9	51	152	59	6	30
6	95	30	20	33	123	38	9	35	154	3[1]	6	34
7	96	25	20	9	124	36	9	21	155	6	6	39
8	97	20	19	44	125	34	9	6	153	10[2]	6	44
9	98	15	19	19	126	32	8	52	157	14	6	50
10	99	10	18	54	127	30	8	37	158	18	6	55
11	100	5	18	29	128	29	8	23	159	22	7	1
12	101	0	18	4	129	28	8	8	160	26	7	6
13	101	55	17	40	130	28	7	58	161	30	7	15
14	102	50	17	16	131	28	7	47	162	35	7	24
15	103	45	16	51	132	28	7	37	163	40	7	33
16	104	41	16	27	133	28	7	27	164	45	7	42
17	105	37	16	2	134	28	7	17	165	50	7	51
18	106	33	15	38	135	28	7	7	166	55	8	0
19	107	29	15	16	136	28	7	1	168	0	8	11
20	108	25	14	54	137	28	6	55	169	5	8	22
21	109	21	14	31	138	29	6	50	170	10	8	33
22	110	17	14	9	139	30	6	44	171	19[4]	8	44
23	111	13	13	46	140	31	6	39	172	20	8	56
24	112	9	13	24	141	32	6	33	173	25	9	8
25	113	5	13	2	142	34	6	30	174	30	9	20
26	114	2	12	41	143	36	6	26	175	36	9	32
27	114	59	12	19	144	38	6	23	176	42	9	45
28	115	56	11	57	145	40	6	19	177	48	9	57
29	116	53	11	35	146	42	6	16	178	54	10	10
30	117	50	11	13	147	44	6	12	180	0	10	23
	27	50			29	54			32	16		

[1] 154;2* [2] 156;10 [3] 171;15

A1 (III) : Ascensions of the right sphere (F, f. 56)

Title : Right sphere along with culmination (everywhere)

☌	Cancer				Leo						Virgo			
°	ascensions		times		ascensions		times		calculated[1]		ascensions		times	
1	181	6	10	36	213	18	15	42	15	38	243	7	13	13
2	182	12	10	49	214	20	15	46	15	39	244	4	12	58
3	183	18	11	2	215	22	15	51	15	40	245	1	12	44
4	184	24	11	15[2]	216	24	15	55	15	41	245	58	12	29
5	185	30	11	28[3]	217	26	15	59	15	42	246	55	12	14
6	186	35	11	42	218	28	16	3	15	43	247	51	11	59
7	187	40	11	55	219	29	16	9	15	42	248	47	11	45
8	188	45	12	7	220	30	16	15	15	42	249	43	11	30
9	189	50	12	20	221	31	16	21	15	41	250	39	11	16
10	190	55	12	32	222	32	16	15	15	41	251	35	11	1
11	192	0	12	45	223	32	16	9	15	40	252	31	10	46
12	193	5	12	57	224	32	16	2	15	40	253	27	10	31
13	194	10	13	8	225	32	15	56	15	35	254	23	10	15
14	195	15	13	19	226	32	15	49	15	31	255	19	9	58
15	196	20	13	30	227	32	15	42	15	26	256	15	9	42
16	197	25	13	41	228	32	15	35	15	22	257	10	9	25
17	198	30	13	52	229	32	15	27	15	18	258	5	9	9
18	199	34	14	3	230	32	15	19	15	13	259	0	8	52
19	200	38	14	12	231	31	15	11	15	5	259	55	8	36
20	201	42	14	20	232	30	15	2	14	57	260	50	8	19
21	202	46	14	29	233	28	14	54	14	49	261	45	8	2
22	203	50	14	37	234	26	14	45	14	40	262	40	7	45
23	204	54	14	45	235	24	14	36	14	32	263	35	7	28
24	205	58	14	53	236	22	14	27	14	24	264	30	7	11
25	207	1	15	1	237	20	14	17	14	15	265	25	6	55
26	208	4	15	8	238	18	14	7	14	5	266	20	6	39
27	209	7	15	16	239	17[4]	13	57	13	56	267	15	6	23
28	210	10	15	23	240	14	13	47	13	46	268	10	6	6
29	211	13	15	30	241	12	13	37	13	36	269	5	5	50
30	212	16	15	37	242	10	13	27	13	27	270	0	5	34[5]
	32	16			29	54					27	50		

[1] Not attested in mss. [2] 11;16* [3] 11;29, Pal. [4] 239;16, Pal. [5] 5;33, Pal.

A1 (IV) : Ascensions of the right sphere (F, f. 56v)

Title : Right sphere along with culmination (everywhere)

♂	Libra						Scorpio						Sagittarius			
°	ascen-sions		times		calcul-ated[1]		ascen-sions		times		calcul-ated[2]		ascen-sions		times	
1	270	55	5	18			298	48	0	0			328	47	4	36
2	271	50	5	2			299	46	0	0			329	50	5	0
3	272	45	4	47			300	44	0	0			330	53	5	23
4	273	40	4	31			301	42	0	1			331	56	5	47
5	274	35	4	16			302	40	0	1			332	59	6	10
6	275	30	4	0			303	38	0	2			334	2	6	34
7	276	25	3	45	3	47	304	36	0	3	0	6	335	6	6	59
8	277	20	3	30	3	33	305	34	0	4	0	9	336	10	7	24
9	278	15	3	15	3	19	306	32	0	5	0	12	337	14	7	49
10	279	10	3	0	3	5	307	30	0	6	0	15	338	18	8	15
11	280	5	2	45	2	51	308	29	0	14	0	19	339	22	8	40
12	281	0	2	31	2	37	309	28	0	22			340	26	9	6
13	281	55	2	19	2	25	310	28	0	30	0	31	341	30	9	34
14	282	50	2	8	2	14	311	28	0	39			342	35	10	3
15	283	45	1	58	2	2	312	28	0	47	0	48	343	40	10	31
16	284	41	1	48	1	50	313	28	0	56			344	45	11	0
17	285	37	1	38			314	28	1	4	1	5	345	50	11	29
18	286	33	1	28			315	28	1	13			346	55	11	58
19	287	29	1	18			316	28	1	26	1	27	348	0	12	28
20	288	25	1	9			317	28	1	40	1	41	349	5	12	29[3]
21	289	21	1	1			318	29	1	53	1	54	350	10	13	29
22	290	17	0	53			319	30	2	7	2	8	351	15	14	0
23	291	13	0	45			320	31	2	21			352	20	14	31
24	292	9	0	37			321	32	2	35			353	25	15	2
25	293	5	0	31			322	34	2	51			354	30	15	33
26	294	2	0	24			323	36	3	7	3	8	355	36	16	4
27	294	59	0	18			324	38	3	23	3	24	356	42	16	35
28	295	56	0	12			325	40	3	40			357	48	17	6
29	296	53	0	6			326	42	3	56	3	57	358	54	17	37
30	297	50	0	0			327	44	4	13			360	0	18	9
	27	50					29	54					32	16		

1 2 Not attested in mss. 3 12;59*

A2, 1 (I) : Oblique ascensions, 1st climate (Meroë) (F, f. 57)

Title : Climate I through Meroë, 13h, 16° 27'

♂	Aries				Taurus				Gemini			
°	ascensions		times		ascensions		times		ascensions		times	
1	0	47	15	1	25	11	15	36	52	23	16	4
2	1	34	15	2	26	2	15	37	53	22	16	5
3	2	21[1]	15	4	26	53	15	38	54	21	16	5
4	3	10	15	5	27	44	15	39	55	20	16	6
5	3	58	15	6	28	36	15	40	56	20	16	6
6	4	46	15	7	29	28	15	41	57	20	16	7
7	5	34	15	8	30	20	15	42	58	20	16	8
8	6	22	15	10	31	12	15	44	59	20	16	8
9	7	10	15	11	32	4	15	45	60	20	16	9
10	7	58	15	12	32	56	15	46	61	20	16	10
11	8	46	15	13	33	50	15	47	62	22	16	10
12	9	34	15	14	34	44	15	48	63	24	16	10
13	10	22	15	15	35	38	15	49	64	26	16	11
14	11	10	15	17	36	32	15	50	65	28	16	11
15	11	58	15	18	37	26	15	51	66	30	16	12
16	12	47	15	19	38	20	15	51	67	32	16	12
17	13	36	15	20	39	14	15	52	68	34	16	12
18	14	25	15	21	40	8	15	53	69	36[2]	16	13
19	15	14	15	22	41	2	15	54	70	39[4]	16	13
20	16	3	15	24	41	56[3]	15	55	71	43	16	13
21	16	52	15	25	42	53	15	56	72	47	16	14
22	17	41	15	26	43	49	15	57	73	51	16	14
23	18	30	15	27	44	45	15	58	74	55	16	14
24	19	20	15	28	45	42	15	59	76	0	16	14
25	20	10	15	29	46	39	15	59	77	5	16	14
26	21	0	15	30	47	36	16	0	78	10	16	14
27	21	50	15	32	48	33	16	1	79	15	16	15
28	22	40	15	33	49	30	16	2	80	20	16	15
29	23	30	15	34	50	27	16	3	81	25	16	15
30	24	20	15	35	51	24	16	3	82	30	16	15
	24	20			27	4			31	6		

1 2;22 2 69;37* 3 41;57 4 70;40*

A2, 1 (II) : Oblique ascensions, 1st climate (Meroë) (F, f. 57v)

Title : Climate I through Meroë, 13h, 16° 27'

♂	Cancer				Leo				Virgo					
°	ascen-sions		times		ascen-sions		times		ascen-sions		times		calcul-ated[1]	
1	83	36	16	15	117	3	16	3	149	44	15	34		
2	84	42	16	15	118	10	16	2	150	48	15	33		
3	85	48	16	15	119	17	16	1	151	52	15	32		
4	86	54	16	14	120	24	16	0	152	55	15	30		
5	88	0	16	14	121	31	15	59	153	58	15	29		
6	89	6	16	14	122	37	15	59	155	1	15	28		
7	90	12	16	14	123	43	15	58	156	4	15	27		
8	91	19	16	14	124	49	15	57	157	7	15	26		
9	92	26	16	14	125	55	15	56	158	10	15	25		
10	93	33	16	13	127	1	15	55	159	13	15	24		
11	94	40	16	13	128	7	15	54	160	16	15	22		
12	95	47	16	13	129	13	15	53	161	19	15	21		
13	96	54	16	12	130	19	15	52	162	22	15	20		
14	98	1	16	12	131	25	15	51	163	25	15	19		
15	99	8	16	12	132	31	15	51	164	28	15	18		
16	100	15	16	11	133	36	15	50	165	31	15	17	165	30
17	101	22	16	11	134	41	15	49	166	34	15	15	166	32
18	102	29	16	10	135	46	15	48	167	36	15	14	167	34
19	103	36	16	10	136	51	15	47	168	38	15	13	168	36
20	104	44	16	10	137	56	15	46	169	40	15	12	169	38
21	105	52	16	9	139	1	15	45	170	42	15	11	170	41
22	107	0	16	8	140	6	15	44	171	44	15	10		
23	108	7	16	8	141	11	15	43	172	46	15	8		
24	109	14	16	7	142	16	15	42	173	48	15	7		
25	110	21	16	6	143	20	15	41	174	50	15	6		
26	111	28	16	6	144	24	15	40	175	52	15	5		
27	112	35	16	5	145	28	15	39	176	54	15	4		
28	113	42	16	5	146	32	15	38	177	56	15	2		
29	114	49	16	4	147	36	15	36	178	58	15	1		
30	115	56	16	3	148	40	15	35	180	0	15	0		
	33	26			32	44			31	20				

[1] Not attested in mss.

A2, 1 (III) : Oblique ascensions, 1st climate (Meroë) (F, f. 58)

Title : Climate I through Meroë, 13h, 16° 27'

♂	Libra						Scorpio				Sagittarius			
°	ascens-ions		times		calcul-ated[1]		ascens-ions		times		ascens-ions		times	
1	181	2	14	59			212	24	14	24	245	11	13	56
2	182	4	14	58			213	28	14	23	246	18	13	55
3	183	6	14	56			214	32	14	22	247	25	13	55
4	184	8	14	55			215	36	14	21	248	32	13	54
5	185	10	14	54			216	40	14	20	249	39	13	54
6	186	12	14	53			217	44	14	19	250	46	13	53
7	187	14	14	52			218	49	14	18	251	53	13	52
8	188	16	14	50			219	54	14	16	253	0	13	52
9	189	18	14	49	189	19	220	59	14	15	254	8	13	51
10	190	20	14	48	190	22	222	4	14	14	255	16	13	50
11	191	22	14	47	191	24	223	9	14	13	256	24	13	50
12	192	24	14	46	192	26	224	14	14	12	257	31	13	50
13	193	26	14	45	193	28	225	19	14	11	258	38	13	49
14	194	28	14	43	194	29	226	24	14	10	259	45	13	49
15	195	30	14	42	195	32	227	29	14	9	260	52	13	48
16	196	32	14	41	196	35	228	35	14	9	261	59	13	48
17	197	34	14	40	197	38	229	41	14	8	263	6	13	48[2]
18	198	38	14	39	198	41	230	47	14	7	264	13	13	47
19	199	43	14	38	199	44	231	53	14	6	265	20	13	47
20	200	47	14	36			232	59	14	5	266	27	13	47
21	201	50	14	35			234	5	14	4	267	34	13	46
22	202	53	14	34			235	11	14	3	268	41	13	46
23	203	56	14	33			236	17	14	2	269	48	13	46
24	204	59	14	32			237	23	14	1	270	54	13	46
25	206	2	14	31			238	29	14	1	272	0	13	45
26	207	5	14	30			239	36	14	0	273	6	13	45
27	208	8	14	28			240	43	13	59	274	12	13	45
28	209	12	14	27			241	50	13	58	275	18	13	45
29	210	16	14	26			242	57	13	57	276	24	13	45
30	211	20	14	25			244	4	13	57	277	30	13	45
	31	20					32	44			33	26		

[1] Not attested in mss. [2] 13;47

A2, 1 (IV) : Oblique ascensions, 1st climate (Meroë) (F, f. 58^{v})

Title : Climate I through Meroë, 13h, 16° 27'

♂	Capricorn				Aquarius				Pisces			
°	ascensions		times		ascensions		times		ascensions		times	
1	278	35	13	45	309	33	13	57	336	1[1]	14	26
2	279	40	13	45	310	30	13	58	337	20	14	27
3	280	45	13	45	311	27	13	59	338	10	14	28
4	281	50	13	46	312	24	14	0	339	0	14	30
5	282	55	13	46	313	21	14	1	339	50	14	31
6	284	0	13	46	314	18	14	1	340	40	14	32
7	285	5	13	46	315	15	14	2	341	30	14	33
8	286	9	13	46	316	11	14	3	342	19	14	34
9	287	13	13	46	317	7	14	4	343	8	14	35
10	288	17	13	47	318	3	14	5	343	57	14	36
11	289	20	13	47	318	58	14	6	344	46	14	38
12	290	23	13	47	319	52	14	7	345	35	14	39
13	291	26	13	48	320	46	14	8	346	24	14	40
14	292	28	13	48	321	40	14	9	347	13	14	41
15	293	30	13	48	322	34	14	9	348	2	14	42
16	294	32	13	49	323	28	14	10	348	50	14	43
17	295	34	13	49	324	22	14	11	349	38	14	45
18	296	36	13	50	325	16	14	12	350	26	14	46
19	297	38	13	50	326	10	14	13	351	14	14	47
20	298	40	13	50	327	4	14	14	352	2	14	48
21	299	42[2]	13	51	327	56	14	15	352	50	14	49
22	300	40	13	52	328	48	14	16	353	38	14	50
23	301	40	13	52	329	40	14	17	354	26	14	52
24	302	40	13	53	330	32	14	18	355	14	14	53
25	303	40	13	54	331	24	14	19	356	2	14	54
26	304	40	13	54	332	16	14	20	356	50	14	55
27	305	39	13	55	333	7	14	21	357	38	14	56
28	306	38	13	55	333	58	14	22	358	26	14	58
29	307	37	13	56	334	49	14	24	359	13	14	59
30	308	36	13	57	335	40	14	25	360	0	15	0
	31	6			27	4			24[3]			

[1] 336;30* [2] 299;40* [3] 24;20

A2, 2 (I) : Oblique ascensions, 2nd climate (Syene) (F, f. 59)

Title : Climate II through Syene, 13h ½, 23° 51'

♂	Aries						Taurus				Gemini			
°	ascen-sions		times		Calcul-ated [1]		ascen-sions		times		ascen-sions		times	
1	0	44	15	2			23	25	15	54	49	12	16	36
2	1	28	15	4			24	13	15	55	50	9	16	37
3	2	12	15	5			25	1	15	57	51	6	16	38
4	2	56	15	7			25	49	15	59	52	3	16	39
5	3	40	15	9			26	37	16	0	53	1	16	40
6	4	24	15	11			27	25	16	2	53	59	16	41
7	5	8	15	12			28	14	16	3	54	57	16	42
8	5	53	15	14			29	3	16	5	55	55	16	43
9	6	38	15	16			29	52	16	7	56	53	16	44
10	7	23	15	18			30	41	16	8	57	51	16	45
11	8	8	15	19	8	7	31	32	16	9	58	52	16	45
12	8	53	15	21	8	52	32	23	16	11	59	53	16	46
13	9	38	15	23	9	37	33	14	16	13	60	54	16	46
14	10	23	15	25	10	22	34	5	16	14	61	55	16	47
15	11	8	15	27	11	7	34	56	16	15	62	56	16	47
16	11	53	15	28	11	52	35	47	16	17	63	57	16	48
17	12	38	15	30	12	37	36	38	16	18	64	58	16	49
18	13	23	15	32	13	22	37	29	16	20	65	59	16	49
19	14	8	15	34	14	7	38	20	16	21	67	0	16	50
20	14	53	15	35	14	52	39	11[2]	16	23	68	2	16	50
21	15	39	15	37	15	38	40	6	16	24	69	6	16	51
22	16	25	15	39	16	24	41	0	16	25	70	10	16	51
23	17	11	15	40	17	10	41	54	16	26	71	14	16	51
24	17	57	15	42	17	56	42	48	16	28	72	18	16	52
25	18	43	15	44	18	42	43	42	16	29	73	22	16	52
26	19	29	15	45			44	36	16	30	74	26	16	52
27	20	16	15	47			45	30	16	31	75	30	16	52
28	21	3	15	49			46	25	16	32	76	39[3]	16	52
29	21	50	15	50			47	20	16	34	77	40	16	52
30	22	37	15	52			48	15	16	35	78	45	16	52
	22	37					25	30[4]			30	30		

[1] Not attested in mss [2] 39;12 [3] 76;35 [4] 25;38

A2, 2 (II) : Oblique ascensions, 2nd climate (Syene) (F, f. 59v)

Title : Climate II through Syene, 13h ½, 23° 51’

♂	Cancer						Leo				Virgo					
°	ascen-sions		times		calcul-ated[1]		ascen-sions		times		ascen-sions		times		calcul-ated[2]	
1	79	51	16	52			113	56	16	34	148	4	15	50		
2	80	57	16	52			115	5	16	32	149	11	15	49		
3	82	3	16	52			116	14	16	31	150	18	15	47		
4	83	10	16	52			117	23	16	30	151	25	15	45		
5	84	17	16	52			118	32	16	29	152	32	15	44		
6	85	24	16	51			119	41	16	28	153	38	15	42		
7	86	31	16	51			120	50	16	26	154	44	15	40		
8	87	38	16	51			121	59	16	25	155	50	15	39		
9	88	45	16	51			123	8	16	24	156	56	15	37		
10	89	52	16	50			124	17[3]	16	23	158	2	15	35		
11	91	0	16	50			125	25	16	21	159	8	15	34	159	9
12	92	8	16	49			126	35[4]	16	20	160	14	15	32	160	15
13	93	16	16	49			127	44[5]	16	18	161	20	15	30	161	21
14	94	24	16	48			128	53[6]	16	17	162	26	15	28	162	27
15	95	32	16	47			130	1	16	15	163	32	15	27	163	33
16	96	40	16	47			131	9	16	14	164	38	15	25	164	39
17	97	48	16	46			132	17	16	13	165	44	15	23	165	45
18	98	57	16	46			133	25	16	11	166	50	15	21	166	51
19	100	6	16	45			134	33	16	9	167	56	15	19	167	57
20	101	15	16	44			135	41	16	8	169	2	15	18	169	3
21	102	24	16	44			136	49	16	7	170	8	15	16	170	9
22	103	33	16	43			137	57	16	5	171	14	15	14	171	15
23	104	42	16	42			139	5	16	3	172	20	15	12	172	21
24	105	51	16	41			140	13	16	2	173	26	15	11	173	27
25	107	1	16	40	107	0	141	21	16	0	174	32	15	9	174	33
26	108	11	16	39	108	9	142	29	15	59	175	38	15	7	175	39
27	109	20	16	38	109	18	143	36	15	57	176	44	15	5	176	45
28	110	29	16	37	110	27	144	43	15	55	177	50	15	4		
29	111	38	16	36	111	37	145	50	15	54	178	55	15	2		
30	112	47	16	35			146	57	15	52	180	0	15	0		
	34	2					34	50[7]			33	3				

[1] [2] Not attested in mss. [3] 124;16* [4] 126;34* [5] 127;43* [6] 128;52* [7] 34;10*

A2, 2 (III) : Oblique ascensions, 2nd climate (Syene) **(F, f. 60)**

Title : Climate II through Syene, 13h ½, 23° 51’

♂	Libra						Scorpio				Sagittarius					
°	ascen-sions		times		calcul-ated[1]		ascens-ions		times		ascen-sions		times		calcul-ated[2]	
1	181	5	14	58			214	10	14	6	248	22	13	24		
2	182	10	14	56			215	17	14	5	249	31	13	23		
3	183	16	14	55	183	15	216	24	14	3	250	40	13	22		
4	184	22	14	53	184	21	217	31	14	1	251	49	13	21		
5	185	28	14	51	185	27	218	39	14	0	252	59	13	20	252	58
6	186	34	14	49	186	33	219	47	13	58	254	9	13	19	254	7
7	187	40	14	48	187	39	220	55	13	57	255	18	13	18	255	16
8	188	46	14	46	188	45	222	3	13	55	256	27	13	17	256	25
9	189	52	14	44	189	51	223	11	13	53	257	36	13	16	257	35
10	190	58	14	42	190	57	224	19	13	52	258	45	13	15		
11	192	4	14	41	192	3	225	27	13	51	259	54	13	15		
12	193	10	14	39	193	9	226	35	13	49	261	3	13	14		
13	194	16	14	37	194	15	227	43	13	47	262	12	13	14		
14	195	22	14	35	195	21	228	51	13	46	263	20	13	13		
15	196	28	14	33	196	27	229	59	13	45	264	28	13	13		
16	197	34	14	32	197	33	231	7[3]	13	43	265	36	13	12		
17	198	40	14	30	198	39	232	16[4]	13	42	266	44	13	11		
18	199	46	14	28	199	45	233	25[5]	13	40	267	52	13	11		
19	200	52	14	26	200	51	234	34[6]	13	39	269	0	13	10		
20	201	58	14	25			235	43[7]	13	37	270	8	13	10		
21	203	4	14	23			236	52	13	36	271	15	13	9		
22	204	10	14	21			238	1	13	35	272	22	13	9		
23	205	16	14	20			239	10	13	34	273	29	13	9		
24	206	22	14	18			240	19	13	32	274	36	13	9		
25	207	28	14	16			241	28	13	31	275	43	13	8		
26	208	35	14	15			242	37	13	30	276	50	13	8		
27	209	42	14	13			243	46	13	29	277	57	13	8		
28	210	49	14	11			244	55	13	28	279	3	13	8		
29	211	56	14	10			246	4	13	26	280	9	13	8		
30	213	3	14	8			247	13	13	25	281	15	13	8		
	33	3					34	10			33[8]	2				

[1] [2] Not attested in mss. [3] 231;8* [4] 232;17* [5] 233;26* [6] 234;35* [7] 235;44* [8] 34*

A2, 2 (IV) : Oblique ascensions, 2nd climate (Syene) (F, f. 60v)

Title : Climate II through Syene, 13h ½, 23° 51’

♑	Capricorn				Aquarius				Pisces					
°	ascens-ons		times		ascens-ions		times		ascens ions		times		calcul-ated[1]	
1	282	20	13	8	312	40	13	26	338	10	14	10		
2	283	25	13	8	313	35	13	28	338	57	14	11		
3	284	30	13	8	314	30	13	29	339	44	14	13		
4	285	34	13	8	315	24	13	30	340	31	14	15		
5	286	38	13	8	316	18	13	31	341	17	14	16	341	18
6	287	42	13	9	317	12	13	32	342	3	14	18	342	4
7	288	46	13	9	318	6	13	34	342	49	14	20	342	50
8	289	50	13	9	319	0	13	35	343	35	14	21	343	36
9	290	54	13	9	319	54	13	36	344	21	14	23	344	22
10	291	58	13	10	320	48	13	37	345	7	14	25	345	8
11	293	0	13	10	321	40	13	39	345	52	14	26	345	53
12	294	1	13	11	322	31	13	40	346	37	14	28	346	38
13	295	2	13	11	323	22	13	42	347	22	14	30	347	23
14	296	3	13	12	324	13	13	43	348	7	14	32	348	8
15	297	4	13	13	325	4	13	45	348	52	14	33	348	53
16	298	5	13	13	325	55	13	46	349	37	14	35	349	38
17	299	6	13	14	326	46	13	47[2]	350	22	14	37	350	23
18	300	7	13	14	327	37	13	49	351	7	14	39	351	8
19	301	8	13	15	328	28	13	51[3]	351	52	14	41	351	53
20	302	9	13	16	329	19	13	52	352	37	14	42		
21	303	7	13	16	330	8	13	53	353	22	14	44		
22	304	5	13	17	330	57	13	55	354	7	14	46		
23	305	3	13	18	331	46	13	57	354	52	14	48		
24	306	1	13	19	332	35	13	58	355	36	14	49		
25	306	59	13	20	333	23	14	0	356	20	14	51		
26	307	57	13	21	334	11	14	1[4]	357	4	14	53		
27	308	54	13	22	334	59	14	3	357	48	14	55		
28	309	51	13	23	335	48[5]	14	5	358	32	14	56		
29	310	48	13	24	336	36[6]	14	6	359	16	14	58		
30	311	45	13	25	337	23	14	8	360	0	15	0		
	30	30			25	38			22	37				

[1] Not attested in mss. [2] 13;48* [3] 13;50* [4] 14;2* [5] 335;47* [6] 336;35*

A2, 3 (I) : Oblique ascensions, 3rd climate (Lower Egypt) (F, f. 61)

Title : Climate III through Lower Egypt, 14h, 30° 22’

♂	Aries				Taurus				Gemini			
°	ascensions		times		ascensions		times		ascensions		times	
1	0	40	15	2	21	38	16	12	46	0	17	8
2	1	20	15	5	22	23	16	14	46	55	17	9
3	2	1	15	7	23	8	16	16	47	50	17	10
4	2	42	15	9	23	53	16	18	48	46	17	12
5	3	23	15	12	24	38	16	20	49	42	17	13
6	4	4	15	14	25	23	16	22	50	38	17	14
7	4	45	15	17	26	8	16	24	51	34	17	15
8	5	26	15	19	26	54	16	26	52	30	17	17
9	6	7	15	21	27	40	16	29	53	26	17	18
10	6	48	15	24	28	27[1]	16	31	54	22	17	19
11	7	29	15	26	29	14	16	33	55	22	17	20
12	8	10	15	28	30	2	16	35	56	22	17	21
13	8	51	15	31	30	50	16	36	57	22	17	22
14	9	32	15	33	31	38	16	38	58	22	17	22
15	10	13	15	35	32	26	16	40	59	22	17	23
16	10	55	15	38	33	14	16	42	60	22	17	24
17	11	37	15	40	34	2	16	44	61	22	17	25
18	12	19	15	42	34	50	16	46	62	22	17	26
19	13	1	15	45	35	39	16	48	63	22	17	27
20	13	43	15	47	36	28	16	50	64	22	17	27
21	14	26	15	49	37	19	16	52	65	25	17	28
22	15	9	15	51	38	10	16	53	66	28	17	28
23	15	52	15	54	39	1	16	55	67	32	17	28
24	16	35	15	56	39	53	16	57	68	36	17	28[2]
25	17	18	15	58	40	45	16	58	69	40	17	29
26	18	1	16	0[3]	41	37	17	0	70	44	17	29
27	18	44	16	3	42	29	17	2	71	48	17	29
28	19	27	16	5	43	21	17	3	72	52	17	29
29	20	10	16	7	44	13	17	5	73	55[4]	17	30
30	20	53	16	9	45	5	17	6	75	0	17	30
	20	53			24	12				55[5]		

1 28;26* 2 17;29 3 16;1 4 73;56 5 29;55

A2, 3 (II) : Oblique ascensions, 3rd climate (Lower Egypt) (F, f. 61v)

Title : Climate III through Lower Egypt, 14h, 30° 22'

♂	Leo				Cancer						Virgo					
°	ascen-sions		times		ascen-sions		times		calcul-ated[1]		ascen-sions		times		calcul-ated[2]	
1	76	7	17	30	110	50	17	5	110	49	146	23	16	7		
2	77	14	17	29	112	2	17	3	112	1	147	33	16	5		
3	78	21	17	29	113	14	17	2	113	13	148	43	16	3		
4	79	28	17	29	114	26	17	0	114	25	149	53	16	0		
5	80	35	17	29	115	38	16	58	115	37	151	3	15	58		
6	81	42	17	28	116	50	16	57	116	48	152	13	15	56		
7	82	49	17	28	118	2	16	55	117	59	153	23	15	54		
8	83	56	17	28	119	14	16	53	119	10	154	33	15	51[2]		
9	85	3[3]	17	28	120	25	16	52	120	21	155	43	15	49		
10	86	12	17	27	121	36	16	50	121	32	156	53	15	47		
11	87	21	17	27	122	47	16	48	122	44	158	3	15	45		
12	88	30	17	26	123	58	16	46	123	56	159	13	15	42		
13	89	39	17	25	125	9	16	44	125	8	160	23	15	40		
14	90	48	17	24	126	20	16	42			161	33	15	38		
15	91	57	17	23	127	31	16	40			162	43	15	35		
16	93	6	17	22	128	42	16	38			163	53	15	33	163	52
17	94	16	17	22	129	53	16	36			165	3	15	31	165	1
18	95	26	17	21	131	4	16	35			166	12	15	28	166	10
19	96	36	17	20	132	15	16	33			167	21	15	26	167	19
20	97	46	17	19	133	26	16	31			168	30	15	24	168	28
21	98	57	17	18	134	37	16	29			169	39	15	21	169	38
22	100	8	17	17	135	48	16	26			170	48	15	19		
23	101	19	17	15	136	59	16	24			171	57	15	17		
24	102	30	17	14	138	10	16	22			173	6	15	14		
25	103	41	17	13	139	21	16	20			174	15	15	12		
26	104	52	17	12	140	32	16	18			175	24	15	9		
27	106	3	17	10	141	43	16	16			176	33	15	7		
28	107	14	17	9	142	53	16	14			177	42	15	5		
29	108	26[4]	17	8	144	3	16	12			178	51	15	2		
30	109	37	17	6	145	13	16	9			180	0	15	0		
	34	37			35	36					34	47				

[1] [2] Not attested in mss. [3] 15;52 [4] 85;4* [5] 108;25*

A2, 3 (III) : Oblique ascensions, 3rd climate (Lower Egypt) (F, f. 62)

Title : Climate III through Lower Egypt, 14h, 30° 22'

	Libra				Scorpio						Sagittarius			
°	ascen-sions		times		ascen-sions		times		calcul-ated[1]		ascen-sions		times	
1	181	9	14	58	215	57	13	48			251	34[2]	12	52
2	182	18	14	55	217	7	13	46			252	46	12	51
3	183	27	14	53	218	17	13	44			253	57	12	50
4	184	36	14	51	219	28	13	42			255	8	12	48
5	185	45	14	48	220	39	13	40			256	19	12	47
6	186	54	14	46	221	50	13	38			257	30	12	46
7	188	3	14	43	223	1	13	36			258	41	12	45
8	189	12	14	41	224	12	13	34			259	52	12	43
9	190	21	14	39	225	23	13	31			261	3	12	42
10	191	30	14	36	226	34	13	29			262	14	12	41
11	192	39	14	34	227	45	13	27			263	24	12	40
12	193	48	14	32	228	56	13	25			264	34	12	39
13	194	57	14	29	230	7	13	24			265	44	12	38
14	196	7	14	27	231	18	13	22			266	54	12	38
15	197	17	14	25	232	29	13	20			268	3	12	37
16	198	27	14	22	233	40	13	18			269	12	12	36
17	199	37	14	20	234	51	13	16	234	52	270	21	12	35
18	200	47	14	18	236	2	13	14	236	4	271	30	12	34
19	201	57	14	15	237	13	13	12	237	16	272	39	12	33
20	203	7	14	13	238	24	13	10	238	28	273	48	12	33
21	204	17	14	11	239	35	13	8	239	39	274	56	12	32
22	205	27	14	9	240	46	13	7	240	50	276	4	12	32
23	206	37	14	6	241	58	13	5	242	1	277	11	12	32
24	207	47	14	4	243	10	13	3	243	12	278	18	12	32
25	208	57	14	2	244	22	13	2	244	23	279	25	12	31
26	210	7	14	0	245	34	13	0	245	35	280	32	12	31
27	211	17	13	57	246	46	12	58	246	47	281	39	12	31
28	212	27	13	55	247	58	12	57	247	59	282	46	12	31
29	213	37	13	53	249	10	12	55	249	11	283	53	12	30
30	214	47	13	51	250	23	12	54			285	0	12	30
	34	47			35	36					34	37		

[1] Not attested in mss. [2] 251;35*

A2, 3 (IV) : Oblique ascensions, 3rd climate (Lower Egypt) (F, f. 62v)

Title : Climate III through Lower Egypt, 14h, 30° 22'

♂	Capricorn				Aquarius				Pisces			
°	ascensions		times		ascensions		times		ascensions		times	
1	286	4	12	30	315	47	12	55	339	50	13	53
2	287	8	12	31	316	39	12	57	340	33	13	55
3	288	12	12	31	317	31	12	58	341	16	13	57
4	289	16	12	31	318	23	13	0	341	59	14	0
5	290	20	12	31	319	15	13	2	342	42	14	2
6	291	24	12	32	320	7	13	3	343	25	14	4
7	292	28	12	32	320	59	13	5	344	8	14	6
8	293	32	12	32	321	50	13	7	344	51	14	9
9	294	35	12	32	322	41	13	8	345	34	14	11
10	295	38	12	33	323	32	13	10	346	17	14	13
11	296	38	12	32[1]	324	23[2]	13	12	346	59	14	15
12	297	38	12	34	325	10	13	14	347	41	14	18
13	298	38	12	35	325	58	13	16	348	23	14	20
14	299	38	12	36	326	46	13	18	349	5	14	22
15	300	38	12	37	327	34	13	20	349	47	14	25
16	301	38	12	38	328	22	13	22	350	28	14	27
17	302	38	12	38	329	10	13	24	351	9	14	29
18	303	38	12	39	329	58	13	25	351	50	14	32
19	304	38	12	40	330	46	13	27	352	31	14	34
20	305	38	12	41	331	34	13	29	353	12	14	36
21	306	34	12	42	332	22[3]	13	31	353	53	14	39
22	307	30	12	43	333	6	13	34	354	34	14	41
23	308	26	12	45	333	52	13	36	355	15	14	43
24	309	22	12	46	334	37	13	38	355	56	14	46
25	310	18	12	47	335	22	13	40	356	37	14	48
26	311	14	12	48	336	7	13	42	357	18	14	51
27	312	10	12	50	336	52	13	44	357	59	14	53
28	313	5	12	51	337	37	13	46	358	35[4]	14	55
29	314	0	12	52	338	22	13	48	359	20	14	58
30	314	55	12	54	339	7	13	51	360	0	15	0
	29	55			24	12			20	53		

[1] 12;34* [2] 324;21* [3] 332;20* [4] 358;40*

A2, 4 (I) : Oblique ascensions, 4th climate (Rhodes) (F, f. 63)

Title : Climate IV, through Rhodes, 14h ½, 36°

♂	Aries				Taurus				Gemini			
°	ascensions		times		ascensions		times		ascensions		times	
1	0	37	15	3	19	54	16	29	42	51	17	39
2	1	14	15	6	20	36	16	32	43	44	17	41
3	1	51	15	9	21	18	16	34	44	37	17	43
4	2	28	15	12	22	0	16	37	45	30	17	44
5	3	5	15	15	22	42	16	40	46	24	17	46
6	3	42	15	18	23	24	16	42	47	18	17	47
7	4	20	15	20	24	6	16	45	48	12	17	49
8	4	58	15	23	24	48	16	48	49	6	17	51
9	5	36	15	26	25	30	16	50	50	0	17	52
10	6	14	15	29	26	13	16	53	51	54[1]	17	54
11	6	52	15	32	26	58	16	55	51	52	17	55
12	7	30	15	35	27	43	16	58	52	50	17	56
13	8	8	15	38	28	28	17	0	53	47[2]	17	57
14	8	46	15	41	29	13	17	3	54	46[3]	17	58
15	9	24	15	44	29	58	17	5	55	46	17	59
16	10	2	15	47	30	43	17	7	56	45	18	0
17	10	40	15	50	31	28	17	10	57	44	18	1
18	11	18	15	52	32	13[4]	17	12	58	43	18	2
19	11	56	15	55	33	0	17	15	59	42	18	3
20	12	35	15	58	33	46	17	17	60	41	18	4
21	13	14	16	1	34	35	17	19	61	44	18	4
22	13	53	16	4	35	24	17	21	62	47	18	5
23	14	32	16	7	36	13	17	23	63	50	18	5
24	15	12	16	10	37	2	17	25	64	53	18	5
25	15	52	16	12	37	51	17	27	65	56	18	6
26	16	32	16	15	38	40	17	30	66	59	18	6
27	17	12	16	18	39	29	17	32	68	3	18	6
28	17	52	16	21	40	18	17	34	69	7	18	7
29	18	32	16	24	41	8	17	36	70	11	18	7
30	19	12	16	26	41	58	17	38	71	15	18	7
	19	12			22	46			29	17		

[1] 50;54 [2] 53;48* [3] 54;47* [4] 32;14*

A2, 4 (II) : Oblique ascensions, 4th climate (Rhodes) (F, f. 63v)

Title : Climate IV, through Rhodes, 14h ½, 36°

☌	Cancer				Leo				Virgo					
°	ascensions		times		ascensions		times		ascensions		times		calcul-ated[1]	
1	72	22	18	7	107	44	17	36	144	47	16	24	144	46
2	73	29	18	7	108	58	17	34	146	0	16	21		
3	74	36	18	6	110	12	17	32	147	13	16	18		
4	75	43	18	6	111	26	17	30	148	26	16	15		
5	76	51	18	6	112	40	17	27	149	39	16	12	149	40
6	77	59	18	5	113	54	17	25	150	52	16	10	150	53
7	79	7	18	5	115	8	17	23	152	5	16	7	152	6
8	80	15	18	5	116	22	17	21	153	18	16	4	153	19
9	81	23	18	4	117	36	17	19	154	31	16	1	154	32
10	82	31	18	4	118	50	17	17	155	44	15	58	155	45
11	83	41	18	4	120	5	17	15	156	57	15	55	156	58
12	84	51	18	2	121	20	17	12	158	10	15	52	158	11
13	86	1	18	1	122	35	17	10	159	23	15	50	159	24
14	87	12	18	0	123	49	17	7	160	36	15	47	160	37
15	88	23	17	59	125	3	17	5	161	49	15	44	161	50
16	89	34	17	58	126	17	17	3	163	2	15	41	163	3
17	90	45	17	57	127	31	17	0	164	15	15	38	164	16
18	91	56	17	56	128	45	16	58	165	28	15	35	165	29
19	93	7	17	55	129	59	16	55	166	41	15	32	166	42
20	94	18	17	54	131	13	16	53	167	54	15	29		
21	95	31	17	52	132	27	16	50	169	7	15	26		
22	96	44	17	51	133	41	16	48	170	20	15	23		
23	97	57	17	49	134	55	16	45	171	33	15	20		
24	99	10	17	47	136	9	16	42	172	46	15	18		
25	100	23	17	46	137	23	16	40	173	59	15	15		
26	101	36	17	44	138	37	16	37	175	12	15	12		
27	102	49	17	43	139	51	16	34	176	24	15	9		
28	104	2	17	41	141	5	16	32	177	36	15	6		
29	105	16	17	39	142	19	16	29	178	48	15	3		
30	106	30	17	38	143	33[2]	16	26	180	0	15	0		
	35	15			37	3			36	27				

1 Not attested in mss. 2 143;32*

A2, 4 (III) : Oblique ascensions, 4th climate (Rhodes) (F, f. 64)

Title : Climate IV, through Rhodes, 14h ½, 36°

♂	Libra						Scorpio				Sagittarius			
°	ascensions		times		calcul-ated[1]		ascensions		times		ascensions		times	
1	181	12	14	57			217	41	13	31	254	44	12	21
2	182	24	14	54			218	55	13	28	255	58	12	19
3	183	36	14	51			220	9	13	26	257[2]	12	12	17
4	184	48	14	48			221	23	13	23	258	24	12	16
5	186	1	14	45			222	37	13	20	259	37	12	14
6	187	14	14	42			223	51	13	18	260	50	12	13
7	188	27	14	40			225	5	13	15	262	3	12	11
8	189	40	14	37			226	19	13	12	263	16	12	9
9	190	53	14	34			227	33	13	10	264	29	12	8
10	192	6	14	31			228	47	13	7	265	42	12	6
11	193	19	14	28	193	18	230	1	13	5	266	53	12	5
12	194	32	14	25	194	31	231	15	13	2	268	4	12	4
13	195	45	14	22	195	44	232	29	13	0	269	15	12	3
14	196	58	14	19	196	57	233	43	12	57	270	26	12	2
15	198	11	14	16	198	10	234	57	12	55	271	37	12	1
16	199	24	14	13	199	23	236	11	12	53	272	48	12	0
17	200	37	14	10	200	36	237	25	12	50	273	59	11	59
18	201	50	14	8	201	49	238	40	12	48	275	9	11	58
19	203	3	14	5	203	2	239	55	12	45	276	19	11	57
20	204	16	14	2	204	15	241	10	12	43	277	29	11	56
21	205	29	13	59	205	28	242	24	12	41	278	39[3]	11	56
22	206	42	13	56	206	41	243	38	12	39	279	47[4]	11	55
23	207	55	13	53	207	54	244	52	12	37	280	54[5]	11	55
24	209	8	13	50	209	7	246	6	12	35	282	1	11	55
25	210	21	13	48	210	20	247	20	12	33	283	9	11	54
26	211	34	13	45	211	33	248	34	12	30	284	17	11	54
27	212	47	13	42	212	46	249	48	12	28	285	24	11	54
28	214	0	13	39			251	2	12	26	286	31	11	53
29	215	13	13	36	215	14	252	16	12	24	287	38	11	53
30	216	27	13	34	216	28	253	30	12	22	288	45	11	53
	36	27					37	3			35	15		

[1] Not attested in mss. [2] 257;11* [3] 278;37* [4] 278;37* [5] 279;45* [6] 280;53*

A2, 4 (IV) : Oblique ascensions, 4th climate (Rhodes) (F, f. 64v)

Title : Climate IV, through Rhodes, 14h ½, 36°

♂	Capricorn				Aquarius				Pisces			
°	ascensions		times		ascensions		times		ascensions		times	
1	289	49	11	53	318	52	12	24	341	28	13	36
2	290	53	11	53	319	42	12	26	342	8	13	39
3	291	57	11	54	320	31	12	28	342	48	13	42
4	293	1	11	54	321	20	12	30	343	28	13	45
5	294	4	11	54	322	9	12	33	344	7[1]	13	48
6	295	7	11	55	322	58	12	35	344	46[2]	13	50
7	296	10	11	55	323	47	12	37	345	26[3]	13	53
8	297	13	11	55	324	36	12	39	346	6[4]	13	56
9	298	16	11	56	325	25	12	41	346	46	13	59
10	299	19	11	56	326	14	12	46[5]	347	25	14	2
11	300	18	11	56	327	0	12	45	348	4	14	5
12	301	17	11	58	327	46	12	48	348	42	14	8
13	302	16	11	59	328	32	12	50	349	20	14	10
14	303	15	12	0	329	17	12	53	349	58	14	13
15	304	14	12	1	330	2	12	55	350	36	14	16
16	305	13	12	2	330	47	12	57	351	14	14	19
17	306	12	12	3	331	32	13	0	351	52	14	22
18	307	11[6]	12	4	332	17	13	2	352	30	14	25
19	308	8	12	5	333	2	13	5	353	8	14	28
20	309	6	12	6	333	47	13	7	353	46	14	31
21	310	0	12	8	334	30	13	10	354	24	14	34
22	310	54	12	9	335	12	13	12	355	2	14	37
23	311	48	12	11	335	54	13	15	355	40	14	40
24	312	42	12	13	336	36	13	18	356	18	14	42
25	313	36	12	14	337	18	13	20	356	55	14	45
26	314	30	12	16	338	0	13	23	357	32	14	48
27	315	23	12	17	338	42	13	26	358	9	14	51
28	316	16	12	19	339	24	13	28	358	46	14	54
29	317	9	12	21	340	6	13	31	359	23	14	57
30	318	2	12	22	340	48	13	34	360	0	14[7]	0
	29	17			22	46			19	12		

[1] 344;8* [2] 344;48* [3] 345;28* [4] 346;7* [5] 12;43 [6] 307;10* [7] 15;0

A2, 5 (I) : Oblique ascensions, 5th climate (Hellespont) (F, f. 65)

Title : Climate V, through Hellespont, 15h, 40° 56’

☄	Aries				Taurus				Gemini			
°	ascensions		times		ascensions		times		ascensions		times	
1	0	34	15	3	18	10	16	46	39	41[1]	18	11
2	1	8	15	7	18	49	16	49	40	33	18	13
3	1	42	15	10	19	28	16	53	41	25	18	15
4	2	16	15	14	20	7	16	56	42	17	18	17
5	2	50	15	17	20	46	16	59	43	9	18	18
6	3	24	15	21	21	25	17	2	44	1	18	20
7	3	58	15	24	22	4	17	5	44	53	18	22
8	4	32	15	27	22	43	17	8	45	45	18	24
9	5	6	15	31	23	22	17	12	46	37	18	26
10	5	40	15	35	24	1	17	15	47	29	18	28
11	6	14	15	38	24	43	17	18	48	26	18	29
12	6	48	15	42	25	25	17	21	49	23	18	31
13	7	22	15	45	26	7	17	24	50	20	18	32
14	7	57	15	49	26	49	17	26	51	17	18	33
15	8	32	15	52	27	31	17	29	52	14	18	34
16	9	7	15	56	28	13	17	32	53	11	18	36
17	9	42	15	59	28	56	17	35	54	8	18	37
18	10	17	16	3	29	39	17	38	55	5	18	38
19	10	52	16	6	30	22	17	41	56	3	18	39
20	11	27	16	9	31	5	17	44	57	1	18	40
21	12	3	16	13	31	51	17	46	58	3	18	41
22	12	39	16	16	32	37	17	49	59	6	18	42
23	13	15	16	20	33	23	17	51	60	9	18	43
24	13	51	16	23	34	9	17	54	61	12	18	43
25	14	27	16	26	34	56	17	56	62	15	18	44
26	15	4	16	30	35	43	17	59	63	18	18	44
27	15	41	16	33	36	30	18	1	64	21	18	45
28	16	18	16	36	37	17	18	4	65	24	18	45
29	16	55	16	40	38	4	18	6	66	27	18	46
30	17	32	16	43	38	51	18	9	67	30	18	46
	17	32			21	19			28	39		

1 39;42*

A2, 5 (II) : Oblique ascensions, 5th climate (Hellespont) (F, f. 65v)

Title : Climate V, through Hellespont, 15h, 40° 56'

σ	Cancer				Leo						Virgo					
°	ascen-sions		times		ascen-sions		times		calcul-ated[1]		ascen-sions		times		calcul-ated[2]	
1	68	38	18	45	104	39	18	6			143	11	16	40	143	9
2	69	46	18	44	105	55	18	4			144	28	16	36	144	26
3	70	54	18	44	107	11	18	1			145	45	16	33	145	43
4	72	2	18	43	108	27	17	59			147	2	16	30	147	0
5	73	10	18	43	109	44	17	56			148	19	16	26	148	17
6	74	18	18	42	111	1	17	54			149	36	16	23	149	33
7	75	26	18	42	112	18	17	51			150	52	16	20	150	49
8	76	34	18	42	113	39[3]	17	49			152	8	16	16	152	5
9	77	42	18	41	114	52	17	46			153	24	16	13	153	21
10	78	51	18	40	116	9	17	44			154	40	16	9	154	37
11	80	3	18	39	117	26	17	41			155	56	16	6	155	54
12	81	15	18	38	118	43	17	38			157	12	16	3	157	11
13	82	27	18	37	120	0	17	35			158	28	15	59		
14	83	39	18	37[4]	121	17	17	32			159	44	15	56		
15	84	51	18	34	122	34	17	29			161	0	15	52		
16	86	3	18	33	123	51	17	26			162	16	15	49		
17	87	15	18	32	125	8	17	24			163	32	15	45		
18	88	27	18	31	126	26	17	21	126	25	164	48	15	42		
19	89	39[5]	18	29	127	44	17	18	127	43	166	4	15	38		
20	90	51[6]	18	28	129	2	17	15	129	1	167	20	15	35		
21	92	8	18	26	130	20	17	12	130	19	168	36	15	31		
22	93	23	18	24	131	38	17	8	131	36	169	52	15	28		
23	94	38	18	22	132	55	17	5	132	53	171	8	15	24		
24	95	53	18	20	134	12	17	2	134	10	172	24	15	21		
25	97	8	18	18	135	29	16	59	135	27	173	40	15	17		
26	98	23	18	17	136	46	16	56	136	44	174	56	15	14		
27	99	38	18	15	138	3	16	53	138	1	176	12	15	10		
28	100	53	18	13	139	20	16	49	139	18	177	28	15	7		
29	102	8	18	11	140	37	16	46	140	35	178	44	15	4		
30	103	23	18	19[7]	141	54	16	43	141	52	180	0	15	0		
	35	53			38	31					38	6				

[1] [2] Calculated : not attested in mss. [3] 113;35 [4] 18;36 [5] 89;40* [6] 90;53* [7] 18;9

A2, 5 (III) : Oblique ascensions, 5th climate (Hellespont) (F, f. 66)

Title : Climate V, through Hellespont, 15h, 40° 56'

♂	Libra						Scorpio						Sagittarius			
°	ascen-sions		times		calcul-ated[1]		ascen-sions		times		calcul-ated[2]		ascen-sions		times	
1	181	16	14	57			219	23	13	14	219	25	257	52	11	49
2	182	32	14	53			220	40	13	11	220	42	259	7	11	47
3	183	48	14	50			221	57	13	7	221	59	260	22	11	45
4	185	4	14	46			223	14	13	4	223	16	261	37	11	43
5	186	20	14	43			224	31	13	1	224	33	262	52	11	42
6	187	36	14	39			225	48	12	58	225	50	264	7	11	40
7	188	52	14	36			227	5	12	55	227	7	265	22	11	38
8	190	8	14	33			228	22	12	52	228	24	266	37	11	36
9	191	24	14	29			229	40	12	48	229	41	267	52	11	34
10	192	40	14	25			230	58	12	45	230	59	269	7	11	32
11	193	56	14	22			232	16	12	42	232	17	270	22[3]	11	31
12	195	12	14	18			233	34	12	39	233	35	271	33	11	29
13	196	28	14	15			234	52	12	36			272	45	11	28
14	197	44	14	11			236	9	12	34			273	57	11	27
15	199	0	14	8			237	26	12	31			275	9	11	26
16	200	16	14	4			238	43	12	28			276	21	11	24
17	201	32	14	1			240	0	12	25			277	33	11	23
18	202	48	13	57	202	48	241	17	12	22			278	45	11	22
19	204	4	13	54	204	6	242	34	12	19			279	57	11	21
20	205	20	13	51	205	23	243	51	12	16			281	9	11	20
21	206	36	13	47	206	39	245	8	12	14			282	18	11	19
22	207	52	13	44	207	55	246	25	12	11			283	26	11	18
23	209	8	13	40	209	11	247	42	12	9			284	34	11	17
24	210	24	13	37	210	27	248	59	12	6			285	42	11	17
25	211	41	13	34	211	43	250	16	12	4			286	50	11	16
26	212	58	13	30	213	0	251	33	12	1			287	58	11	16
27	214	15	13	27	214	17	252	49	11	59			289	6	11	15
28	215	32	13	24	215	34	254	5	11	56			290	14	11	15
29	216	49	13	20	216	51	255	21	11	54			291	22	11	14
30	218	6	13	17	218	8	256	37	11	51			292	30	11	14
	38	6					38	31					35	53		

[1] [2] Not attested in mss. [3] 270;20*

A2, 5 (IV) : Oblique ascensions, 5th climate (Hellespont) (F, f. 66v)

Title : Climate V, through Hellespont, 15h, 40° 56'

♂	Capricorn				Aquarius				Pisces			
°	ascensions		times		ascensions		times		ascensions		times	
1	293	33	11	15	321	50[1]	11	54	343	5	13	20
2	294	36	11	16	322	43	11	56	343	42	13	24
3	295	39	11	16	323	30	11	59	344	19	13	27
4	296	42	11	17	324	17	12	1	344	56	13	30
5	297	45	11	17	325	4	12	4	345	33	13	34
6	298	48	11	18	325	51	12	6	346	9	13	37
7	299	51	11	18	326	37	12	9	346	45	13	40
8	300	54	11	19	327	23	12	11	347	21	13	44
9	301	57	11	19	328	9	12	14	347	57	13	47
10	302	59	11	20	328	55	12	16	348	33	13	51
11	303	57	11	21	329	38	12	19	349	8	13	54
12	304	55	11	22	330	21	12	22	349	43	13	57
13	305	52	11	23	331	4	12	25	350	18	14	1
14	306	49	11	24	331	47	12	28	350	53	14	4
15	307	46	11	26	332	29	12	31	351	28	14	8
16	308	43	11	27	333	11	12	34	352	3	14	11
17	309	40	11	28	333	53	12	36	352	38	14	15
18	310	37	11	29	334	35	12	39	353	12	14	18
19	311	34	11	31	335	17	12	42	353	46	14	22
20	312	31	11	32	335	59	12	45	354	20	14	25
21	313	23	11	34	336	38	12	48	354	54	14	29
22	314	15	11	36	337	17	12	52	355	28	14	32
23	315	54[2]	11	38	337	56	12	55	356	2	14	36
24	315	59	11	40	338	35	12	58	356	36	14	39
25	316	51	11	42	339	14	13	1	357	10	14	43
26	317	43	11	43	339	53	13	4	357	44	14	46
27	318	35	11	45	340	32	13	7	358	18	14	50
28	319	27	11	47	341	11	13	11	358	52	14	53
29	320	18	11	49	341	50	13	14	359	20[3]	14	56
30	320	9	11	51	342	28	13	17	360	0	15	0
	28	29[4]			21	29[5]			17	32		

[1] 321;56 [2] 315;7* [3] 359;26 [4] 27;39* [5] 22;19*

A2, 6 (I) : Oblique ascensions, 6th climate (Middle Pontus) (F, f.67)

Title : Climate VI, through Middle Pontus, 15h 1/2, 45° 30'

♂	Aries				Taurus				Gemini			
°	ascensions		times		ascensions		times		ascensions		times	
1	0	30	15	4	16	30	17	3	36	36	18	42
2	1	0	15	8	17	5	17	7	37	25	18	44
3	1	31	15	12	17	41	17	10	38	14	18	46
4	2	2	15	16	18	17	17	14	39	3	18	49
5	2	33	15	20	18	53	17	18	39	52	18	51
6	3	4	15	24	19	29	17	21	40	42	18	53
7	3	35	15	28	20	5	17	25	41	32	18	56
8	4	6	15	32	20	41	17	29	42	22	18	58
9	4	37	15	36	21	17	17	32	43	12	19	0
10	5	8	15	40	21	53	17	36	44	2	19	2
11	5	39	15	44	22	32	17	39	44	57	19	4
12	6	10	15	48	23	11	17	43	45	52[1]	19	5
13	6	41	15	52	23	50	17	46	46	47[2]	19	7
14	7	12	15	56	24	29	17	50	47	45	19	8
15	7	43	16	0	25	8	17	53	48	41	19	10
16	8	14	16	4	25	47	17	57	49	37	19	11
17	8	46	16	8	26	27	18	0	50	33	19	13
18	9	18	16	12	27	7	18	3	51	29	19	14
19	9	50	16	16	27	47	18	7	52	25	19	16
20	10	22	16	20	28	27	18	10	53	21	19	17
21	10	55	16	24	29	11	18	13	54	23	19	18
22	11	28	16	28	29	55	18	16	55	25	19	18
23	12	1	16	32	30	39	18	19	56	27	19	19
24	12	34	16	36	31	23	18	22	57	29	19	19
25	13	7	16	40	32	7	18	25	58	31	19	20
26	13	40	16	44	32	51	18	28	59	33	19	20
27	14	13	16	48	33	35	18	31	60	36	19	21
28	14	47	16	51	34	19	18	34	61	39	19	21
29	15	21	16	55	35	3	18	37	62	42	19	22
30	15	55	16	59	35	47	18	39	63	45	19	22
	15	55			19	52			27	58		

[1] 45;53* [2] 46;49* These calculated values are found in the Papyrus (Jones (1999b), pp. 118-119). See I, a p. 191.

A2, 6 (II) : Oblique ascensions, 6th climate (Middle Pontus) (F, f.67[v])

Title : Climate VI, through Middle Pontus, 15h 1/2, 45° 30’

♂	Cancer				Leo						Virgo					
°	ascen-sions		times		ascen-sions		times		calcul-ated[1]		ascen-sions		times		calcul-ated[2]	
1	64	53	19	22	101	38	18	37			141	36	16	55	141	35
2	66	1	19	21	102	57	18	34			142	56	16	51	142	55
3	67	9	19	21	104	16	18	31			144	16	16	48	144	15
4	68	17	19	20	105	35	18	28			145	36	16	44	145	35
5	69	26	19	20	106	54	18	25			146	56	16	40	146	55
6	70	35	19	19	108	13	18	22			148	16	16	36	148	15
7	71	44	19	19	109	32	18	19			149	36	16	32	149	35
8	72	53	19	18	110	51	18	16			150	56	16	28	150	54
9	74	2	19	18	112	11	18	13			152	16	16	24	152	13
10	75	11	19	17	113	31	18	10			153	36	16	20	153	32
11	76	24	19	16	114	51	18	7			154	56	16	16	154	52
12	77	37	19	14	116	11	18	3			156	16	16	12	156	12
13	78	50	19	13	117	31	18	0			157	36	16	8	157	32
14	80	3	19	11	118	51	17	57			158	56	16	4	158	52
15	81	16	19	10	120	11	17	53			160	15	16	0	160	12
16	82	30	19	8	121	31	17	50			161	34	15	56	161	32
17	83	44	19	7	122	51	17	46			162	53	15	52	162	51
18	84	58	19	5	124	11	17	43			164	12	15	48	164	10
19	86	12	19	4	125	32	17	40			165	31	15	44	165	29
20	87	26	19	2	126	53	17	36			166	50	15	40	166	48
21	88	43	19	0	128	15	17	32	128	14	168	9	15	36	168	8
22	90	0	18	58	129	35	17	29			169	28	15	32		
23	91	17	18	56	130	56	17	25	130	55	170	27	15	28	170	47
24	92	34	18	53	132	16	17	21	132	15	172	6	15	24	172	6
25	93	51	18	51	133	36	17	18	133	35	173	25	15	20		
26	95	8	18	49	134	56	17	14	134	55	174	44	15	16		
27	96	25	18	46	136	16	17	10	136	15	176	3	15	12		
28	97	43	18	44	137	36	17	7	137	35	177	22	15	8		
29	99	1	18	42	138	56	17	3	138	55	178	41	15	4		
30	100	19	18	39	140	16	16	59	140	15	180	0	15	0		
	36	34			39	57					39	44				

[1] Not attested in mss. [2] Not attested in mss. The calculated values in rows 12-19 are confirmed in the Papyrus (Jones (1999b), pp. 120-121).

A2, 6 (III) : Oblique ascensions, 6th climate (Middle Pontus) (F, f. 68)

Title : Climate VI, through Middle Pontus, 15h 1/2, 45° 30’

♂	Libra						Scorpio						Sagittarius			
°	ascen-sions		times		calcul-ated[1]		ascens-ions		times		calcul-ated[2]		ascens-ions		times	
1	181	19	14	56			221	4	12	57	221	5	260	59	11	18
2	182	38	14	52			222	24	12	53	222	25	262	17	11	16
3	183	57	14	48			223	44	12	50	223	45	263	35	11	14
4	185	16	14	44			225	4	12	46	225	5	264	52	11	11
5	186	35	14	40			226	24	12	42	226	25	266	9	11	9
6	187	54	14	36			227	44	12	39	227	45	267	26	11	7
7	189	13	14	32			229	4	12	35	229	5	268	43	11	4
8	190	32	14	28			230	25	12	31			270	0	11	2
9	191	51	14	24	191	52	231	46	12	28			271	17	11	0
10	193	10	14	20	193	12	233	7	12	24			272	34	10	58
11	194	29	14	16	194	31	234	28	12	21			273	48	10	56
12	195	48	14	12	195	50	235	49	12	17			275	2	10	55
13	197	7	14	8	197	9	237	9	12	14			276	16	10	53
14	198	26	14	4	198	28	238	29	12	10			277	30	10	52
15	199	45	14	0	199	48	239	49	12	7			278	44	10	50
16	201	4	13	56	201	8	241	9	12	3			279	57	10	49
17	202	24	13	52	202	28	242	29	12	0			281	10	10	47
18	203	44	13	48	203	48	243	49	11	57			282	23	10	46
19	205	4	13	44	205	8	245	9	11	53			283	36	10	44
20	206	24	13	40	206	28	246	29	11	50			284	49	10	43
21	207	44	13	36	207	47	247	49	11	47			285	58	10	42
22	209	4	13	32	209	6	249	9	11	44			287	7	10	42
23	210	24	13	28	210	25	250	28	11	41			288	16	10	41
24	211	44	13	24	211	45	251	47	11	38			289	25	10	41
25	213	4	13	20	213	5	253	6	11	35			290	34	10	40
26	214	24	13	16	214	25	254	25	11	32			291	43	10	40
27	215	44	13	12	215	45	255	44	11	29			292	51	10	39
28	217	4	13	9	217	5	257	3	11	26			293	59	10	39
29	218	24	13	5	218	25	258	22	11	23			295	7	10	38
30	219	44	13	1	219	45	259	41	11	21			296	15	10	38
	39	44					39	57					36	34		

[1] [2] Calculated : not attested in mss, except for the entries corresponding to arg. 10 to 13 of col. 2, which are found in MS H.

A2, 6 (IV) : Oblique ascensions, 6th climate (Middle Pontus)
(F, f. 68^{v})

Title : Climate VI, through Middle Pontus, 15h 1/2, 45° 30’

♑	Capricorn				Aquarius				Pisces			
°	ascensions		times		ascensions		times		ascensions		times	
1	296	18[1]	10	38	324	57	11	26[2]	344	39	13	5
2	298	21	10	39	325	41	11	26	345	13	13	9
3	299	24	10	39	326	25	11	29	345	47	13	12
4	300	27	10	40	327	9	11	32	346	20	13	16
5	301	29	10	40	327	53	11	35	346	53	13	20
6	302	31	10	41	328	37	11	38	347	26	13	24
7	303	33	10	41	329	21	11	41	347	59	13	28
8	304	35	10	42	330	5	11	44	348	32	13	32
9	305	37	10	42	330	49	11	47	349	5	13	36
10	306	39	10	43	331	33	11	50	349	38	13	40
11	307	35	10	44	332	13	11	53	350	10	13	44
12	308	31	10	46	332	53	11	57	350	42	13	48
13	309	27	10	47	333	33	12	0	351	14	13	52
14	310	23	10	49	334	13	12	3	351	46	13	56
15	311	19	10	50	334	52	12	7	352	17	14	0
16	312	15	10	52	335	31	12	10	352	48	14	4
17	313	11	10	53	336	10	12	14	353	19	14	8
18	314	7	10	55	336	49	12	17	353	50	14	12
19	315	3	10	56	337	28	12	20	354	21	14	16
20	315	58	10	58	338	7	12	24	354	52	14	20
21	316	48	11	0	338	43	12	28	355	23	14	24
22	317	38	11	2	339	19	12	31	355	54	14	28
23	318	28	11	4	339	55	12	35	356	26[3]	14	32
24	319	18	11	7	340	31	12	39	356	56	14	36
25	320	8	11	9	341	7	12	42	357	27	14	40
26	320	57	11	11	341	43	12	46	357	58	14	44
27	321	46	11	14	342	19	12	50	358	29	14	48
28	322	35	11	16	342	55	12	53	359	0	14	52
29	323	24	11	18	343	31[4]	12	57	359	30	14	56
30	324	13	11	21	344	5	12	1[5]	360	0	15	0
	27	58			19	52			15	55		

1 297;18 2 11;23 3 356;25 4 343;30* 5 13;1

A2, 7 (I) : Oblique ascensions, 7th climate (Borysthenes) (F, f. 69)

Title : Climate VII, through Borysthenes, 16h, 48° 32'

♂	Aries				Taurus				Gemini			
°	ascensions		times		ascensions		times		ascensions		times	
1	0	27	15	5	14	52	17	19	33	30	19	13
2	0	54	15	9	15	24	17	23	34	17	19	15
3	1	21	15	14	15	56	17	28	35	4	19	18
4	1	48	15	18	16	28	17	32	35	51	19	21
5	2	16	15	23	17	1	17	36	36	38	19	23
6	2	44	15	27	17	34	17	40	37	25	19	26
7	3	12	15	32	18	7	17	45	38	12	19	29
8	3	40	15	37	18	40	17	49	39	0	19	31
9	4	8	15	41	19	13	17	53	39	48	19	34
10	4	36	15	46	19	46	17	57	40	36	19	37
11	5	4	15	50	20	22	18	1	41	30	19	39
12	5	32	15	55	20	58	18	5	42	24	19	40
13	6	0	15	59	21	34	18	9	43	18	19	42
14	6	28	16	4	22	10	18	13	44	12	19	44
15	6	56	16	8	22	46	18	17	45	6	19	45
16	7	24	16	13	23	23	18	21	46	1	19	47
17	7	52	16	17	24	0	18	25	46	56	19	49
18	8	21	16	22	24	37	18	28	47	51	19	51
19	8	50	16	26	25	14	18	32	48	46	19	52
20	9	19	16	31	25	51	18	36	49	41	19	54
21	9	49	16	35	26	32	18	40	50	42	19	55
22	10	19	16	40	27	13	18	43	51	44	19	55
23	10	49	16	44	27	54	18	46	52	46	19	55
24	11	19	16	48	28	35	18	50	53	48	19	56
25	11	49	16	53	29	15[1]	18	53	54	50	19	57
26	12	19	16	57	29	57	18	57	55	52	19	58
27	12	49	17	0[2]	30	38	19	0	56	54	19	58
28	13	19	17	6	31	19	19	3	57	56	19	59
29	13	49	17	11	32	1	19	7	58	58	19	59
30	14	20	17	15	32	43	19	10	60	0	20	0
	14	20			18	23			27	17		

[1] 29;16* [2] 17;1*

A2, 7 (II) : Oblique ascensions, 7th climate (Borysthenes) (F, f. 69^{v})

Title : Climate VII, through Borysthenes, 16h, 48° 32’

σ	Cancer				Leo				Virgo					
°	ascensions		times		ascensions		times		ascensions		times		calculated[1]	
1	61	9	19	59	98	37	19	7	140	4	17	11	140	3
2	62	18	19	59	99	59	19	3	141	28	17	6	141	26
3	63	27	19	58	101	21	19	0	142	51	17	2	142	49
4	64	36	19	58	102	43	18	57	144	14	16	57	144	12
5	65	45	19	57	104	5	18	53	145	37	16	53	145	35
6	66	54	19	56	105	27	18	50	147	0	16	48	146	58
7	68	3	19	56	106	49	18	46	148	23	16	44	148	21
8	69	12	19	55	108	11	18	43	149	46	16	40	149	44
9	70	21	19	55	109	33	18	40	151	9	16	35	151	7
10	71	31	19	54	110	55	18	36	152	32	16	31	152	29
11	72	45	19	52	112	18	18	32	153	55	16	26	153	52
12	74	0	19	51	113	42[2]	18	28	155	18	16	22	155	15
13	75	15	19	49	115	4	18	25	156	41	16	17	156	38
14	76	30	19	47	116	27	18	21	158	4	16	13	158	1
15	77	45	19	45	117	50	18	17	159	27	16	8	159	24
16	79	0	19	44	119	13	18	13	160	50	16	4	160	47
17	80	15	19	42	120	36	18	9	162	13	15	59	162	10
18	81	30	19	40	121	59	18	5	163	36	15	55	163	32
19	82	45	19	39	123	22	18	1	164	58	15	50	164	54
20	84	0	19	37	124	45[3]	17	57	166	20	15	46	166	16
21	85	19	19	34	126	8[4]	17	53	167	42	15	41	167	39
22	86	38	19	31	127	31[5]	17	49	169	4	15	37	169	2
23	87	57	19	29	128	54[6]	17	45	170	26	15	32	170	25
24	89	16	19	26	130	17[7]	17	40	171	48	15	27		
25	90	35	19	23	131	40[8]	17	36	173	10	15	23		
26	91	55	19	21	133	4	17	32	174	32	15	18		
27	93	15	19	18	134	28	17	28	175	54	15	14		
28	94	35	19	15	135	52	17	23	177	16	15	9		
29	95	55	19	13	137	16	17	19	178	38	15	5		
30	97	15	19	11	138	40	17	15	180	0	15	0		
	37	15			41	25			41	20				

[1] Not attested in mss. [2] 113;41. The calculated value is found in the Papyrus (JONES (1999b), pp. 122-123). [3] 124;46* [4] 126;9* [5] 127;32* [6] 128;55* [7] 130;18* [8] 131;41*

A2, 7 (III) : Oblique ascensions, 7th climate (Borysthenes) (F, f. 70)

Title : Climate VII, through Borysthenes, 16h, 48° 32’

♂	Libra						Scorpio						Sagittarius			
°	ascens-ions		times		calcul-ated[1]		ascens-ions		times		calcul-ated[2]		ascens-ions		times	
1	181	22	14	55			222	44	12	41			264	5	10	47
2	182	44	14	51			224	8	12	37			265	25	10	45
3	184	6	14	46			225	32	12	32			266	45	10	42
4	185	28	14	42			226	56	12	28			268	5	10	39
5	186	50	14	37			228	20	12	24	228	19	269	25	10	37
6	188	12	14	33			229	43	12	20	229	42	270	44	10	34
7	189	34	14	28	189	35	231	6	12	15	231	5	272	3	10	31
8	190	56	14	23	190	58	232	29	12	11	232	28	273	22	10	29
9	192	18	14	19	192	21	233	52	12	7	233	51	274	41	10	26
10	193	40	14	14	193	44	235	15	12	3	235	14	276	0	10	23
11	195	2	14	10	195	6	236	38	11	59			277	15	10	21
12	196	24	14	5	196	28	238	1	11	55			278	30	10	20
13	197	47	14	1	197	50	239	24	11	51			279	45	10	18
14	199	10	13	56	199	13	240	47	11	47			281	0	10	16
15	200	33	13	52	200	36	242	10	11	43			282	15	10	15
16	201	56	13	47	201	59	243	33	11	39			283	30	10	13
17	203	19	13	43	203	22	244	56	11	35			284	45	10	11
18	204	42	13	38	204	45	246	19	11	32			286	0	10	9
19	206	5	13	34	206	8	247	42	11	28			287	15	10	8
20	207	28	13	29	207	31	249	5	11	24			288	29	10	6
21	208	51	13	25	208	53	250	27	11	20			289	39	10	5
22	210	14	13	20	210	16	251	49	11	17			290	48	10	5
23	211	37	13	16	211	39	253	11	11	14			291	57	10	5
24	213	0	13	12	213	2	254	33	11	10			293	6	10	4
25	214	23	13	7	214	25	255	55	11	7			294	15	10	3
26	215	46	13	3	215	48	257	17	11	3			295	24	10	2
27	217	9	13	0[3]	217	11	258	39	11	0			296	33	10	2
28	218	32	12	54	218	34	260	1	10	57			297	42	10	1
29	219	56	12	49	219	57	261	23	10	53			298	51	10	1
30	221	20	12	45			262	45	10	50			300	0	10	0
	41	20					41	25					37	15		

1 2 Not attested in mss. 3 12;58*

A2, 7 (IV) : Oblique ascensions, 7^{e} climate (Borysthenes) (F, f. 70^{v})

Title : Climate VII, through Borysthenes, 16h, 48° 32’

♂	Capricorn				Aquarius				Pisces			
°	ascensions		times		ascensions		times		ascensions		times	
1	301	2	10	1	327	59	10	53	346	11	12	49
2	302	4	10	1	328	41	10	57	346	41	12	54
3	303	6	10	2	329	22	11	0	347	11	12	58
4	304	8	10	2	330	3	11	3	347	41	13	3
5	305	10	10	3	330	44	11	7	348	11	13	7
6	306	12	10	4	331	25	11	10	348	41	13	12
7	307	14	10	4	332	6	11	14	349	11	13	16
8	308	16	10	5	332	47	11	17	349	41	13	20
9	309	18	10	5	333	28	11	20	350	11	13	25
10	310	19	10	6	334	9	11	24	350	41	13	29
11	311	14	10	8	334	46	11	28	351	10	13	34
12	312	9	10	9	335	23	11	32	351	39	13	38
13	313	4	10	11	336	0	11	35	352	8	13	43
14	313	59	10	13	336	37	11	39	352	36	13	47
15	314	54	10	15	337	14	11	43	353	4	13	52
16	315	48	10	16	337	50	11	47	353	32	13	56
17	316	42	10	18	338	26	11	51	354	0	14	1
18	317	36	10	20	339	2	11	54	354	28	14	5
19	318	30	10	21	339	38	11	59	354	56	14	10
20	319	24	10	23	340	14	12	3	355	24	14	14
21	320	12	10	26	340	47	12	7	355	52	14	19
22	321	0	10	29	341	20	12	11	355	20[1]	14	23
23	321	48	10	31	341	53	12	15	356	48	14	28
24	322	36[2]	10	34	342	26	12	20	357	16	14	33
25	323	22	10	37	342	59	12	24	357	44	14	37
26	324	9	10	39	343	32	12	28	358	12	14	42
27	324	56	10	42	344	4	12	32	358	39	14	46
28	325	43	10	45	344	36	12	37	359	6	14	51
29	326	30	10	47	345	8	12	41	359	34[3]	14	55
30	327	17	10	49	345	40	12	45	360	0	15	0
	27	17			18	23			14	20		

[1] 356;20 [2] 322;35* [3] 359;33*

TRANSCRIPTION

B1

B1 (I) : Oblique ascensions for the climate of Byzantium (F, f. 35)

Title : Climate of the parallel through Byzantium 15h ¼ , 43° 5′

σ′	Aries				Taurus				Gemini			
°	ascensions		times		ascensions		times		ascensions		times	
1	0	32	15	4	17	20	16	54	38	9	18	26
2	1	4	15	8	17	57	16	58	38	59	18	29
3	1	36	15	11	18	34	17	1	39	49	18	31
4	2	9	15	15	19	12	17	5	40	40	18	33
5	2	42	15	19	19	49	17	8	41	1[1]	18	35
6	3	14	15	23	20	27	17	12	42	21	18	37
7	3	46	15	26	21	4	17	15	43	12	18	39
8	4	19	15	30	21	42	17	19	44	3	18	41
9	4	51	15	34	22	19	17	22	44	54	18	43
10	5	24	15	38	22	47[2]	17	25	45	45	18	45
11	5	56	15	41	23	37	17	29	46	41	18	47
12	6	29	15	45	24	18	17	32	47	38	18	49
13	7	1	15	49	24	58	17	35	48	34	18	50
14	7	34	15	53	25	39	17	38	49	31	18	51
15	8	7	15	56	26	19	17	41	50	27	18	52
16	8	40	16	0	27	0	17	44	51	24	18	54
17	9	14	16	4	27	41	17	48	52	20	18	55
18	9	47	16	8	28	23	17	51	53	17	18	56
19	10	21	16	11	29	4	17	54	54	14	18	58
20	10	54	16	15	29	46	17	57	55	11	18	59
21	11	29	16	19	30	31	18	0	56	13	19	0
22	12	3	16	22	31	16	18	2	57	15	19	0
23	12	38	16	26	32	4[3]	18	5	58	18	19	1
24	13	12	16	30	32	46	18	8	59	20	19	1
25	13	47	16	33	33	31	18	11	60	23	19	2
26	14	22	16	37	34	17	18	13	61	25	19	2
27	14	57	16	40	35	2	18	16	62	28	19	3
28	15	32	16	44	35	48	18	19	63	31	19	3
29	16	8	16	47	36	33	18	21	64	34	19	3
30	16	43	16	51	37	19	18	24	65	37	19	4
	δ′		δ′		δ′		δ′		δ′		δ′	
	16	43			20	36			28	18		

[1] 41;31* [2] 22;57* [3] 32;1*

B1 (II) : Oblique ascensions for the climate of Byzantium (F, f. 35^{v})

Title : Climate of the parallel through Byzantium 15h ¼ , 43° 5´

σ'	Cancer				Leo						Virgo			
°	ascensions		times		ascensions		times		calculated[1]		ascensions		times	
1	66	45	19	3	103	9	18	21			142	22	16	47
2	67	53	19	3	104	26	18	19			143	40	16	44
3	69	1	19	3	105	44	18	16			144	58	16	40
4	70	9	19	2	107	2	18	13			146	16	16	37
5	71	18	19	2	108	20	18	11			147	14[2]	16	33
6	72	26	19	1	109	38	18	8			148	53	16	30
7	73	35	19	0[3]	110	56	18	5			150	11	16	26
8	74	43	19	1[4]	112	14	18	2			151	29	16	22
9	75	52	19	0	113	32	18	0			152	47	16	19
10	77	1	18	59	114	51	17	57			154	5	16	15
11	78	13	18	58	116	10	17	54	116	9	155	23	16	11
12	79	26	18	56	117	28	17	51			156	41	16	8
13	80	38	18	55	118	47	17	48	118	46	157	59	16	4
14	81	51	18	54	120	6	17	44	120	4	159	17	16	0
15	83	3	18	52	121	24	17	41	121	23	160	35	15	56
16	84	16	18	51	122	43	17	38	122	41	161	53	15	53
17	85	29	18	50	124	2	17	35	124	0	163	11	15	49
18	86	42	18	49	125	21	17	32	125	19	164	29	15	45
19	87	56	18	47	126	39	17	29			165	47	15	41
20	89	9	18	45	127	58	17	25			167	5	15	38
21	90	25	18	43	129	17	17	22			168	26[5]	15	34
22	91	41	18	41	130	35	17	19			169	40	15	30
23	92	50	18	39	131	54	17	15			170	57	15	26
24	94	13	18	37	133	12	17	12			172	15	15	23
25	95	29	18	35	134	31	17	8			173	32	15	19
26	96	45	18	33	135	50	17	5			174	50	15	15
27	98	1	18	31	137	9	17	1			176	7	15	11
28	99	18	18	29	138	27	16	58			177	25	15	8
29	100	35	18	26	139	45	16	54			178	42	15	4
30	101	51	18	24	141	4	16	51			180	0	15	0
	δ´		δ´		δ´						δ´		δ´	
	36	14			39	13					38	56		

[1] Not attested in mss. [2] 147;36 [3] 19;1 [4] 19;0 [5] 168;22

B1 (III) : Oblique ascensions for the climate of Byzantium (F, f. 36)

Title : Climate of the parallel through Byzantium 15h ¼ , 43° 5´

♂	Libra				Scorpio				Sagittarius			
°	ascensions		times		ascensions		times		ascensions		times	
1	181	18	14	56	220	14	13	6	259	25	11	34
2	182	35	14	52	221	13[1]	13	2	260	42	11	31
3	183	53	14	49	222	51	12	59	261	59	11	29
4	185	10	14	45	224	10	12	55	263	15	11	27
5	186	28	14	41	225	29	12	52	264	31	11	25
6	187	45	14	37	226	48	12	48	265	47	11	23
7	189	3	14	34	228	6	12	45	267	3	11	21
8	190	20	14	30	229	25	12	41	268	19	11	19
9	191	38	14	26	230	43	12	38	269	35	11	17
10	192	55	14	22	232	2	12	35	270	51	11	15
11	194	13	14	19	233	21	12	31	272	4	11	13
12	195	31	14	15	234	39[2]	12	28	273	18	11	11
13	196	49	14	11	235	58	12	25	274	31	11	10
14	198	7	14	7	237	17	12	22	275	44	11	9
15	199	25	14	4	238	36	12	19	276	57	11	8
16	200	43	14	0	239	54	12	16	278	9	11	6
17	202	30[3]	13	56	241	13	12	12	279	22	11	5
18	203	19	13	52	242	32	12	9	280	34	11	4
19	204	37	13	49	243	50	12	6	281	47	11	2
20	205	55	13	45	245	9	12	3	282	59	11	1
21	207	13	13	41	246	28	12	0	284	8	11	0
22	208	31	13	38	247	46	11	58	285	17	11	0
23	209	49	13	34	249	4	11	55	286	25	10	59
24	211	7	13	30	250	22	11	52	287	34	10	59
25	212	26	13	27	251	40	11	49	288	42	10	58
26	213	44	13	23	252	58	11	47	289	51	10	58
27	215	2	13	20	254	16	11	44	290	59	10	57
28	216	20	13	16	255	34	11	41	292	7	10	57
29	217	38	13	13	256	51	11	39	293	15	10	57[5]
30	218	36[4]	13	9	258	9	11	36	294	23	10	56
	δ´				δ´				δ´		δ´	
	38	56			39	13			36	14		

[1] 221;33 [2] 234;42 [3] 202;0 [4] 218;56 [5] 10;56

B1 (IV) : Oblique ascensions for the climate of Byzantium (F, f. 36v)

Title : Climate of the parallel through Byzantium 15h ¼ , 43° 5´

δ	Capricorn				Aquarius				Pisces			
°	ascensions		times		ascensions		times		ascensions		times	
1	295	26	10	57	323	27	11	39	343	52	13	13
2	296	29	10	57	324	12	11	41	344	28	13	16
3	297	32	10	57	324	58	11	44	345	3	13	20
4	298	35	10	58	325	43	11	47	345	38	13	23
5	299	37	10	58	326	29	11	49	346	13	13	27
6	300	40	10	59	327	14	11	52	346	48	13	30
7	301	42	10	59	327	59	11	55	347	22	13	34
8	302	45	11	0	328	44	11	58	347	57	13	38
9	303	47	11	0	329	29	12	0	348	31	13	41
10	304	49	11	1	330	14	12	3	349	6	13	44
11	305	46	11	2	330	56	12	6	349	39	13	48
12	306	43	11	4	331	37	12	9	350	13	13	51
13	307	40	11	5	332	19	12	12	350	46	13	54[1]
14	308	36	11	6	333	0	12	16	351	20	14	0
15	309	33	11	8	333	41	12	19	351	53	14	4
16	310	29	11	9	334	21	12	22	352	26	14	7
17	311	26	11	10	335	2	12	25	352	59	14	11
18	312	22	11	11	335	44	12	28	353	31	14	15
19	313	19	11	13	336	23	12	31	354	4	14	19
20	314	15	11	15	337	3	12	35	354	36	14	22
21	315	6	11	17	337	41	12	38	355	9	14	26
22	315	57	11	19	338	18	12	41	355	41	14	30
23	316	48	11	21	338	56	12	45	356	14	14	34
24	317	39	11	23	339	33	12	48	356	46	14	37
25	318	30	11	25	340	11	12	52	357	18	14	41
26	319	20	11	27	340	48	12	55	357	51	14	45
27	320	11	11	29	341	26	12	59	358	24	14	49
28	321	1	11	31	342	3	13	2	358	56	14	52
29	321	51	11	34	342	40	13	6	359	28	14	56
30	322	41	11	36	343	17	13	9	360	0	15	0
	δ´		δ´		δ´		δ´		δ´		δ´	
	28	18			20	36			16	43		

[1] 13;56

COMMENTARY

CHAPTER 1

CALENDAR AND ERA

1.1.1 The Egyptian Calendar

The calendar used in the *Handy Tables* is the Egyptian calendar used regularly by Ptolemy. It consists of 12 months of 30 days with an additional 5 days, the Epagomena. The year has therefore 365 days. The Greek names are formed from the Egyptian, which are here represented also by the Coptic forms.

Egyptian months

Thoth	Θὼθ	Θοουτ	Phamenoth	Φαμενὼθ	Παϱεματπ
Phaophi	Φαωφὶ	Παοπι	Pharmouthi	Φαϱμουθὶ	Φαϱμουθι
Athyr	Ἀθὺϱ	ϩαθωϱ	Pachon	Παχών	Παϣανс
Choiak	Χυὰκ	Χοιακ	Pauni	Παυνὶ	Παωνι
Tybi	Τυβὶ	Τωβε	Epiphi	Ἐπιφὶ	Επηπ
Mechir	Μεχὶϱ	Μεϣιϱ	Mesori	Μεσοϱὶ	Μεсωϱη
			Epagomena	Ἐπαγομένοι	Πικουϫι ναϐοτ

1.1.2 The Babylonian Calendar

The Babylonian calendar is relevant to the *Handy Tables* inasmuch as it is the basis of the Ptolemaic King List that records the Babylonian kings and the durations of their reigns. The days begin at sunset, while the months are truly lunar, each beginning with the visibility of the crescent; the month has therefore 29 or 30 days. The year is seasonal, a condition that is maintained by the intercalation of a 13th month, either a second Ulūlu or a second Addaru. The year begins with Nisannu, the intercalation being so arranged, in principle, that Nisannu begins only after the Spring Equinox. In practice there was much irregularity of intercalation until about 380 BC, when the 19-year cycle was established.

BABYLONIAN MONTHS

Nisannu	Du'ūzu	Tashrītu	Ṭebētu
Aiaru	Ābu	Araḫsamna	Shabāṭu
Simānu	Ulūlu	Kislīmu	Addaru

1.2 The Era of Philip

In this chapter we first of all discuss the Era of Philip. This includes the regnal years of Philip in Babylon and Egypt, and the use of the Era of Philip by Hipparchus and Ptolemy. This is followed by discussions of the Ptolemaic *Canon of Kings* in the light of the Babylonian sources.

1.2.1 *The occurrence of the Era of Philip*

In the *Handy Tables* Ptolemy uses the Egyptian calendar and the Era of Philip. The first day of that Era, true Noon AD –323 Nov 12 (J.D. 1603398), is also the beginning of the 425th year of the Era of Nabonassar (–746 Feb 26, J.D. 1448638). That the time of both epochs is true Noon and not mean Noon is a point that will be discussed later; true Noon occurs at the start of the 6th seasonal hour after sunrise. Ptolemy's use of the Era of Philip requires some discussion, if only to clarify the terminology. In fact among Ptolemy's writings, it is described as the Era of Philip only in the Manual to the *Handy Tables* :

> συνεστάθησαν μὲν οὖν αἱ ἐποχαὶ πάντων ἐνταῦθα εἰς τὴν ἐν Ἀλεξανδρείᾳ τῇ πρὸς Αἴγυπτον μεσημβρίαν τῆς κατ᾽ Αἰγυπτίους Θὼθ νεομηνίας τοῦ πρώτου ἔτους Φιλίππου τοῦ μετὰ Ἀλέξανδρον τὸν κτίστην καὶ ὡς τῶν ἀρχῶν τῶν δωδεκατημορίων ἀπὸ τῶν τροπικῶν καὶ ἰσημερινῶν σημείων λαμβανομένων·[1]
>
> *The origins of all the tables found here were established for Noon at Alexandria in Egypt, on the first day of Thoth according to the Egyptians, in the first year of Philip the successor of Alexander the Founder, the starting point of the signs of the zodiac being taken from the tropical and equinoctial points.*

[1] HEIBERG (1907), p. 160, lines 20-5.

Elsewhere, in the *Almagest,* and the *Hypotheses,* Ptolemy refers only to this Era as years from the death of Alexander, ἀπὸ τῆς Ἀλεξάνδρου τελευτῆς. In the *Hypotheses* the Era of Philip is used for the declaration of the various radices for the Sun, Moon and planets; for example, the solar anomaly is given as :

> ἐν μέντοι τῷ πρώτῳ ἔτει τῆς Ἀλεξάνδρου τοῦ κτίστου τελευτῆς κατ᾽ Αἰγυπτίους Θὼθ α' τῆς ἐν Ἀλεξανδρείᾳ μεσημβρίας ὁ μὲν ἥλιος ἀπεῖχεν τοῦ ἀπογείου τοῦ ἐκκέντρου ὡς εἰς τὰ ἑπόμενα τοῦ κόσμου μ° ρξβ καὶ ξξ' ι,...[2]
>
> *in the first year of the death of Alexander the founder, at Noon at Alexandria on Thoth 1, the Sun was distant from the apogee of the eccentric in the direction of the signs of the cosmos 162;10*

This passage, and one in the Manual, are the only places in Ptolemy's works in which τὸν κτίστην is added. Such references to the Founder may refer to the foundation of Alexandria, but this is a traditional title of Alexander, and many other cities were founded by him.

In the commentaries by Theon on the *Almagest* and on the *Handy Tables,* and by Pappus on the *Almagest,* one finds a variety of styles in references to this era, either as from the death of Alexander, or as the Era of Philip. Theon writes Ἀλεξάνδρου τελευτῆς in his commentary to the *Almagest* (Book 3, Ch. 1, H204), and Pappus likewise in the commentary to the *Almagest* Book 5, ch. 5.[3] Elsewhere, Theon, in the *Small Commentary* refers to Ἀλέξανδρον τὸν κτίστην, and ἔτους Φιλίππου τοῦ μετὰ Ἀλέξανδρον τὸν κτίστην; in the commentary to the *Almagest* Book 3, Ch, 8, again Φιλίππου. In those parts which are available of the *Great Commentary* on the *Handy Tables* (Books I, II, III) the era is noted in Book I,

> Τῆς οὖν ἐκθέσεως τῶν προκειμένων Προχείρων κανόνων τὴν σύστασιν εἰληφότων ἀπὸ τοῦ πρώτου ἔτους Φιλίππου τοῦ μετὰ Ἀλέξανδρον τὸν κτίστην Θὼθ α κατ᾽ Αἰγυπτίους καθ᾽ οὓς ὁ ἐνιαύσιος χρόνος ἡμερῶν τυγχάνει τξε μόνον τῇ πρὸς τὴν ἡμετέραν κατ᾽ Αἴγυπτον Ἀλεξάνδρειαν μεσημβρίᾳ,[4]
>
> *Therefore, because the proposed Handy Tables came to be organized in their exposition around the first year of Philip, who came after Alexander the Founder, on the Egyptian Thoth 1, according to which the year has only 365 days, at Noon at Alexandria in Egypt....*

---

2 Heiberg (1907), p. 80, line 21.
3 Rome (1931), p. 34.
4 Mogenet (1985), p. 103.

References to the Eras of Nabonassar and of Philip are found in works by other authors, such as the *De die natali* of Censorinus, written in AD 238, as implied by the years 986 Nabonassar and 562 Philip in this passage:

> *nam ut a nostris ita ab Aegyptiis quidam anni in litteras relati sunt, ut quos* Ναβουναζάρου *nominant, quod a primo imperii eius ano consurgunt, quorum hic nongentesimus octogensimus sextus est; item Philippi, qui ab excessu Alexandri Magni numerantur et ad hunc usque perducti annos dlxii censummant.*[5]

> *For by us as well as the Egyptians certain years are reported in documents, which are named 'of Nabonassar', which take their origin with the first year of his reign, and which are now 986; also [years] of Philip, which are counted from the death of Alexander the Great and which up to now are reckoned to be 562.*

1.2.2 *The identity of Philip*

The Philip in question was Arrhidaeus who, on succeeding Alexander, was entitled Philip III of Macedon. He was the illegitimate son of Philip II of Macedon, and so half-brother of Alexander the Great; he was described as feeble-minded.[6] During the intense debate following the death of Alexander, his friends and the generals proposed first the son of Alexander's Persian wife Roxane, but then Arrhidaeus was proposed as being closer kin to Alexander.[7] So Arrhidaeus was chosen, and given the name Philip; according to Quintus Curtius these events occurred within six days of Alexander's death.[8]

1.2.3 *The death of Alexander*

While the date of the death of Alexander is indicated in a number of classical sources, such as Arrian vii.28, it appears that the most secure indication is provided by a cuneiform text, one of the Astronomical Diaries. The text has been published in the series *Astronomical Diaries and Related Texts from Babylonia*, and is given

---

[5] Sallmann (1983), p. 53.

[6] Plutarch, *Life of Alexander* x, lxxvii, where Philip is described as οὐ φρενήρη (not of sound mind), and ἀτελῆ τὸ φρονεῖν ὄντα (unable to understand). According to this account Philip's condition was caused by a drug administred to him in childhood by Olympias.

[7] Quintus Curtius x.6 s.

[8] Quintus Curtius x.10.9.

as No. –322 in Vol. 1, p. 207. The source is the cuneiform tablet BM 45962.[9] The relevant lines of this very fragmentary text are

> 7′ *[....] clouds crossed the sky. Night of the 27th, clouds crossed the sky. The 27th [....]*
>
> 8′ *[....] month finishing, the 29th, the king died; clouds [....]*

From the reconstruction of the material by Sachs, who combined a number of tablets to form the diary for this year, we know that the month in question is Aiaru, and since there is no doubt about the identity of the first day of that month, we know that 29th Aiaru runs from sunset –322 June 10 to the next sunset. Therefore we know that the king died at some time in that 24 hour period. Taking this information together with remarks in the Greek passages, which give the time of death as evening, πρὸς δείλην, Depuydt argued that the death occurred in the interval 4-5 p.m. on June 11th.[10]

There is a problem with the beginning of line 8′, where the first sign is partly lost. Although the translation given here is taken from Sachs, it is modified in the light of that of Grzybek, who read the beginning of the line as 𒌓 𒁺 ITI È, āṣû, 'month finishing'.[11] Sachs read the signs as 𒉏 𒁺 NIM GUB, translated as 'stood to the east'.[12] Although the question of whether there are 29 or 30 days in this month does not affect the interpretation of the date of the 29th, which is 10/11 June in any case, it is relevant to the reading of the opening character. If Grzybek's reading is correct this would mean that this Aiaru had only 29 days. On the one hand we know that the crescent was only scarcely visible on the evening of the 11th, so that we would expect there to have been a 30th day, with Simānu starting on the evening of the 12th.[13]

---

9 No 209 in LBAT = Late Babylonian Astronomical and Related Texts, Sachs (1955), p. 53.

10 Depuydt (1997).

11 In Unicode the encoding of these two signs is U+12313, U+1207A. Separately the signs are UD DU, but read together as ITI È, āṣû; Grzybek (1990), p. 29, Labat (1976), p. 175^2, and *The Assyrian Dictionary* (1968), s.v. āṣû 'outgoing month'. The chart of cuneiform signs in Unicode 5 shows only the early Uruk III forms, for which it is necessary to substitute the neo-Assyrian or neo-Babylonian forms which occur in the Diaries.

12 The Unicode encoding is U+1224F, U+1207A, NIM GUB.

13 The visibility of the crescent is determined in my program Kairos, which incorporates B.D. Yallop's criterion of visibility.

However the text remarks that the sky was cloudy on those days, so that the crescent would not in fact have been seen, which accounts for the erroneous determination of the length of this month. That indeed Aiaru was taken to have only 29 days is confirmed by another text, No. 36 in Vol. 5 of the Diaries, pp. 90-5.[14] The opening lines of the text are

> 1′ *year 1 Philip*
> 2′ *Simānu [the first of which was identical with 30th Aiaru] sunset to moonset 13°; clouds, I did not watch.*

The remark [...] is inserted by Sachs, to represent the usual understanding of the conventions of these texts, and is a confirmation that this Aiaru had only 29 days.

Of course the other remarkable feature of this last text is that it opens by stating that the year is now Philip 1. Since the diary here records the events of the very day following Alexander's death, one would not expect that the diarist would have known on that day that Philip was already King. The choice of Philip was made, according to Quintus Curtius, within six days of the death (as remarked above), but even so the diarist could not have anticipated the result even on the very day after the death. The only inference is that this diary was compiled some time later from contemporary records. This particular text is also of great interest for its collection of data of the 'Lunar six times'.[15] Among the Aramaic ostraca from Idumaea noted below (1.2.6) there is one carrying the date in the year Philip 1, for –322 June 17.

1.2.4 *The use of the Era of Philip by Hipparchus and Ptolemy*

In the *Almagest* Ptolemy cites a number of observations whose dates are referred to the Era of Philip, notably those by Hipparchus of the Autumn and Spring Equinoxes in the years of Philip 177, 178, and of the Sun and Moon in the year 197. Ptolemy cites his own 'observations' of those equinoxes and the solstice in the year of Philip 463. Since he normally dates his own observations by the regnal date of the emperor (Trajan or Hadrian), it is perhaps not without significance that he uses the Era of Philip for these three. Ptolemy's 'observations' of the Autumn Equinox (A.E.),

---

[14] The source is the cuneiform tablet BM34075, LBAT No. 1431, Sachs (1955), p. 225.

[15] Stephenson (1974).

Summer Equinox (S.E.), Summer solstice (S.S.), were obtained simply by adding respectively 285 Years to the times for A.E., S.E., determined by Hipparchus, and 571 Years to the S.S. observed by Meton; the Year in question is that of Hipparchus and Ptolemy, Y = 365 ¼ – 1/300.

In the following Table 1.2.1 are listed the instances of the Era of Philip found in the *Almagest*, along with the details of the addition of the multiples of that year Y employed in the 'observations'. These times are of the order of one day in excess of accurate values for Ptolemy's time, and there have been a number of entirely misguided attempts to explain these as errors resulting from Ptolemy's techniques of observation, notably by Rome and Britton, not to mention many older discussions.[16]

Reference	Date in Era of Philip	Observation	J.D.	*Almagest*, Heiberg
Meton	–108 Phamenoth 21	S.S., sunrise	1563812.75	**1** 206
ancient	52 Athyr 20/1	Mars occulted β Sco	1622092 date converted from calendar of Dionysius	**2** 352
ancient	83 Epiphi 17/18	Jupiter occulted δ Canc	1633644 date converted from calendar of Dionysius	**2** 387
Hipparchus	177 Epag 3-4	A.E, midnight	1668000.5	**1** 204
Hipparchus	178 Mechir 27	S.E., sunrise	1668178.75	**1** 204
Hipparchus	197 Pharmouthi 11	Sun and Moon	1675158	**1** 369
Hipparchus	197 Pauni 17	Sun and Moon	1675224	**1** 374-5
Ptolemy	463 Athyr 9	A.E., sunrise + 1^h	1772095.8 = 1668000.5 + 285*Y	**1** 204, 234
Ptolemy	463 Pachon 7	S.E., noon + 1^h	1772274.04 = 1668178.75 + 285*Y	**1** 205, 234
Ptolemy	463 Mesore 11/12	S.S., midnight + 2^h	1772368.6 = 1563812.75+ 571*Y	**1** 206

Table 1.2.1. The Era of Philip in the observations in the *Almagest*

[16] Rome (1937, 1938), Britton (1992), p. 12 s.

In his *Great Commentary* Book I, Chapter 9, Theon asserted that Ptolemy chose this Era for the Handy Tables because the equation of time reaches a minimum at that point, when the Sun is at the beginning of Scorpio, but this may be safely regarded as no more than an odd coincidence.[17]

1.2.5 *The use of the Era of Nabonassar by Hipparchus*

As to whether Hipparchus knew the Era of Nabonassar, one might believe that he did so, if only because of the numerous Babylonian observations that were evidently drawn from his writings by Ptolemy, observations generally presented in that Era, although that alone would still leave the possibility that Ptolemy was himself responsible for the conversion to that Era. Neugebauer, for example, was evidently prepared to assume that Hipparchus knew the Era of Nabonassar, and that he used it in tables of the Moon.[18]

In one passage in the *Almagest* IV 11, (H340.9) Ptolemy, after citing remarks by Hipparchus on a group of lunar eclipses, makes a parenthetical remark about the calendar used by Hipparchus,

> γίνεται τοίνυν οὗτος ὁ χρόνος κατὰ τὸ τξς' ἔτος ἀπὸ Ναβονασσάρου, κατ᾽ Αἰγυπτίους δέ, ὡς αὐτός φησιν, Θὼθ κς' εἰς τὴν κζ' μετὰ ε ∠' ὥρας καιρικὰς τοῦ μεσονυκτίου...
>
> *Now this moment is in the 366th year from Nabonassar, in the Egyptian calendar (as Hipparchus himself says) Thoth 26/27 5 ½ seasonal hours from midnight ...*[19]

Here, however, it is Ptolemy who places the event in the Era of Nabonassar. Later, in 1.2.9, it will be argued that the Era belongs exclusively to Ptolemy's usage.

1.2.6 *Regnal years of Philip*

The reign of Philip occurs in regnal dating in Babylonian sources, the Chronicles, King Lists and Diaries. In the Astronomical Diaries one finds occasional dates in the reign years of Philip,

---

[17] Mogenet (1985), p. 124.12, p. 183. See below sections 2.4.2, 2.4.3.

[18] HAMA p. 313.

[19] Toomer (1984), p. 212.

years 1, 2 and 7.[20] In year 7, indeed, his death appears to be noted in the Diary for Kislīmu 27 of his year 7, that is –316 Dec 26.[21] Events of the years of Philip 5, 6, 7 and 8 are noted in Chronicle 10; year 8 is posthumous.[22] Philip is included in two of the extant King Lists, the 'Uruk King List', which runs from Shamash-shuma-ukin to Seleucus II, and the 'King List of the Hellenistic Period', which runs from Alexander to Antiochus IV.[23] Further, there is a series of 'Alexander' coins of Sidon and Ake, numbered 1-22, correlated with the years BC 333-311. Of these, the ones numbered 13-16, dated in the range BC 321-317, bear Philip's name.[24]

There is a good number of Aramaic ostraca from Idumaea bearing regnal dates in the names of Artaxerxes II, Artaxerxes III, Philip, Alexander (IV), Antigonus and Ptolemy, and where the dates are according to the Babylonian calendar; as many as 18 are in the name of Philip for all the years 1-8 (except 4). The earliest in the name of Philip is 1 Simānu 4 (–322 Jun 17) a mere 6 days after the death of Alexander.[25]

1.2.7 *The successors to Alexander the Great*

Among the successors of Alexander, Ptolemy son of Lagus claimed Egypt, but only as Satrap, while Philip Arrhidaeus and Alexander's posthumous son Alexander IV were declared joint kings of Egypt, essentially a legal fiction designed to preserve the notion of Egypt as part of the Macedonian Empire. The Egyptian priests, in this way, accepted Philip III and Alexander IV as anointed kings of Upper and Lower Egypt, even though neither ever set foot there. After Philip's murder in his year 7 Alexander IV succeeded as King, and when he in turn was murdered in 311 BC, Ptolemy succeeded as King of Egypt, Ptolemy I Soter, but this was not declared until 308 BC. Ptolemy's reign only begins, according to the lists of kings, in Philip's year 20, 305 BC.

---

20 Sachs (1988) : Year 1, pp. 209, 219; Year 2, pp. 271, 229; Year 7, pp. 181. Sachs (2001): Year 1, pp. 90, 95; Year 7, pp. 7, 229.

21 Sachs (2001), Lunar Text No. 2, p. 7, IV' 12'.

22 Grayson (1975), pp. 115-119.

23 Grayson (1983), pp. 97-100.

24 Newall (1946).

25 Porten (2007a), pp. 94-5; Porten (2007b), pp. 116; Lemaire (1996), pp. 13-46.

1.2.8 *Regnal years in Cuneiform and Demotic sources*

The regnal years of Alexander the Great and his successors are a complicated matter, but we are fortunate in having fundamental surveys of both dated Babylonian cuneiform and dated Egyptian demotic texts, which greatly assist in this.[26]

The following Table 1.2.2 displays the rulers and their regnal years from the time of the death of Philip of Macedon to the early years of Antiochus and Ptolemy II. The years are stated in the usual abbreviated chronological notation. Thus, for example, –322 represents 323 BC, or more explicitly, the Babylonian year running from Nisan 323 BC to Addaru 322 BC. The reign of Philip begins in reality just after the death of Alexander on –322 June 11, which marks the end of the second lunar month of that Babylonian year, and the 8th month (Pharmouthi) of the Egyptian year. These years count as his first regnal year. This contrasts with the practice of the Babylonian kings, who took the first regnal year as the first complete year following the year of accession. Therefore, although in this table the year is referred to simply as -322, which is reasonable, since both the Babylonian and Egyptian years lie mainly in -322, this abbreviation conceals a rather complicated situation, representing both Babylonian and Egyptian years. It is important to be clear that a regnal year, such as Philip year 1, is one interval of time in Babylonia, and a *different* one in Egypt; the former begins about five months later than the latter.

While the regnal years given here appear to be firm, difficulties have been raised, concerning, for example, the regnal years of Philip III and Antigonus.[27] The regnal years in this table are not calculated from King Lists but rather are supported by attested dates from Babylonian cuneiform and Egyptian demotic documents. In this list the year of the death of a king is indicated as †. The death of Alexander was followed by prolonged disputes and wars among his generals. Eventually Ptolemy controlled Egypt and southern Syria, while Seleucus ruled in Babylonia and northern Syria.

---

[26] PESTMAN (1967) and BOIY (2000).

[27] See BICKERMAN (1943), note 11, with references to MEYER (1899) and KUGLER (1909), and also WACHOLDER (1984), BOSWORTH (1992).

	Alexander III: Macedon, Babylonia, Egypt	Philip III: Babylonia Egypt	Alexander IV: Babylonia Egypt	Antigonus: Babylonia	Seleucus: Babylonia	Ptolemy: Egypt
–335	Alexander III 1 Philip II†					
–334	Alexander III 2 Darius III 1					
–333	Alexander III 3 Darius III 2					
–332	Alexander III 4 Darius III 3					
–331	Alexander III 5 Darius III 4					
–330	Alexander III 6 1 Darius III 5					
–329	Alexander III 7 2					
–328	Alexander III 8 3					
–327	Alexander III 9 4					
–326	Alexander III 10 5					
–325	Alexander III 11 6					
–324	Alexander III 12 7					
–323	Alexander III 13 8					
–322	Alexander III 14 9†	Philip III 1				
–321		Philip III 2				
–320		Philip III 3				
–319		Philip III 4				
–318		Philip III 5				
–317		Philip III 6				
–316		Philip III 7†		Antigonus 1		
–315		Philip III 8	Alexander IV 1	Antigonus 2		
–314			Alexander IV 2	Antigonus 3		
–313			Alexander IV 3	Antigonus 4		
–312			Alexander IV 4	Antigonus 5		
–311			Alexander IV 5	Antigonus 6		
–310			Alexander IV 6†	Antigonus 7	Seleucus 1[28]	

[28] Seleucus reconquered Babylon *ca* May -310 (Boiy (2000), p. 120).

	Alexander III: Macedon, Babylonia, Egypt	Philip III: Babylonia Egypt	Alexander IV: Babylonia Egypt	Antigonus: Babylonia	Seleucus: Babylonia	Ptolemy: Egypt
–309			Alexander IV 7	Antigonus 8	Seleucus 2	
–308			Alexander IV 8	Antigonus 9	Seleucus 3	
–307			Alexander IV 9		Seleucus 4	
–306			Alexander IV 10		Seleucus 5	
–305			Alexander IV 11		Seleucus 6	
–304			Alexander IV 12[29]		Seleucus 7	
–303			Alexander IV 13		Seleucus 8	Ptolemy I 1
–302					Seleucus 9	Ptolemy I 2
–301					Seleucus 10	Ptolemy I 3
–300				Antigonus †	Seleucus 11	Ptolemy I 4
.....					.....	.....
–284					Seleucus 27	Ptolemy I 20
–283					Seleucus 28	Ptolemy II 1
–282					Seleucus 29	Ptolemy II 2
–281					Seleucus 30	Ptolemy II 3
–280					Seleucus 31†	Ptolemy II 4
–279					Antiochus 32	Ptolemy II 5
–278					Antiochus 33	Ptolemy II 6

Table 1.2.2. Table of the regnal years of Alexander the Great and his successors

The regnal years of Alexander III (Alexander the Great), are counted 1-14 as King of Macedonia, following the death of Philip II. In this way the regnal years of Alexander III continue those of Darius III, except with a difference of one, so that Alexander does not recommence with a new regnal year on his conquest of Persia. However, with the conquest of Egypt, a new sequence of regnal years begins in that country, and according to the demotic texts, regnal year 1 in Egypt coincides with year 6 in the Macedonian sequence, a year which coincides also with Darius III year 5. The demotic documents attest Egyptian years 3 and 9.

29 -305 Alexander IV 12, 13 only in demotic texts.

The regnal years of Philip follow directly on the death of Alexander, but are numbered so that his year 1 coincides with the last year of Alexander year 9; in the demotic texts only Philip year 7 is attested. However Philip years 1-8 are attested in Babylonian documents; the last year 8 is posthumous.

The years of the general Antigonus are attested in Babylonian documents for years 3-9, following, that is, the last attested year of Philip III.[30] There is no reference to Antigonus in the demotic texts.

In the Babylonian texts the years 1-11 of Alexander IV are attested, but the years continue to 12 in the demotic texts. Since he died in his year 6, the years 7 -13 are posthumous.[31]

The attested regnal years of Seleucus begin with his year 8, but are backdated to –310, apparently marking his defeat of Antigonus in that year; this happens to be in the same year as the death of Alexander IV. The years –307 to –304 are not expressly supported by the dated Babylonian documents, but here the Saros Canon at least supports the transition in Babylonia from Alexander IV year 11 to Seleucus year 7.[32]

The years of Ptolemy I are counted so that his year 1 coincides with year 13 of Alexander IV, but the demotic text attests the latter, not the former. Ptolemy's *Canon of Kings* assigns however 12, not 13, years to Alexander IV.

There are evidently a number of posthumous regnal years, and unsurprising inconsistences between Babylonian and Egyptian records. Even within the Babylonian records there are inconsistencies, as one sees in the Saros lunar canons.

With Ptolemy II in –283 a new regnal sequence commences, but this is troubled by a change in the method of counting, so that in fact two sequences of regnal years are found, with a relative difference of one.[33]

On the succession from Seleucus to Antiochus we observe that the latter simply maintained the regnal years of his predecessor, *so instituting the Seleucid Era.*

---

[30] Boiy (2000).

[31] Wacholder (1984), p. 199, argues that Alexander IV was murdered in -304, not -310, as is commonly assumed.

[32] Aaboe (1991), p. 29.

[33] Pestman (1967), p. 18.

1.2.9 *The Greek Canon of Kings*

The *Canon of Kings* (κανὼν βασιλέων), frequently found in various manuscripts together with the *Handy Tables*, is a King List similar in a way to the Babylonian King Lists, although there are marked differences in character. This Canon is designated C1 in the list of tables identified in the introduction to this edition. The list is in two parts, naming Babylonian kings from Nabonassar to the death of Alexander, then recommencing with the reign of Philip. The Canon appears in a number of manuscripts, with variations in the orthography of the names and in the final name of the list, for the list was extended to include the Roman ruler who prevailed at the date of the manuscript. The following Table 1.2.3, from two of the manuscripts that have been used in the present edition, *Leidensis* BPG 78, f. 54r-v, and *Vat*. gr. 1291, f. 16v, shows the first part and the beginning of the next, as edited by Usener.[34]

The Canon is represented by the first three columns in our table below, giving, that is, the name of the king, the duration of the reign and the sum of the durations. This Canon, at least in its first part, is plainly derived from Babylonian sources, but cannot have been a simple transcription from any one of those sources. For the Canon is designed to provide a chronological framework for Hellenistic astronomy and is therefore arranged according to the Egyptian calendar, a calendar that was hardly congruent with the Babylonian calendar, since they disagree in every way. If precise dates of accession and death of Babylonian kings had been available there would have had to be a conversion of such dates. The wonder is that the correspondance works as well as it does. On the Babylonian side there are Diaries, King Lists and Chronicles.[35] The King Lists are rather like Ptolemy's Canon in that the king is named together with the duration of the reign. The chronicles vary a good deal, according to the number of reigns covered and in the information about the events of the reigns. Some events are dated precisely by day, month and reign year. Frequently the

---

[34] Usener (1898), pp. 447-8. Of the manuscripts used in the present edition of the Handy Tables Usener has used H and F, but the Canon in F begins only with Philip. Manuscript v was not used by Usener. We reproduce the table edited by Usener which is taken from H (= L, Usener), f. 54r-v.

[35] The most up to date comprehensive survey is Grayson (1983), who includes editions of all the king-lists. Grayson (1975) gives editions of all the chronicles.

duration of the reign is given. In addition to the numerous cuneiform sources we have also fragments of the work of the Babylonian author Berossos, *ca* 300 BC. We know that he composed in Greek a history of Babylonia, fragments of which survive in Josephus, Eusebius, Syncellus, and elsewhere. The last column in the above table notes the fragments of Berossos relevant to each king.[36]

The Ptolemaic Canon is clearly designed for Babylonia in a narrower sense, whereas the cuneiform sources are generally broader, including as a rule the kings of Assyria, Elam, etc. For example in the two periods of interegnum the king of Assyria was in fact Sennacherib. This restriction is consistent with the assumption that this Canon was drawn up for the purpose of documenting astronomical records from Babylonia

ERA OF NABONASSAR

Ptolemy	Reign	Sum	King-lists, etc.	BC	Initial Year	Berossos[37]
Ναβοναζαρου	14	14	Nabu-nāṣir	747-734	–746	F7
Ναδιου	2	16	Nabu-nadin-zeri	733-732	–732	
[omitted]			Nabu-shuma-ukin II[38]	732	–731	
Χινζηρος κ(αι)			Nabu-mukin-zeri	731-729	–730	
Πορου[39]	5	21	Tiglath-pileser III (Pulu)	728-727	–727	F5
Ἰουγαιου	5	26	Shalmaneser V (Ululaya)	726-722	–725	
Μαρδοχεμπαδου	12	38	Merodach-Baladan II	721-710	–720	

[36] The fundamental collection of the fragments is JACOBY (1923); English versions are now available in VERBRUGGHE (2001), who renumbered the fragments; the numbering in the table follows VERBRUGGHE.

[37] Numbered as in VERBRUGGHE (2001).

[38] This king ruled for one or two months, and so there is no regnal year in his name; BRINKMAN, pp. 60, 235.

[39] Χινζηρος κ(αι) Πορου is a single entry in the Greek table.

Ptolemy	Reign	Sum	King-lists, etc.	BC	Initial Year	Berossos
Αρκαιανου	5	43	Sargon II (Sharru-kin)	709-705	–708	
αβασιλευτου προτου	2	45	Interregum I (Sennacherib)	704-703	–703	
Βηλιβου	3	48	Bel-ibni	702-700	–701	F8b
Απρααναδιου	6	54	Ashur-nadin-shumi	699-694	–698	
Ρηγεβηλου	1	55	Nergal-ushezib	693	–692	
Μεσησσημορδακου	4	59	Mushezib-Marduk	692-689	–691	
αβασιλευτου Β	8	67	Interregum II (Sennacherib)	688-681	–687	F8b
Ασαριδινου	13	80	Esarhaddon	680-669	–679	F8b
Σαοσδονχινου	20	100	Shamash-shuma-ukin	667-648	–666	F8b
Κινιλαδανου	22	122	Kandalanu	647-627	–646	F8b
Ναβοπολλασαρου	21	143	Nabopolassar	625-605	–624	F8b, F9a
Ναβοκολασαρου	43	186	Nebu-chadnezzar II	604-562	–603	F8b, F9a, F9b, F9c, F10a, F10b, F11
Ϊλλοαρουδαμου	2	188	Amel-Marduk	561-560	–560	F10a, F10b
Νηρικασολασσαρ(ο)υ	4	192	Neriglissar	559-556	–558	F10a, F10b
Ναβοναδιου	17	209	Nabonidus	555-539	–554	F10a, F10b
Περσων βασιλεις						
Κυρου	9	218	Cyrus II[40]	538-530	–537	F9c, F10a, F10b, F11

[40] Cyrus II began to rule in Persia in 559.

Ptolemy	Reign	Sum	King-lists, etc.	BC	Initial Year	Berossos
Καμβυσου	8	226	Cambyses	529-522	–528	F11
Δαριου προτου	36	262	Darius I	521-486	–520	F9c, F11
Ξερξου	21	283	Xerxes	485-465	–484	F11
Αρταξερξου προτου	41	324	Artaxerxes I	464-424	–463	
Δαριου Β	19	343	Darius II	423-405	–422	
Αρταξερξου Β	46	389	Artaxerxes II	404-359	–403	
Ωχου	21	410	Artaxerxes III (Ochus)	358-338	–357	F12
Αρωγου	2	412	Artaxerxes IV (Arses)	337-336	–336	
Δαριου Γ	4	416	Darius III	335-331	–334	
Αλέξανδρου Μακεδονο(ς)	8	424	Alexander III	330-323	–335	

Era of Philip

	Reign	Sum		BC[41]	Initial Year
Φιλιππου του μετα Αλεξαν-δρ(ον) τον κτιστην	7	7	Philip III	323-316	–322
Αλεξανδρος ετερος	12	19	Alexander IV	316-307	–315
Πτολεμαιος Λαγοως	20	39	Ptolemy I	304-286	–303
Πτολεμαιος Φιλαδελφ(ος)	38	77	Ptolemy II	285-247	–283
Ευεργετις Α	25	102	Ptolemy III	246-222	–245
Φιλοπατορ	17	119	Ptolemy IV	221-204	–220

[41] These dates expressed in BC are taken from the tables in Bouché-Leclercq (1903), Vol. 2, pp. 381 seq., so that durations will not always agree with the interval in column 2, which refer to the Egyptian calendar.

	Reign	*Sum*		BC	Initial Year
Επιφανις	24	143	Ptolemy V	203-182	–203
Φιλομητορ	35	178	Ptolemy VI	181-146	–179
Ευεργετις Β	29	207	Ptolemy VII	145-117	–144
Σωτηρ	36	243	Ptolemy X	116-81	–115
Νεος Διωνυσος	29	272	Ptolemy XII	80-52	–79
Κλεοπατρα γ(ινε)τ(αι)	22	294	Cleopatra	51-30	–50
Βασιλεις Ρωμαιων					
Αυγουστος	43	337	Augustus	30-AD14	–29
... κτλ					

Table 1.2.3. The Ptolemaic Canon of Kings

In the first part of the table the third column is the number of years elapsed from the epoch of Nabonassar to the end of the reign in question, sums which represent, in other words, the Era of Nabonassar. More precisely, if the number of Egyptian years elapsed to the end of the reign in question is S, then the first day of the following reign is Thoth 1 of year S+1, in the Era of Nabonassar. Thus the first day of Alexander of Macedon is 417 Thoth 1 (–331 Nov 14), since 416 years had elapsed at the end of the reign of Darius III. The Era of Philip begins when 424 years have elapsed: Thoth 1 is then –323 Nov 12.

In the second part of the table the third column is the number of years elapsed from the accession of Philip, that is the years elapsed in the Era which merely differ from those of the previous Era by 424. The Era of Nabonassar continues to be used however in the *Almagest* for dates later than the reign of Philip.

In all this it is most important to remember that years in the Egyptian calendar are being assigned to Babylonian kings whose accessions and regnal years are defined by the Babylonian calendar, therefore displaced from the Egyptian calendar by many months. In the above list these reigns are assigned to years BC as determined by modern scholars, so that, for example, Nabonassar is assigned to 747-734, meaning that his first year began with Nisanu 1 of 747 B.C (–746 Apr 22); in this case the Canon assigns the initial point, however, as Nabonassar year 1 Thoth 1 (–746 Feb 26). In this listing the Babylonian kings and reign periods in years BC have been taken from Grayson, but corrected following Oppenheim.[42]

As to the Babylonian sources which underpinned the Canon there were, as already remarked, the many Chronicles, notably one which began with Nabonassar (Akkadian Nabu-nāṣir), who was king in Babylonia when Tiglath-Pileser III was the ruler in Assyria. This is the first part of the so-called Babylonian Chronicle, which is included among those edited by Grayson. It runs from the third year of Nabonassar to the twenty-second year of Darius I (500 BC).[43] As Brinkman expressed it, 'The accession of Nabonassar to the throne marked the beginning of a new era in Babylonia. From this point on chronologically precise records of historical events were kept systematically'.[44]

There remains the question of the proximate source in Greek of such information, and here one thinks immediately of Berossos, a 'Chaldaean' contemporary of Alexander. He was not only the author of a Babylonian history, but was evidently active somehow in both Babylonian and Greek astronomy. It would be reasonable to suppose that he had made available in Greek the Babylonian records and King Lists, but expressed of course in terms of the Babylonian calendar.

Among the numerous fragments of Berossos there is the very well known passage of the *Ecloga Chronologica* George Syncellus (fl. 800) as the follows,

> Ἀπὸ δὲ Ναβονασάρου τοὺς χρόνους τῆς τῶν ἀστέρων κινήσεως Χαλδαῖοι ἠκρίβωσαν καὶ ἀπὸ Χαλδαίων οἱ παρ' Ἕλλησι μαθηματικοὶ λαβόντες, ἐπειδή, ὡς ὁ Ἀλέξανδρος καὶ Βήρωσσός φασιν οἱ τὰς Χαλδαϊκὰς ἀρχαιολογίας περιειληφότες, Ναβονάσαρος συναγαγὼν τὰς πράξεις τῶν πρὸ αὐτοῦ βασιλέων ἠφάνισεν, ὅπως ἀπ' αὐτοῦ ἡ καταρίθμησις γίνεται τῶν Χαλδαίων βασιλέων.
>
> *From Nabonassar, the Chaldaeans have accurately reckoned dates on the basis of astronomical motion. From them the Greek astronomers derived this knowledge. The reason for this, as Alexander and Berossus, the compilers*

[42] Grayson (1975), Oppenheim (1977), pp. 339-340. For example Shamash-shuma-ukin was assigned to 668-648 by Grayson.

[43] Grayson (1975), pp. 69-87.

[44] Brinkman (1968), pp. 226-7.

of Chaldaean antiquities say, was that Nabonassar, after compiling the acts of his royal predecessors, did away with these records, so that numbering of the Chaldaean kings commences with him.[45]

We know already from the numerous fragments noted above in the last column of Table 1.2.3 that Berossos had compiled a king list from the time of Nabonassar.

Such material came to be used by Hipparchus, material which was perhaps available to him in Alexandria. Working in that milieu it was natural to convert from the Babylonian calendar to the Egyptian. For his own observations it was more natural to employ an Era native to the Alexandrian rule, that is the Era of Philip. Even when working in Rhodes it would still be natural to work with the Egyptian calendar, in view of the intimate cultural and economic ties between Rhodes and Alexandria.[46] He would not have contemplated using the Babylonian calendar in this Egyptain milieu, for in any case the Babylonian calendar was hardly portable enough to permit that; it depended too closely on the local observation of the lunar crescent in Babylon, so that one could hardly maintain synchronism in two such separate usages of that lunar-solar calendar.[47]

Ptolemy explains in *Almagest* III.7 (H254), in the context of the tables of the mean Sun,[48]

> ... εἰς τὴν ἀρχὴν τῆς Ναβονασσάρου βασιλείας διὰ τῶν ἀποδεικνυμένων μέσων κινήσεων, ἀφ᾽ οὗ χρόνου καὶ τὰς παλαιὰς τηρήσεις ἔχομεν ὡς ἐπίπαν μέχρι τοῦ δεῦρο διασωζομένας.
>
> *but we use the mean motions we have derived to compute back to the beginning of the reign of Nabonassar for the epochs we establish. For that is the era beginning from which the ancient observations are, on the whole, preserved down to our own time.*

Ptolemy here comes close to claiming to have created this Era. Perhaps he was jointly responsible for that and for the Canon as well, for it is likely that the Canon and the Era were a single creation.

---

[45] For the edition of Syncellus, MOSSHAMMER (1984), pp. 244.32-245.4; translation in ADLER (2002) p. 301. See also VERBRUGGHE (2001) for the fragments of Berossus, fragment F7, and JACOBY (1923) III C 1 (680), F16a.

[46] FRASER (1972), Vol. 1, pp. 162-173.

[47] The Babylonian calendar was in use in the Elephantine papyri and in the Idumaean ostraca, but in the former certainly there was not always synchronism with the Babylonian original.

[48] Translation from TOOMER (1984), p. 166.

No such era was used by either Eratosthenes or Apollodoros, at least as far as one can judge by the extant fragments of their chronographies.

There have been suggestions that Babylonians had themselves constructed an Era of Nabonassar, but as Brinkman remarks, there is no evidence that such an Era was used in Babylonia.[49] In any case any Babylonian 'Era of Nabonassar' would have been anchored to the Babylonian calendar, in contrast to the Era that we know. Hallo gathered arguments in favour of such an era within 'Mesopotamian historiography'.[50] However his arguments were unconvincing in the end, although they constituted a useful essay in at least providing references to earlier discussions.

As to the above quotation from Syncellus, Schnabel remarked that this citation was apparently obtained by Syncellus from Panodorus.[51] Panodorus (fl AD 400), evidently one of the primary sources used by Syncellus, is known to have drawn upon the *Handy Tables*, with the Ptolemaic Canon, and was perhaps the first of the Christian chronographers to have made use of such 'pagan' astronomical material.

In the construction of World Years, which were at the centre of Christian chronography, Panodorus, for example, equated the World Year 5170 to the Era of Philip. Syncellus writes,

> ἐπεὶ γὰρ τὸ πρῶτον ἔτος Φιλίππου τοῦ Ἀριδαίου τοῦ μετὰ Ἀλέξανδρον τὸν Μακεδόνα βασιλεύσαντος Μακεδόνων α', καθ' ὃ ἔτος καὶ ὁ Κλαύδιος Πτολεμαῖος τὴν τῶν προχείρων κανόνων ψηφηφορίαν ἐπήξατο, ἀρχὴν Αἰγυπτιακοῦ καὶ Ἑλληνικοῦ ἔτους κατὰ τὴν πρώτην τοῦ Θὼθ μηνὸς παρ' Αἰγυπτίοις λεγομένου, κθ' τοῦ Αὐγούστου μηνὸς οὖσαν ἀποκαταστατικήν, ὁμόχρονον ὁμολογουμένως ἐστὶ τῷ ..., ερο' ἔτει τοῦ κόσμου,
>
> *The first year of Philip Aridaios, who was the first king of the Macedonians after Alexander of Macedon, is the year on the basis of which Claudius Ptolemy also fixed the calculation of the era of his Handy Tables, the beginning of which is the Egyptian and Greek year on the first of the month known by the Egyptians as Thoth, that is 29th August. Now there is general agreement that the first year of Philip coincides with Anno Mundi 5170.*[52]

---

[49] Brinkman (1968), pp. 16, 226; see Plate I for a concordance of kings listed in the chronicles, including the Ptolemaic Canon.

[50] Hallo (1988).

[51] Schnabel (1923), p. 163.

[52] For the text, Mosshammer (1984), p. 396; for the translation, Adler (2002), p. 474. The World Year noted here is not that of the Byzantine Calendar, in which the first year of Philip begins on 5186 Nov 12.

Some scholars have reflected on the historical accuracy, and range of application, of the Canon, but mainly from the point of view of the second part, the Ptolemaic kings, from Philip onwards. According to the remarks of Bouché-Leclerq, this list was an over-simplified schema created by Ptolemy or his predecessors, in a way that ignored historical complexities:

> 'Tel est ce célèbre Canon des Rois, oeuvre de mathématiciens qui n'ont voulu emprunter à l'histoire que des étiquettes, et les ont échelonnées non pas aux étapes historiques réelles, mais aux échéances marquées par le nouvel an égyptien.'[53]

Strack, on the other hand, after calculating from dates on various Egyptian stele, found ample confirmation of the intervals in the Canon. He went on to add that 'Our derivation of the same lists from contemporary sources shows now that this series of reigns, at least that of the Ptolemies, was in no way confined to the usage of scientific astronomers. Lawyers, priests and private individuals used the canon as much as astronomers. It was used throughout the whole of Egypt and was the foundation for every chronological calculation'.[54] Strack said nothing however about the creator(s) of the Canon.

Usener also underlined the use of the Canon among Egyptians in general, and not just astronomers, but like Strack he was not thinking of the first part of the Canon, only of the list of Ptolemies and their Roman successors.[55]

1.3 The Seleucid Era

Another Era, associated with Babylonia and Syria, is sometimes named after Alexander, but in this case it is just the Era known generally as the Seleucid Era. The Era was eventually known under a wide variety of names, 'Syro-Macedonian', 'Greek', 'Years of Alexander', 'Roman', Dhū'l-Qarnayn, etc..[56] It is perhaps wrong to say that Seleucus instituted a new Era, better perhaps to observe only that Antiochus continued the regnal years of his predecessor.

---

[53] Bouché-Leclerq (1903), Vol.2, p. 380;

[54] Strack (1897), p. 168.

[55] Usener (1898), pp. 439-440.

[56] Abel (1938) gives a most careful discussion of the origins of this Era. Ginzel (1906), Vol. 1 §27, Vol. 2 §148, Vol. 3 §221, §226.

The precise epoch varies, as does the style of the calendar. Babylonians follow the luni-solar calendar, with Spring epoch, from –310 Apr 3, corresponding to year 1 Nisan 1. In the Babylonian Astronomical Diaries we find regnal years through the Achaemenid period, down to Darius, followed by Alexander III (The Great), Philip, and Alexander IV, and then by Seleucus I. However even after the death of Seleucus in about –280 the years continue to be numbered by continuing his regnal years, and this constitutes the beginning of the Seleucid Era. In the Diaries (as published) the earliest date in the regnal period of Seleucus appears to be year 12, that is –299. From –288 to –270 Seleucus and Antiochus are named together, evidently as co-regents, and after that the years are named as years of Antiochus, but with a numbering that simply continues the regnal years of Seleucus, and this association of Antiochus with the year number continues long after his death *ca* –260. Then from –237 (at least according to the extant Diaries), the year numbering is associated again with with Seleucus, or Seleucus and Antiochus together. In any case, whatever name is used the numbering continues uninterrupted. The only departure is to be found in the Arsacid period, when the new Arsacid Era emerges in -140, 64 years later than the Seleucid. When the Arsacid year is given, it is always glossed by giving the equivalent Seleucid year. So in the year -140, Seleucid year 171, we have the line

> 'Arsaces 107 (1-*me*-7) which is 171 (1-*me*-1,11)'

Note the mixture of units, sexagesimal along with the unit *me*, meaning '100'.

The actual epoch of the Seleucid counting, –310 Apr 3, falls at a time when the Diaries show that regnal dating would be Alexander IV year 6. There are two difficulties with Alexander IV, who is said to have been murdered in –310. On the one hand he is said, according to the Canon of Kings, to have ruled for 12 years, that is –315 to –304, and on the other he is listed as the ruler in -309 (year 7), and –308 (year 8), when Seleucus is noted as a general. These two facts contradict the information that he died in –310. If he completed 12 years, then the Selecucid numbering began with year 8 in –303.

When Ptolemy quotes Babylonian observations dated in this Era, it is referred to as κατὰ Χαλδαίους.[57] As to usage in Syria, this

---

[57] *Almagest* IX.7.

generally follows the Julian calendar with Syrian or Macedonian month names, and an epoch –311 Oct. 1. According to Bouché-Leclerq, the Era became official in Syria only from 158 Seleucid = 155 BC[58] In the Babylonian astronomical diaries one finds also a regnal dating in the reign of Alexander IV. [59]

1.3.1 *Dhū'l-Qarnayn*

In the Zīj of al-Battānī, and elsewhere, the Era is named as Dhū'l-Qarnayn, the Two-Horned; it follows a Julian calendar, with Syrian months, starting with Aylūl, the epoch being -311 Sept. 1. The name Two-Horned has been discussed in some quarters, because of disagreement as to whether it refers to Alexander the Great, or to Alexander IV. Its earliest occurrence in Arabic is found in the Qur᾿ān xviii, 83 seq. The story related in the Qur᾿ān was shown by Nöldeke to be derived from one of the two Syriac versions of the story of Alexander, the one which he named the Syriac Legend of Alexander, and which he showed was essentially an original composition, dated to the early 7th century.[60] In the Syriac mss this Legend follows on after the full Syriac version, which is a translation of the Greek tale, attributed to pseudo-Callisthenes. The complex and involved account of the transmission of this work can be read elsewhere.[61] According to Nöldeke this Syriac version of the Romance was taken from a Pahlavi version, itself derived from a hypothetical Greek recension referred to as δ*, dependent on the recension α. That there existed such a Pahlavi intermediary is now disputed by Ciancaglini.[62]

The two horns in question are those of the ram-headed god Ammon, Alexander being regarded as having been fathered by Ammon out of Olympias. The horns of Ammon are mentioned in all the Greek versions of the Romance, beginning with recension α, where one reads for example of κεραὸν Ἄμμωνα.[63] When

---

[58] Bouché-Leclerq (1903), Vol. 1, p. 265n.

[59] Sachs (1988), pp. 231, 233, 239.

[60] Nöldeke (1890). The Syriac texts were edited and translated by Budge (1889).

[61] Budge (1896), Vol. 2; van Thiel (1974); Stoneman (1991); Stoneman (2008).

[62] Ciancaglini (1998).

[63] Kroll (1926), p. 7. In Egyptian texts Ammon received the epithet 'two-horned', Sept ābu.

King Philip dreamt of the impregnation of Olympias, he related to Nectanebo [64]

> *I saw in a dream some god, of great physical beauty, with grey hair and a grey beard; he had horns on his temples, ...*

Later when Alexander sets off to the shrine of Ammon in Libya, to seek the oracle of the god [65]

> *... he had a vision of Ammon as an old man, with golden hair and ram's horns on his temples, saying:*
> *'O King, thus Phoebus of the ram's horns says to you:*

Qur'ān xviii, 83, begins 'They will ask thee of *Dhū'l-Qarnayn*', and continues to relate how he built a defense against Gog and Magog.[66] There was therefore, we may assume, an Arabic version of the Syriac Legend, and indeed from that we have an Ethiopic version, in which *Dhū'l-Qarnayn* is rendered as **ዘክልኤ ፡ አቅረንቲሁ ፡**, 'whose two horns'.[67]

Soon after Alexander's death in –323, one finds the coins of Ptolemy I bearing a portrait of Alexander with the horns, evidently emblematic of his descent from Ammon.

In spite of the clear arguments provided by Nöldeke that Dhū'l-Qarnayn refers to Alexander the Great[68] there has been confusion among Arabic authors in every period about the true reference of the name, and indeed even in modern discussions of the Qur'ānic passage. For example al-Battānī gives a list of kings, similar to Ptolemy's Canon, in which Philip [Arrhidaeus] is described as the father of Dhū'l-Qarnayn.[69] Similarly al-Ya'qūbī, in his Ta'rīkh, describes Alexander IV as Dhū'l-Qarnayn, and attaches to him details from the history of Alexander the Great (taught by Aristotle, etc.). In effect this is a confusion between Philip of Macedon, father

---

64 Stoneman (1991), p. 41. Stoneman here translates from the ms L (Leiden, Vulcanianus 93), taken as representative of the β recension. The text was edited by van Thiel (1974), and translated also by Bounoure (1992).

65 Stoneman (1991), p. 62.

66 Among recent detailed studies of the Quranic tale see van Bladel (2008).

67 Budge (1896), Vol. 2, p. 24.

68 Nöldeke (1890). See also Friedländer (1913), Appendix B. Nöldeke's essay was in effect a commentary on The Syriac Version published by Budge.

69 'Philippus, pater Dhū'l-qarnayn', فيلفوس ابو ذي القرنين. Nallino (1903), Pars prima, lxxiv; Pars secunda, p. 2, 194; Pars tertia, p. 229.

of Alexander the Great, and Philip Arrhidaeus.[70] For this information al-Yaʿqūbī refers to the Qānūn of Ptolemy, which suggests that this work in its Arabic version must have been rather corrupted.

Al-Bīrūnī names the Era as the Era of Alexander, the 'Tāʾrīkh known as Iskander', in the *Qānūn*, which begins in the 13th year of the regency of Ptolemy I, i.e. –311.[71] In his *Chronology* it is specified as 4341 days after the Era of Philip, and so 1607739, -311 Oct 1.[72] In that work also he refers to this Era as that of Alexander, known to some people as dhū'l-qarnayn, and goes on to relate the curious tale that when Alexander arrived in Jerusalem he commanded the Jews to abandon their Era and to commence a new one from that year, the 27th year of Alexander's life. The tale is obviously nonsense, because not only was his 27th year *ca* –328, but also because this 'Era of Alexander' in -311 is situated some 12 years after his death.[73] Apparently the adoption by the Jews of the Seleucid Era dates from the time of the persecution of the Jews under Antoninus Pius, *ca* –160.

It must be said, of course, that it would have been more logical to name this Era after Alexander IV, the posthumous son of Alexander the Great, who reigned as titular King of Egypt from the death of Philip Arrhidaeus in -316, until his own death in -310. One has to ask therefore whether the Era was named dhū'l-qarnayn because of the earlier misunderstanding, which led to the false application of dhū'l-qarnayn to the later Alexander.

In fact the usual explanation of this Era, at least in the Syrian context, appeals not to either of the Alexanders, but to the move by Seleucus to capture Babylon, following the battle at Gaza which consolidated the shape of the dismembered Empire of Alexander, leaving Ptolemy in Egypt with the territory extending to southern Syria, and Seleucus in control of Babylonia with territory extending to northern Syria.[74] This event coincided approximately with the death of Alexander IV.

The Era is used throughout the Books of Maccabees, in most passages without explicit reference to an Era or regnal period, but

---

[70] Houtsma (1883), Vol. 1, p. 161.
[71] Bīrūnī (1954), Vol. 1, p. 157.
[72] Sachau (1879), p. 133.
[73] Sachau (1879), p. 32.
[74] Bouché-Leclerq (1903), Vol. 1, p. 49.

mentioning only 'the year', except that at the outset (Macc I, 10) we have ἐν ἔτει ... βασιλείας Ἑλλήνων, 'in the year ... of the Kingdom of the Greeks'; Hebrew month names were used. In later Jewish material, in Hebrew, the Era was widespread, and used as late as the 11th century, referred to as minyān šeṭarōth מנין שטרות 'numbering of contracts'.[75]

In Syriac texts, the Era was referred to as 'year of the Greeks', or 'year of Alexander', ܫܢܬ ܠܝܘܢܝܐ, ܫܢܬ ܕܐܠܟܣܢܕܪܘܣ.[76]

1.3.2 *The Era of Philip in Arabic*

If the *Handy Tables* had been seriously studied by Arabic astronomers one would expect at least that they would be familiar with the Era of Philip, whether they made use of it or not. Al-Battānī mentions the Era of the Death of Alexander as that used by Theon, in his Qānūn (Ch. 32), and again, but without referring to Theon, in Ch. 52 (accession and recession). He notes, moreover, a number of his own observations of solar and lunar eclipses, and an Autumn Equinox, made in Antioch and al-Raqqa; in each case he notes the date in the Era of Dhū'l-Qarnayn, by which he means the Seleucid Era referred to the epoch of September 1, but for most of them he cites as well the year number according to the Era of the Death of Alexander.[77] The problem is that in four of these that year number is smaller by one than it ought to be by the Era of Philip, for he has simply followed the rule stated in Ch. 32, adding 12 to the Seleucid year. This was taken seriously by Nallino, who did not see it as an error, but rather imagined that there really had arisen in the first century AD a Julian calendar with epoch –323 Aug 324.[78] It is quite evident, however, that Al-Battānī has not understood the way the Era of Philip is defined, from which we may conclude that he made no serious use of the *Handy Tables*, even though he clearly possessed a copy, as remarked above.

On the other hand al-Bīrūnī in the *Qānūn al-Masʿūdī* had a correct understanding of the Era of Philip. He described it as from 'the death of Alexander, in the zīj of Theon, called Philip',

---

75 GINZEL (1906), Vol. 2, §148.
76 GINZEL (1906), Vol. 3, §226.
77 For the observations NALLINO (1903), Pars prima, pp. 42, 56, 57.
78 NALLINO (1903), Pars prima, p. 243.

stating that it preceded the Era of Yazdajird by 955 Egyptian years and 3 Egyptian months.[79] This is correct: 1952063 – 1603398 = 955 × 365 + 3 × 30. In his *Chronology* also he makes the matter clear, referring to the Era of Philip, as that on which Theon based his 'Zīj called the Canon'.[80]

---

[79] Bīrūnī (1954), p. 133.
[80] Sachau (1878), p. 28; Sachau (1879), p. 32.

CHAPTER 2

TABLE A1

2.1 The presentation of the table

Table A1 gives the tabulation of the right ascension (Column 2) and the equation of time (Column 3), tabulated against ecliptic longitude, counted from Capricorn. The equation of time is expressed in minutes of time. The table begins as follows.

♑	αιγοκερου				♑	Capricorn	
μοιραι	αναφορα		$ω^{ρ}$ $χ^{ρ}$ ξ ξ		degrees	ascensions	sixtieths of of time-degrees
α	α	ς	ιη	μ	1	1;6	18;40
β	β	ιβ	ιθ	ια	2	2;12	19;11
γ	γ	ιη	ιθ	ιβ	3	3;18	19;12
δ	δ	κδ	κ	ιγ	4	4;24	20;13
...					...		

Table 2.1.1. The opening of A1.

The head of each of the tables A1 includes the title

ὀρθὴ σφαῖρα σὺν μεσουρανήματι πανταχῇ

Right sphere together with culmination (everywhere)

There are difficulties with the sense of πανταχῇ, *everywhere*, and these are discussed from the philological point of view in the first part of the edition (Ia, pp. 198-202).

The titles of the individual columns of A1 are abbreviated:

Column 2

ἀναφ: ἀναφοραι, ascensions

μ° ξ´: μοιρῶν ἑξηκοστῶν, degrees, sixtieths

Column 3

ωº χº ξ ξ: ὥρων χρονων, ἑξηκοστῶν, hourly sixtieths, or minutes of time

ὥρων ξ α´ ξ β´, hours in minutes, seconds

The quantity in Column 3 is referred to by Theon (*Small Commentary*) as ὡριαίων ἑξηκοστῶν, hourly sixtieths.[1]

2.2 Column 2

This column tabulates the ascensions in the right sphere. Here we present the simple theory, and then discuss the tabulation as found in A1.

2.2.1 *Theory of right ascension*

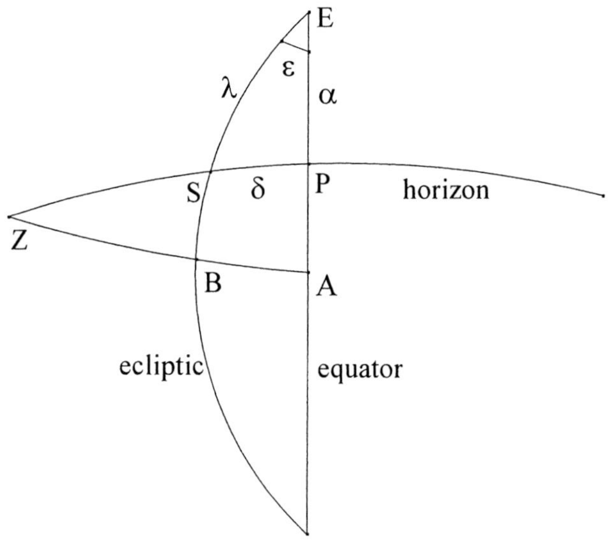

Fig. 2.2.1. Right Ascension

[1] Tihon (1978), pp. 217, 310.

Fig. 2.2.1 is drawn for an observer at the earth's equator, and looking toward the Eastern horizon. Here the celestial equator EPA intersects the horizon at right angles at P, while the pole of the equator Z also lies on the horizon, so that the horizon is a great circle through Z. The ecliptic ESB, from the equinoctial point E, intersects the horizon at S; the arc PS measures the declination δ of S. The arcs from E to S and P respectively, are the longitude λ of S and its Right Ascension α. The Right Ascension measures the rotation of the celestial sphere in the interval between the ascension of the equinoctial point and the ascension of S.

We require the relations among α, λ, δ, any one of which determines the other two. These could be derived simply from the triangle ESP, but if we are to follow Ptolemy's procedure we add to the configuration another great circle ZBA, passing through the pole Z, such that EA is 90°, so permitting the application of the theorem of Menelaos.

Ptolemy's procedure for the calculation of the Right Ascension is given in the *Almagest* I.16. He applies the theorem of Menelaos in order to solve the triangles ESP and ZPA, where EA = 90. If we compromise somewhat by using the sine function in place of Ptolemy's chords, then the theorem applied to the present configuration may be written

$$\frac{\sin ZB}{\sin AB} = \frac{\sin ZS}{\sin PS}\,\frac{\sin EP}{\sin EA}$$

Since EA = 90, AB measures the obliquity ε, that is the angle $\angle$BEA, and ZB its complement,

$$\frac{\sin(90-\varepsilon)}{\sin\varepsilon} = \frac{\sin(90-\delta)}{\sin\delta}\,\frac{\sin\alpha}{\sin 90}$$

(1)
$$\frac{\cos\varepsilon}{\sin\varepsilon} = \frac{\cos\delta}{\sin\delta}\,\frac{\sin\alpha}{\sin 90}$$

From this the value of α can be derived, once δ is known, which Ptolemy has already found in *Almagest* I.14-15. That result, but expressed in trigonometric terms, is

(2)
$$\sin\delta = \sin\lambda\,\sin\varepsilon$$

Of course once the tangent function is available, as it was eventually in Arabic hands, we have in place of (1)

(3) $$\sin\alpha = \frac{\tan\delta}{\tan\varepsilon}.$$

At that later stage in the historical development the tangent relations within the spherical triangle were known, which permitted the most direct relationship between ecliptic longitude and Right Ascension

$$\tan\alpha = \tan\lambda\,\cos\varepsilon,$$

$$\alpha(\lambda) = \arctan(\tan\lambda\,\cos\varepsilon).$$

Ptolemy observes that it is only necessary to calculate $\alpha(\lambda)$ in the first quadrant, since in order to extend $\alpha(\lambda)$ beyond this range we have the relations

$$\alpha(\lambda + 90) = 180 - \alpha(\lambda),$$
$$\alpha(\lambda + 180) = 180 + \alpha(\lambda),$$
$$\alpha(\lambda + 270) = 360 - \alpha(\lambda),$$
$$\alpha(\lambda + 360) = \alpha(\lambda).$$

2.2.2 *Tabulation in the Handy Tables*

In Table A1, however, it is not this $\alpha(\lambda)$ which is tabulated, for now the origin of longitude is the head of Capricorn not Aries. If λ' is the longitude measured from the head of Capricorn, then $\lambda' = \lambda - 270$. In that case the rule for the Right Ascension in the *Handy Tables*, denoted $A(\lambda')$, is

(4) $$A(\lambda') = \alpha(\lambda' + 270) + 90.$$

In place of the above relation $\tan\alpha(\lambda) = \tan\alpha\ \cos\varepsilon$ it may be shown that

$$\tan A(\lambda') = \tan(\lambda') / \cos\varepsilon.$$

In the *Almagest* (II.8) the tables of ascension include both Right and Oblique Ascensions. There the tabulation gives the ascension for successive decans, as well as the summation, that is $\alpha(n + 10) - \alpha(n)$, as well as $\alpha(n)$. In A1, however only A(n) is tabulated.

Almagest II.8			*Handy Tables* A1	
Long.	in 10°	sum of times $\alpha(\lambda)$	ascensions $A(\lambda)$	sixtieths of times
Can 10°	10;55	100;55	190;55	12;32
20	10;47	111;42	201;42	14;20
30	10;34	122;16	212;16	15;37
Leo 10°	10;16	132;32	222;32	16;15
20	9;58	142;30	232;30	14;2
30	9;40	152;10	242;10	13;27

Table 2.2.2. Comparison of Right Ascension between *Almagest* and *Handy Tables*.

As illustrated in this table, the ascensions tabulated in A1 at intervals of 10° agree with the summed values in the *Almagest*, apart from from the displacement of 90°. In A1 the values for each degree within each 10° interval were obtained by a certain procedure of interpolation which will be discussed presently. The other column in A1, the equation of time, is not given in the *Almagest*.

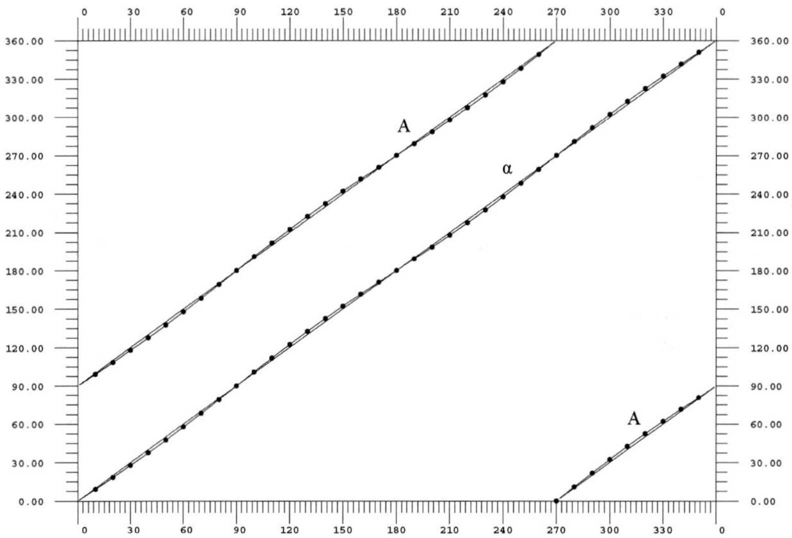

Fig. 2.2.2. Right Ascensions: $\alpha(\lambda)$ and $A(\lambda)$; the 10-degree points are dotted.

In Fig. 2.2.2 we have the the curves showing the ascensions according to the *Almagest*, $\alpha(\lambda)$, and according to the *Handy Tables*, $A(\lambda)$. The latter is obtained merely by adding 90° to the former, according to (4) above.

In the Zīj of al-Battānī, likewise, the quantity A(λ) is tabulated.[2] The reasons for this mode of tabulation, with the longitude measured from Capricorn, will become clearer from the discussion of examples of the use of Tables A1, A2, in particular the calculation of the point of culmination in the ecliptic.

2.2.3 *Interpolation*

As remarked, Ptolemy tabulates the ascensions for 10 degree intervals on the ecliptic. He observes that within each 10-degree range the 1-degree increments may be taken as sensibly equal. In *Almagest* I.16 he writes

> τὸν αὐτὸν δὴ τρόπον τῇ προκειμένῃ δείξει κατακολουθοῦντες ἐπελογισάμεθα καὶ τὰς ἑκάστῃ δεκαμοιρίᾳ τοῦ λοξοῦ κύκλου συγχρονούσας περιφερείας τοῦ ἰσημερινοῦ διὰ τὸ τὰς ἔτι τούτων μικρομερεστέρας μηδενὶ ἀξιολόγῳ διαφέρειν τῶν πρὸς ὁμαλὴν παραύξησιν ὑπεροχῶν.
>
> *By this method we have calculated the arcs of the equator that pass the meridian simultaneously with the arcs of the ecliptic, in steps of 10 degrees, because arcs smaller than these do not differ in an apparent way from the increments (found) by regular (or uniform) increase.*

In the *Handy Tables* Ptolemy prepares a tabulation of the Right Ascension in steps of one degree, so as to relieve the user of the need to carry out the interpolation. For this he employs an interpolation procedure apparently not used in the *Almagest*, and differing from simple linear interpolation. This is made evident by studying the successive differences of the values of A(n).

In the following Table 2.2.3, we have displayed these successive difference A(n + 1) – A(n). The first two columns give the longitude of the starting point of the decan counted respectively from the head of Aries or the head of Capricorn. The next two give the ascensional difference over the decan, according to MS F, and these 10-degree steps are, as one would expect, identical to the corresponding steps given in the *Almagest*. Subsequent columns give the degree-by-degree differences according to MS F. The individual differences reveal some obvious irregularities, which are marked in bold face, but once these few are allowed for it is clear that the scheme of the interpolation is to weight the sequence at the start of the decan for the longitudes from 0 to 90, and from 180 to 270,

---

[2] Nallino (1899), Pars secunda pp. 61-4.

(counted from Capricorn), while the remaining sequences are weighted at the end. Entries in the column of ascensional difference are shaded so as to mark the distinction between these schemes. In other words in the two ranges of longitudes from the decan interval 10;55 to the interval 9;10, the interpolation differences are weighted so as to be larger on the side nearer the maximum time-degrees. The reverse holds in the two complementary ranges. The corresponding display of differences for MS v differs only in that it is free of the error in the 18th decan.

For example, the first interval 10;55, is to be divided by 10. The division of 55 minutes yields 5 minutes and 5 surplus, and the surplus has to be distributed somehow. The simplest procedure is to add one extra minute to each of the first five. In this way, at the beginning of the decan, the rate of increase is constantly equal to 1;6 per degree for the first 5 degrees, followed by another segment at the rate of 1;5 per degree, which continues up to the 17th degree, and so on.

If one considers the curve of A(λ), as in Fig 2.2.2, then any approximation may be visualized as a sequence of straight segments touching the curve at intervals of 10 degrees. Within each decan, as far as the first minimum 9;10, the sequence of straight segments constitutes a curve that is convex on its upper side. In the next quadrant this reverses, so that the straight segments are then appropriate to a curve that is concave on its upper side. This alternation of convex and concave is indeed appropriate to the graph of A(λ). However, our easy visualization of this curve was certainly foreign to Ptolemy and Theon. Instead we have, as Theon says in his commentary,

> *Wishing to fix the succession of ascensions to within minutes, since the numbers did not allow the making of a progression by regular increments, he gave to the first sections, those furthest <from the equator an increment of 1;6, and to those less distant> 1;5, since as well the sections of the ecliptic near to the equator rise in fewer times than those further. In the same way he made increments for the other signs, dividing in the same way the times written in the Almagest, whenever he could not make a regular progression.*[3]

It is true that the first section, Capricorn, is furthest from the equator, and that for this sign, and for Cancer, the sign furthest from the equator on the other side, the ascension times on the equator are greatest. Therefore, although Theon's remark could not be more succinct, it is in agreement with what is found here.

---

[3] MOGENET (1985), pp. 97, 162, 235. The words in < ... > have been added by the editor.

long. from Aries	long. from Cap	MS F	Differences									
270	0	10;55	1;6	1;6	1;6	1;6	1;6	1;5	1;5	1;5	1;5	1;5
280	10	10;47	1;5	1;5	1;5	1;5	1;5	1;5	1;5	1;4	1;4	1;4
290	20	10;34	1;4	1;4	1;4	1;4	1;3	1;3	1;3	1;3	1;3	1;3
300	30	10;16	1;2	1;2	1;2	1;2	1;2	1;2	1;1	1;1	1;1	1;1
310	40	9;58	1;0	1;0	1;0	1;0	1;0	1;0	1;0	1;0	0;59	0;59
320	50	9;40	0;58	0;58	0;58	0;58	0;58	0;58	0;58	0;58	0;58	0;58
330	60	9;25	0;57	0;57	0;57	0;57	0;57	0;56	0;56	0;56	0;56	0;56
340	70	9;15	0;56	0;56	0;56	0;56	0;56	0;55	0;55	0;55	0;55	0;55
350	80	9;10	0;55	0;55	0;55	0;55	0;55	0;55	0;55	0;55	0;55	0;55
0	90	9;10	0;55	0;55	0;55	0;55	0;55	0;55	0;55	0;55	0;55	0;55
10	100	9;15	0;55	0;55	0;55	0;55	0;55	0;56	0;56	0;56	0;56	0;56
20	110	9;25	0;56	0;56	0;56	0;56	0;56	0;57	0;57	0;57	0;57	0;57
30	120	9;40	0;58	0;58	0;58	0;58	0;58	0;58	0;58	0;58	0;58	0;58
40	130	9;58	0;59	0;59	1;0	1;0	1;0	1;0	1;0	1;0	1;0	1;0
50	140	10;16	1;1	1;1	1;1	1;1	1;2	1;2	1;2	1;2	1;2	1;2
60	150	10;34	1;3	1;3	1;3	1;3	1;3	**1;4**	**1;3**	1;4	1;4	1;4
70	160	10;47	1;4	1;4	1;4	1;5	1;5	1;5	1;5	1;5	1;5	1;5
80	170	10;55	1;5	**1;9**	**1;1**	1;5	1;5	1;6	1;6	1;6	1;6	1;6
90	180	10;55	1;6	1;6	1;6	1;6	1;6	1;5	1;5	1;5	1;5	1;5
100	190	10;47	1;5	1;5	1;5	1;5	1;5	1;5	1;5	1;4	1;4	1;4
110	200	10;34	1;4	1;4	1;4	1;4	1;3	1;3	1;3	1;3	1;3	1;3
120	210	10;16	1;2	1;2	1;2	1;2	1;2	1;2	1;1	1;1	1;1	1;1
130	220	9;58	1;0	1;0	1;0	1;0	1;0	1;0	1;0	1;0	0;59	0;59
140	230	9;40	0;58	0;58	0;58	0;58	0;58	0;58	**0;59**	**0;57**	0;58	0;58
150	240	9;25	0;57	0;57	0;57	0;57	0;57	0;56	0;56	0;56	0;56	0;56
160	250	9;15	0;56	0;56	0;56	0;56	0;56	0;55	0;55	0;55	0;55	0;55
170	260	9;10	0;55	0;55	0;55	0;55	0;55	0;55	0;55	0;55	0;55	0;55
180	270	9;10	0;55	0;55	0;55	0;55	0;55	0;55	0;55	0;55	0;55	0;55
190	280	9;15	0;55	0;55	0;55	0;55	0;55	0;56	0;56	0;56	0;56	0;56
200	290	9;25	0;56	0;56	0;56	0;56	0;56	0;57	0;57	0;57	0;57	0;57
210	300	9;40	0;58	0;58	0;58	0;58	0;58	0;58	0;58	0;58	0;58	0;58
220	310	9;58	0;59	0;59	1;0	1;0	1;0	1;0	1;0	1;0	1;0	1;0

long. from Aries	long. from Cap	MS F	Differences									
230	320	10;16	1;1	1;1	1;1	1;1	1;2	1;2	1;2	1;2	1;2	1;2
240	330	10;34	1;3	1;3	1;3	1;3	1;3	1;3	1;4	1;4	1;4	1;4
250	340	10;47	1;4	1;4	1;4	1;5	1;5	1;5	1;5	1;5	1;5	1;5
260	350	10;55	1;5	1;5	1;5	1;5	1;5	1;6	1;6	1;6	1;6	1;6

Table 2.2.3. Successive differences of ascensions in A1

It is found that such an interpolation, which we will call 'step-wise interpolation', results in modest improvement over a plain linear interpolation of the values given in the *Almagest* at 10 degree intervals. In the following graphical displays we show how the Ascension values in the *Handy Tables* compare with a straight-forward linear interpolation of the decan values of the *Almagest*, on the one hand, and with an exact calculation, on the other. The linear interpolation is carried out exactly, that is, without rounding. Ascension values in the *Handy Tables* are compared with a straight-forward linear interpolation of the decan values of the *Almagest*, on the one hand, and with an exact calculation, on the other.

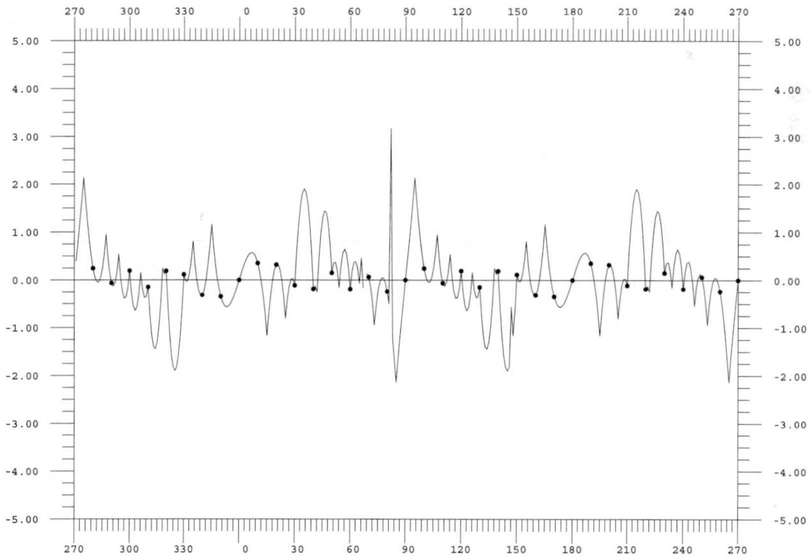

Fig. 2.2.3. Excess of *Handy Tables* over exact calculation

Fig. 2.2.3 shows that the values of A(λ) in the *Handy Tables* can exceed the true values by some 2 minutes of arc, but usually by 1 minute or less. Although the curve is quite irregular in character, it is repeated in each hemisphere. The dots mark the positions of the 10 degree points, where the error does not exceed one quarter of a minute.

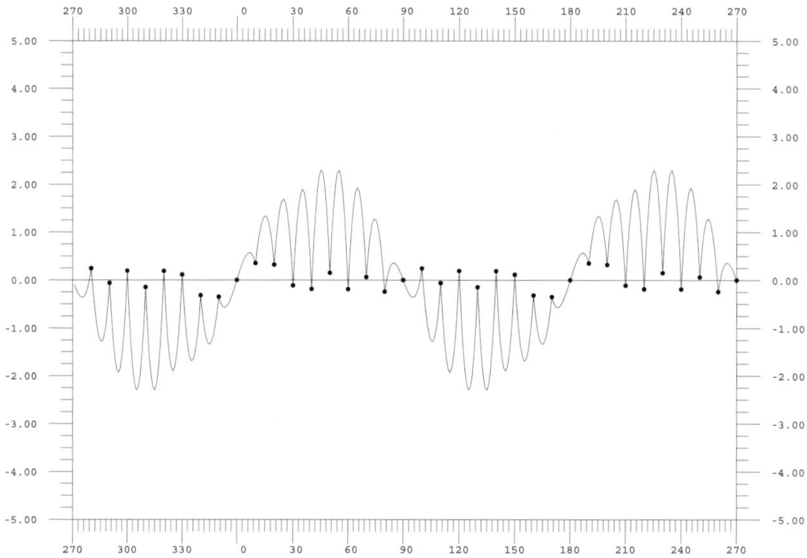

Fig. 2.2.4. Excess of *Almagest* (Linear interpolation) over exact calculation

Fig. 2.2.4 shows that the values of A(λ) obtained by a linear interpolation of the 10-degree values in the *Almagest* can exceed the true values by some 2 minutes of arc, but the difference is more generally between 1 and 2 minutes. Therefore there is a modest advantage in using the ascensions in the *Handy Tables*.

The difference between these two plots, that is the excess of the values found by Linear interpolation of the *Almagest* over *Handy Tables*, as shown in the following plot.

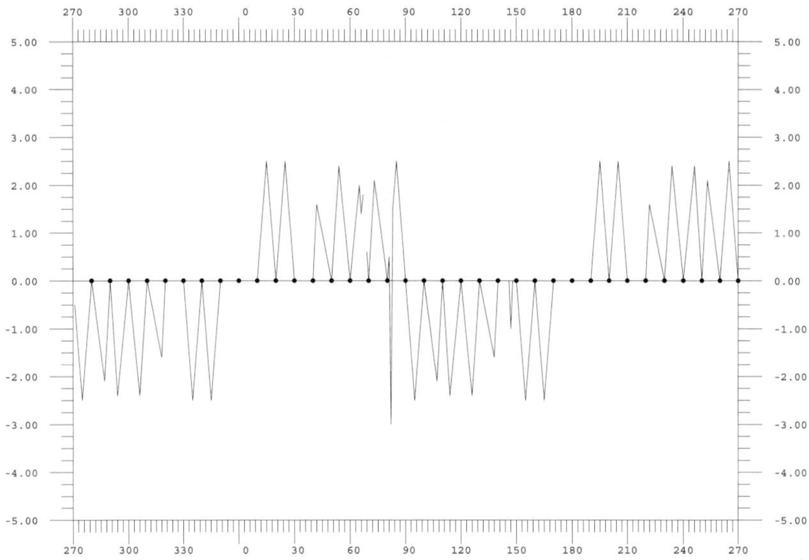

Fig. 2.2.5. Excess of *Almagest* (Linear interpolation) over the *Handy Tables*

Here there is a regular pattern, like that in the graph showing the Excess of the *Almagest* over the exact values of the Ascension.

Column 3

2.3.1 *Equation of Time*

The true solar day is defined by successive meridian passages of the Sun, but such a day is not constant in length, on account of the varying rate of motion of the Sun. As Ptolemy argued in the *Almagest* III.9, if an interval of time is measured by a number of true solar days, a correction must be added to that number, in order to obtain the measure of the same passage of time expressed in mean solar days. If, as shown in Fig. 2.3.1, the longitude of the true Sun is λ when the Sun is on the meridian, where the equator intersects the meridian at T, then the interval of the equator from the Equinoctial point E to the meridian at T is $\alpha(\lambda)$. Let the mean Sun at M be indicated by an arc of the equator EM, measured, that is, from the Equinoctial point.[4]. Thus if the difference ET – EM = MT, is (for example) positive, then the Mean Sun has been carried westward beyond the meridian with the daily rotation of the equator, so that time measured by the Mean Sun (i.e. so many mean solar days) is Noon plus the difference MT.

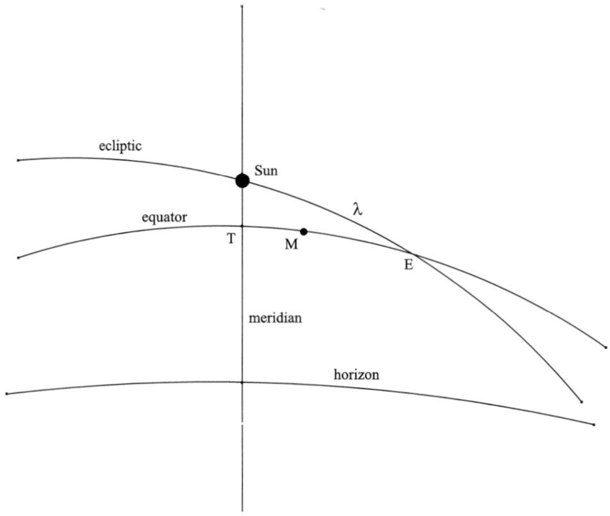

Fig. 2.3.1. Equation of time

While in his example in III.9 Ptolemy calculates the net difference as so many mean solar days between two observations, in the *Handy Tables* there is a standardisation, in that the arc MT is always compared to its value when the True Sun is at the beginning of Scorpio, λ_0 = Sco 0° = 210. By way of expressing the analysis in functional notation, we note that the Right ascension ET = $\alpha(\lambda)$ depends on the longitude λ of the Sun, while its mean position EM depends on both λ and the solar apogee Γ, EM = $M(\lambda, \Gamma)$. We have therefore the arc MT, expressed in modern functional notation, $\eta(\lambda, \Gamma)$,

(1) $$\eta(\lambda, \Gamma) = \alpha(\lambda) - M(\lambda, \Gamma) - [\alpha(\lambda_0) - M(\lambda_0, \Gamma)]$$

where λ_0 = Sco 0° = 210.

4 Strictly speaking the Mean Sun in Ptolemaic astronomy is measured by an arc lying in the plane of the ecliptic, as employed in the eccentric or epicyclic solar theory of Ptolemy, but here we take an arc of the same magnitude in the equator, which indeed agrees with the notion of Mean Sun used in modern dynamical astronomy.

The quantities $\alpha(\lambda)$ and $M(\lambda, \Gamma)$ are expressed in degrees of the equator, but if E, as found from equation (1), is multiplied by 4 (= $24 \times 60/360$)), the result is converted to minutes of time, and this is the quantity tabulated in Column 3. Ptolemy refers to this in the Manual as sixtieths of an equinoctial hour.[5] Thus as a correction to time we need the quantity $4\eta(\lambda, \Gamma)$ minutes, which, added to the true Solar time gives the interval as so many mean solar days since the assumed initial point Sco 0°.

The tabulation in Column 3 gives minutes and seconds of time, but it is unusual in material of this period to find a fraction of an hour thus expressed. As a rule one finds only plain fractions of an hour: 1/2, 1/3, 1/7, 1/8, etc. For example, Theon, in commenting on the first entry in column 3, arrives first at 1/4 1/16, which he then converts to $18^m\ 40^s$.[6] There is another example of such a sexagesimal fraction in a table that is included in some manuscripts of the *Handy Tables*, one that tabulates against latitude the excess of the longest day over 12 hours.[7] This interesting table will be considered again in connection with the table of oblique ascension A2. In Arabic handbooks, such as that of al-Battānī, the equation of time is given in degrees and minutes of arc.

The quantity $\alpha(\lambda)$, the Right Ascension, begins with zero at Ari 0°, like the oblique ascensions tabulated elsewhere in the *Handy Tables*, and so actually differs by 90° from the quantity $A(\lambda)$ tabulated in Column 2. In spite of this difference one might well imagine that the Equation of Time in Column 3 had been calculated with the aid of the ascensions in Column 2, but it will emerge in due course that the required values of $\alpha(\lambda)$ have been taken from the *Almagest*.

To continue this preliminary analysis, we need an expression for the Mean Sun as a function of the True Sun. Ptolemy in *Almagest* III.7 effectively solves the problem in his own terms, but for us the result is simply

$$(2) \qquad M(\lambda, \Gamma) = \lambda + \arcsin(\sin E \sin(\lambda - \Gamma)),$$

where E is the maximum equation of the Sun. The derivation is given in the Appendix A.

---

5 τῶν τῆς μιᾶς ἰσημερινῆς ὥρας ἑξηκοστῶν; HEIBERG (1907), p. 159, line 19.

6 MOGENET (1985), pp. 100, 164.

7 For example, MS v, fol.44v. STAHLMAN (1960), p. 264. HALMA (1813), Tom. VI, Κανόνιον ἐξάρματος πόλου ἑκάστου τόπου, on pp. 132-3.

2.3.2 *Method of analysis of the tabulated Equation of Time*

With this expression for M substituted into (1),

$$\eta(\lambda) = \alpha(\lambda) - \lambda - \arcsin(\sin E \sin(\lambda - \Gamma)) - a(\lambda_0) + M(\lambda_0, \Gamma).$$

This is rearranged to give,

$$\alpha(\lambda) - \lambda - \eta(\lambda) + M(\lambda_0, \Gamma) - \alpha(\lambda_0) = \arcsin(\sin E \sin(\lambda - \Gamma)).$$

Now, the right hand side, $\arcsin(\sin E \sin(\lambda - \Gamma))$, considered as a function of λ, has the symmetry of the sine function, in that it reaches its extreme values $\pm$ E at the points $\lambda = \Gamma \pm 90$ and vanishes at $\lambda = \Gamma$ and $\Gamma + 180$. Therefore when analysing any table of the equation of time in an astronomical canon (not only in the *Handy Tables*), it is helpful to study the quantity on the left hand side,

$$\mu_1(\lambda) = \alpha(\lambda) - \lambda - \mathrm{EqnTime}(\lambda) + M(\lambda_0, \Gamma) - \alpha(\lambda_0).$$

This may be computed directly from the tabulations of the equation of time and the right ascension. The extreme values of $\mu_1(\lambda)$, as λ varies, will allow one to fix the values of Γ and E. We discover first of all the value of E as half the difference between the maximum and minimum values of μ_1, and then Γ from the value of λ at the point midway between the values of λ where $\mu_1(\lambda)$ is maximum and minimum. At least this procedure will succeed provided that the table of the equation of time has been consistently calculated. For, if there is any inconsistency it will show up as a discrepancy between μ_1 and

$$\mu_0(\lambda) = \arcsin(\sin E \sin(\lambda - \Gamma)).$$

It is then a matter of plotting both $\mu_0(\lambda)$ and $\mu_1(\lambda)$, in order to discover the state of affairs with the tabulated equation of time.

The graphs of these two, $\mu_0(\lambda)$ and $\mu_1(\lambda)$, as well as their difference $\mu_1(\lambda) - \mu_0(\lambda)$, will now be shown for a selection of possible assumptions regarding the values of Γ and E, methods of interpolation, and other matters. In both the *Almagest* and the *Handy Tables* one would normally find $\Gamma = 65;30$, $\sin E = 1/24$. However, if such a simple procedure is followed in an analysis of Column 3 of the present table, one indeed finds somewhat inconsistent results. Therefore a deeper analysis is carried out with the aid of a program that presents graphical displays of the various possibilities.

If we set Γ = 65;30, the usual Ptolemaic value, and assume the initial point λ_0 = 210, then the constant term in (1), $\alpha(\lambda_0) - M(\lambda_0, \Gamma)$ is equal to 207;50 – 211;23 = 3;33. Here the values $\alpha(\lambda_0)$ = 207;50, $M(\lambda_0, 6;30)$ = 211;23 are established as follows: $\alpha(\lambda_0)$ may be taken from the *Almagest*; it may also be taken from the *Handy Tables*, but there the value is given as 297;50, so that one must subtract 90°, as explained above. The value of Mean (λ_0, Γ) is calculated from (2) above.

To begin with, Fig. 2.3.2 shows graphs of the tabulated equation of time, and as calculated from equation (1), on the assumption of the Ptolemaic values of Γ and E. Clearly there is close agreement, except at a few points. However, a deeper examination is needed to provide information about the precise assumptions that had been made in finding the values tabulated in column 3.

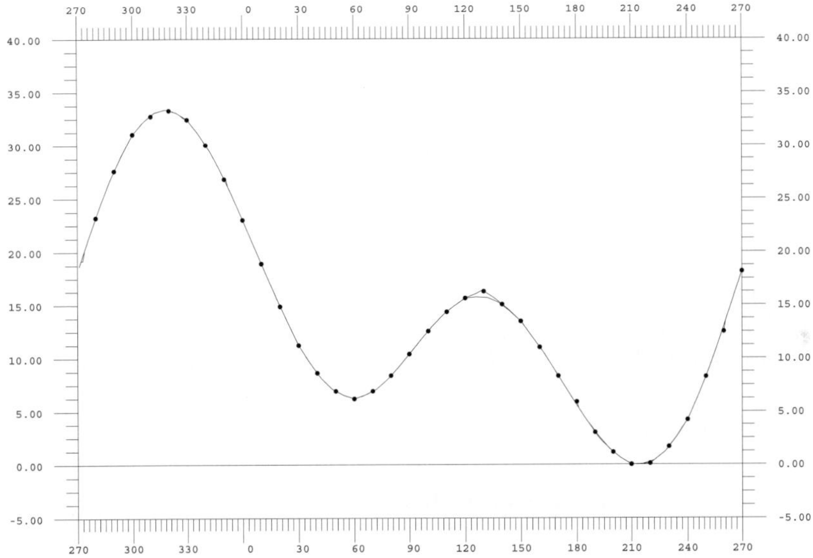

Fig. 2.3.2. The equation of time as tabulated in the *Handy Tables*. The plot also shows the calculated Equation of Time based on the Right Ascension in the *Almagest*, linearly interpolated between the 6-degree points, which are shown by the dots.

The investigation ranges over a number of hypotheses which lead to a large number of distinct possibilities. The equation of time requires one to calculate the quantity $\alpha(\lambda) - M(\lambda, \Gamma)$ and there are several ways in which these two quantities can be fixed.

2.3.3 *Selection of parameters*

Γ : Possible values of solar apogee

Γ1 : 65 Γ2: 65;30 Γ3: 66 Γ4: 66;30

A : methods of calculating the Right Ascension
A1 : linear interpolation of *Almagest* at 10-degree values
A2 : linear interpolation of *Handy Tables* at 1-degree values[8]
A3 : trigonometry

M : methods of calculating the Mean
M1: calculated from equation (2), using Ptolemy's chords
M2: calculated from equation (2), using modern sine etc
M3: interpolated from Ptolemy's table of anomaly

I : interpolation of the equation of time:
I1 : no interpolation
I2 : linear at 6 degree intervals
I3 : linear at 10 degree intervals
I4 : stepwise at 6 degree intervals
I5 : stepwise at 10 degree intervals

Altogether there are 180 distinct combinations.

The first graphical display, shown in Fig. 2.3.3, depends on the combination (Γ2, A1, M1, I2). Here we have graphs of both μ_0 and μ_1,

Theoretical calculation of Mean:

$$\mu_0(\lambda) = \arcsin(\sin E \sin(\lambda - \Gamma 2)).$$

Derivation of Mean from tabulated Equation of time:

$$\mu_1(\lambda) = \alpha(\lambda) - \lambda - \eta(\lambda) + (\alpha(\lambda_0) - M(\lambda_0, \Gamma 2)).$$

The ordinate scale of μ_0 and μ_1 is shown on the right side of the graph. These curves almost coincide, since as we have seen the

8 As shown in the commentary on Column 2, this is equivalent to stepwise interpolation of Almagest 10-degree values.

values tabulated for the equation of time actually follow closely the calculation from the parameters of the *Almagest*. However, in order to make a sufficiently precise comparison, the difference $\mu_1(\lambda) - \mu_0(\lambda)$ is plotted in the same display; the values of this difference in arc minutes are shown in the ordinate scale on the left.

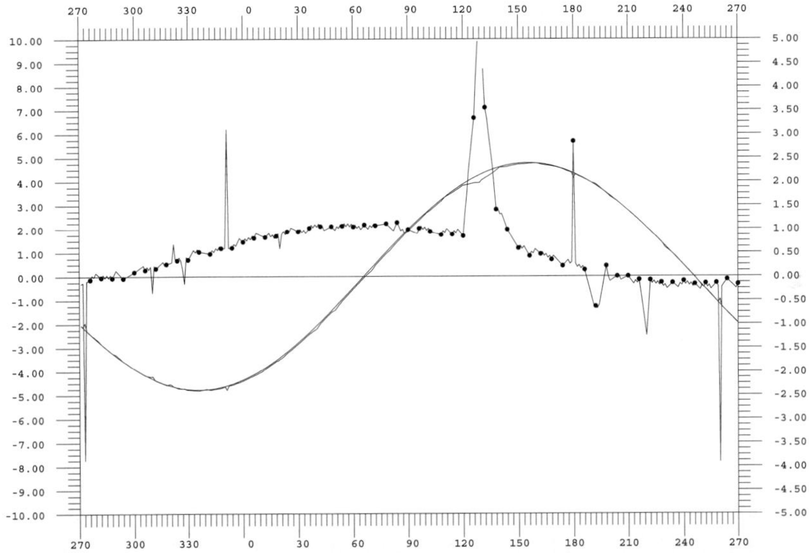

Fig. 2.3.3. Showing μ_0 and μ_1, as sine-shaped curves, with the values in degrees shown on the right hand ordinate scale. The difference μ_0-μ_1 is also shown, with values in arc-minutes shown on the left hand ordinate scale. The calculation is based on the linear interpolation of the Right Ascension in the *Almagest*, the value of μ_1 interpolated between the 6-degree points, shown by the dots. The apogee is 65;30: (Γ2, A1, M1, I2).

While the theoretical sine curve crosses the x-axis precisely at Γ (= 65.5) and at Γ + 180, the curve μ_1 based on the *Handy Tables* crosses at 66.512 and 180 + 65.577. The other curve in this display shows the difference between these two, μ_0-μ_1; this curve, whose values in arc-minutes can be read from the left-hand ordinate scale, greatly magnifies the difference. This difference is very nearly zero in the range 200 to 270, on the right, and 270 to 290 on the left, and this is the part in which the zero at 180 + 65.577 coincides effectively with Γ + 180. Moreover this range 200 to 270 is centred on the value Γ + 180. The complement of this range, 270 through 0 to 200 is centred on Γ, and here the difference curve rises gently to a maximum near Γ. The other features of the difference curve include strong irregularities near 130, 190, and 220.

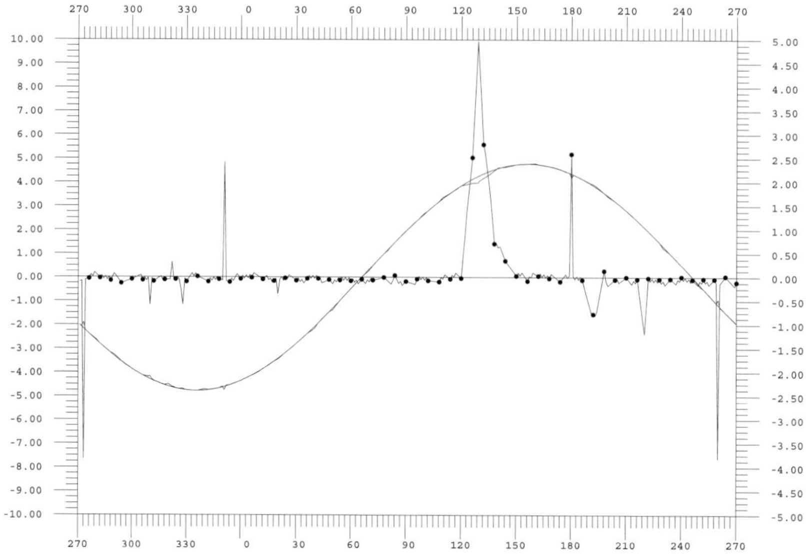

Fig. 2.3.4. As in Fig. 2.3.3, but with apogee 66: (Γ3, A1, M1, I2).

We might infer from the crossing points of μ_1 that the apogee might be midway between 66.512 and 65.577, that is 66.04. If we therefore select the option (Γ3, A1, M1, I2) we have the curves shown in Fig. 2.3.4. Here the curve μ_1 crosses at 65.957 and 180 + 66.036, effectively 66. The difference curve is zero, except for irregular deviations in certain intervals. This shows convincingly that the apogee must be taken as 66, not the Ptolemaic value 65;30[9].

Having established the basic condition for a good fit we may experiment with the other options.

[9] For an earlier study of the role of the apogee see VAN DALEN (1994).

2.3.4 *Right ascension*

Looking beyond the combination (Γ3, A1, M1, I2), we note the changes that occur when we use A2 or A3 in place of A1, that is the Right Ascension from either the *Handy Tables*, or by an exact trigonometrical calculation. In Figs 2.3.5 and 2.3.6 the difference curves show clearly such a strong departure from the curve just shown in Fig. 2.3.4 that we can be sure that the equation of time in the *Handy Tables* was not based on the Right Ascension tabulated in those Tables, but on a linear interpolation (keeping the seconds) from the *Almagest*. It is interesting that the zeros of the curve μ_1 are now even further from Γ, Γ + 180: when A2 is used they are 67.273, 180 + 64.818; when A3 is used they are 67.231, 180 + 64.823.

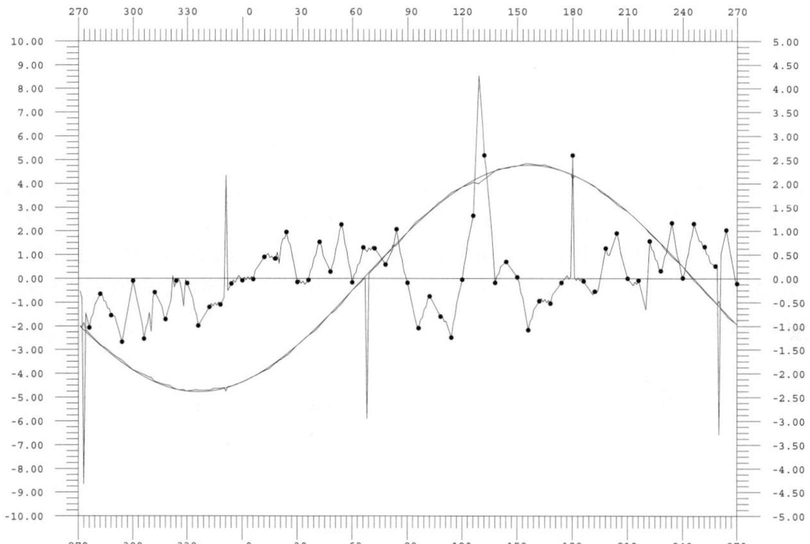

Fig. 2.3.5. This differs from Fig. 2.3.4 only in that the Right Ascension is taken from the *Handy Tables* (Γ3, A2, M1, I2).

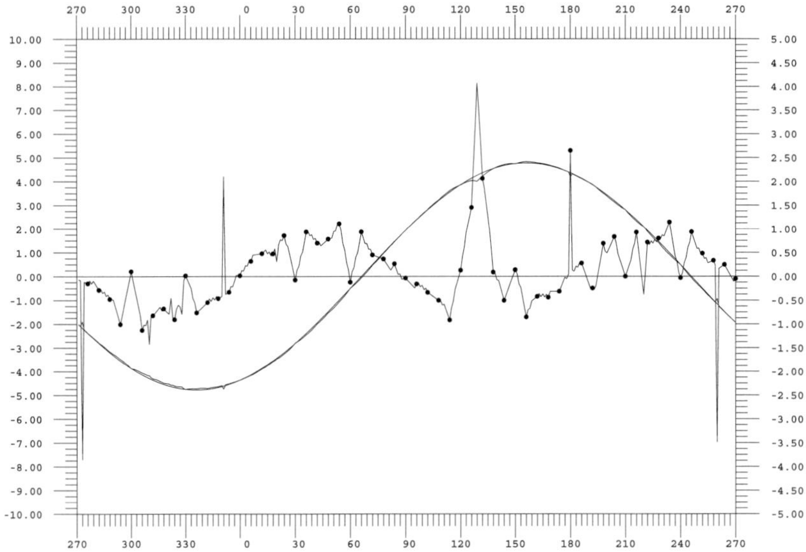

Fig. 2.3.6. This differs from Fig. 2.3.4 only in that the Right Ascension is calculated by trigonometry: (Γ3, A3, M1, I2).

2.3.5 *Interpolation*

In the situations explored above, (A1, M1, I2), etc., interpolation between the 6-degree points was applied to the values of the equation of time, but it is now appropriate to switch off the interpolation, and to plot all the values just as they come, that is to use (A1, M1, I1).

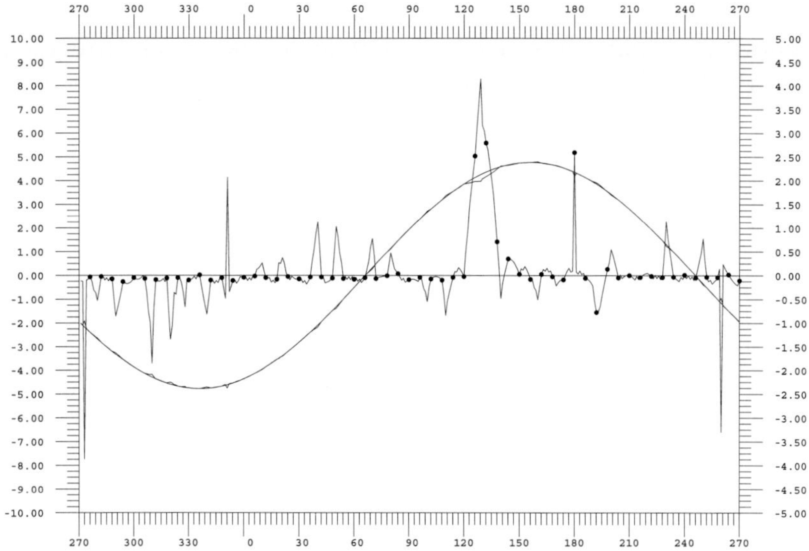

Fig. 2.3.7. No interpolation, with dots placed at 6-degree intervals: (Γ3, A1, M1, I1).

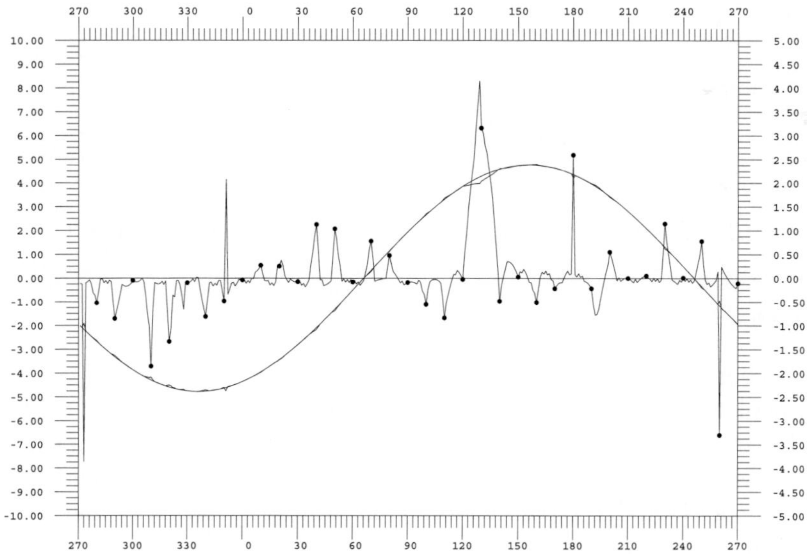

Fig. 2.3.8. No interpolation, with dots placed at 10-degree intervals: (Γ3, A1, M1, I1).

From Figs. 2.3.7 and 2.3.8 it is clear that the dots at 6-degree points follow a regular curve, while the 10-degree points are irregular. Clearly the calculator of Column 3 has produced his results by interpolation between 6-degree points. But which sort of interpolation? We have seen that the values of Right Ascension were found by interpolating values in the *Almagest* by means of the 'stepwise' interpolation described by Theon, and applied to the calculation of ascensions. Here, however, the calculator of Column 3 has used ordinary linear interpolation. We can see this from the Fig. 2.3.9 below, which is to be compared with Fig. 2.3.4.

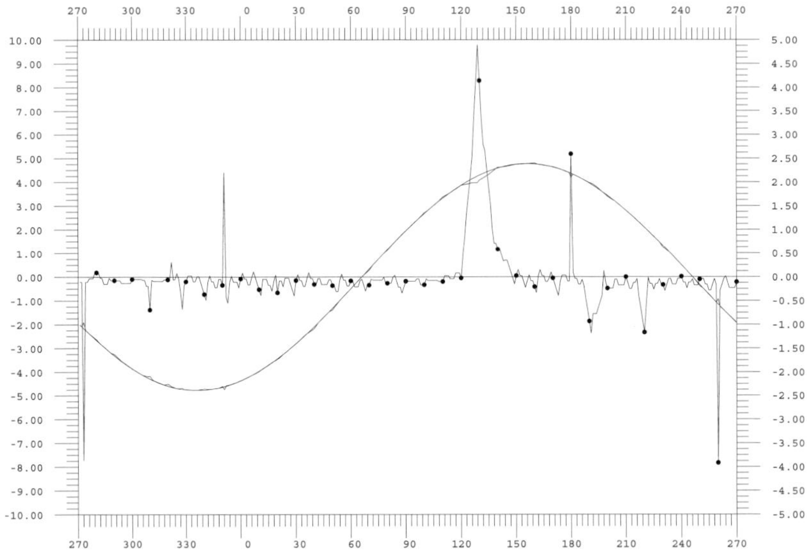

Fig. 2.3.9. Stepwise interpolation at 6-degree intervals: (Γ3, A1, M1, I4).

2.3.6 *Mean*

There remains the question of the method by which M(λ) was calculated. In the above the results were based on assumption M1, that is that the mean was computed by the formula (2), where the sin, etc., were found by means of Ptolemy's table of chords; this yields the value of Mean that Ptolemy would have found. In fact if we assumed M2 the results would be indistinguishable from M1, which is a tribute to the precision of Ptolemy's chord calculation; however in the case M3, when Mean is obtained simply by interpolation backwards from Ptolemy's Table of Anomaly (*Almagest* iii 6), then the results show a considerable change for the worse, as shown in Fig. 2.3.10.

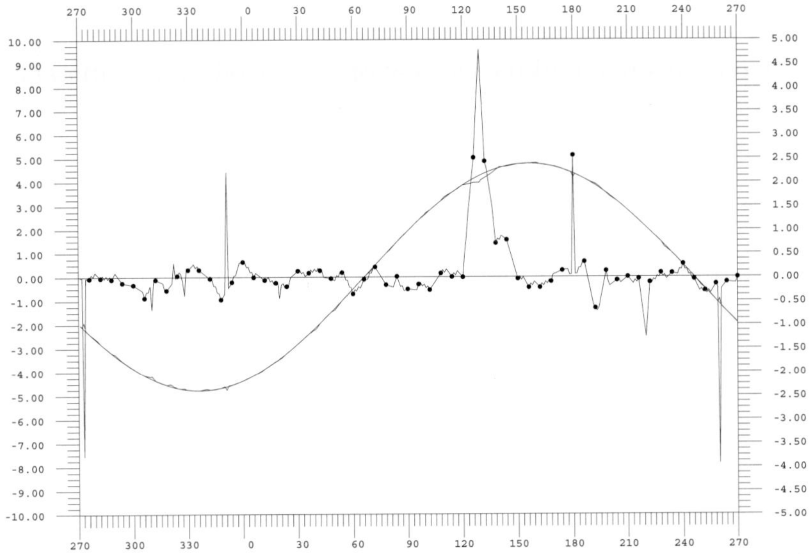

Fig. 2.3.10. The Mean is computed by interpolation of the Table of Anomaly (Γ3, A1, M3, I2).

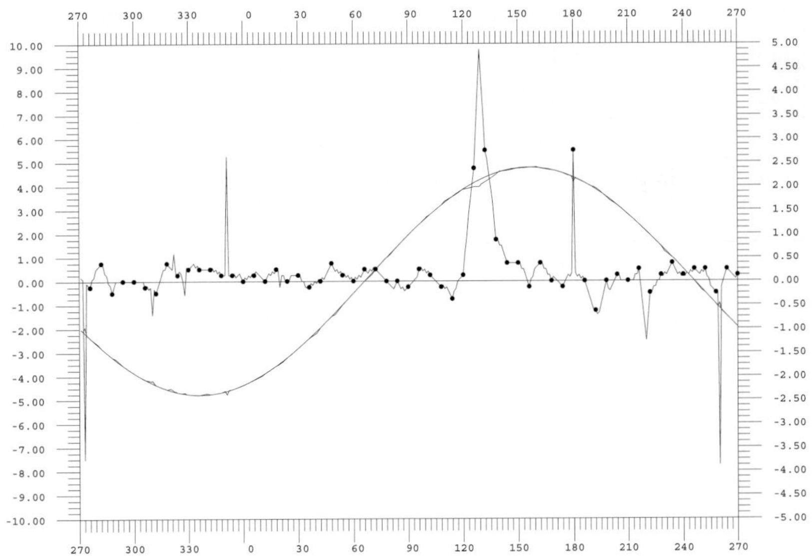

Fig. 2.3.11. As in 2.3.4, but with precision of Right Ascension and Mean restricted to minutes.

2.3.7 *Precision*

Up to this point all the calculations involved in the difference curve have been rounded to the nearest second. If both Right Ascension and Mean are however rounded to the nearest minute only we have a serious deterioration in the difference curve, as shown in Fig. 2.3.11. A similar result obtains if just one or the other component is restricted in this way, so therefore it is clear that both Right Ascension and Mean were calculated to the nearest second.

2.3.8 *Irregularities*

These detailed inspections of μ_0-μ_1 reveal that there is one large spike between 120 and 150 (the whole of the sign of Leo), and two other smaller spikes centred on 192 and 220. Let these be denoted A, B, C. In spikes A and B the five 6-degree values themselves lie well off the smooth curve, so these are errors in the 6-degree values. Of these points five values have been badly calculated, as listed here. There is no way to establish whether the error lay in the Right Ascension or the Mean, but more probably in the latter.

λ	calculated	text	difference
126	15;42,52	16;3	0;20,8
132	15;39,40	16;2	0;22,20
138	15;13,20	15;19	0;5,40
144	14;24,12	14;27	0;2,48
....			
198	1;26,56	1;28	0;1,4

Table 2.3.1. Irregularities in the Equation of Time.

In addition we see from Fig. 2.3.3 that the interpolation between 126 and 132 was faulty. In spike C the 6-degree values are on the curve, while the spike lies off it, so in this case it is clear that the tabulated values in the range 223-227 resulted from an incorrect interpolation.

2.3.9 *Summary*

To summarise the results established up to this point,

1. the apogee is assumed to be 66, not the regular Ptolemaic value 65;30;
2. the Right Ascension was taken from the *Almagest*, not from the *Handy Tables*, with a linear (not stepwise) interpolation, of the 10-degree values in the *Almagest*, keeping the seconds;
3. the mean was calculated by means of the trigonometric formula (2), not by linear interpolation of the table of anomaly, and the seconds were retained;
4. the values of the equation of time were calculated at 6 degree intervals, followed by linear (not stepwise) interpolation;
5. the values given in Column 3 have been calculated from the expression

$$\eta(\lambda) = \alpha(\lambda) - \lambda - \arcsin(\sin E \sin(\lambda - 66)) + 3;34,5,$$

where the constant term is 3;34,5 is calculated from

$$M(\lambda_0, 66) - \alpha(\lambda_0) = 211;24,12 - 207;50,7.$$

In view of the importance of stepwise interpolation in other tables, it must be emphasised again that this procedure of interpolation has not been applied at any point in the calculation of the equation of time.

As to the value of the apogee, it may simply be that the apogee was taken as 66 because this is one of the series of values at 6-degree intervals. This clearly made for a simpler calculation than if the apogee had been taken as 65;30.

2.3.10 *Tabulation at six-degree intervals*

The following is a tabulation of the values at the six-degree points from which, as it has been shown, the others were computed by linear interpolation. In the first column the five entries marked by † are clearly erroneous.

degree	Calculation	Text	Text-Calculation	Mean (calculated)
276	21;15,16	21;15	–0;0,16	274;48,23
282	24;11,12	24;11	–0;0,12	280;35,48
288	26;50,36	26;50	–0;0,36	286;24,9
294	29;5,4	29;4	–0;1,4	292;13,32
300	31;4,24	31;4	–0;0,24	298;4,6
306	32;15,32	32;15	–0;0,32	303;55,55
312	33;6,44	33;6	–0;0,44	309;49,7
318	33;23,28	33;23	–0;0,28	315;43,44
324	33;5,24	33;5	–0;0,24	321;39,51
330	32;26,48	32;26	–0;0,48	327;37,30
336	31;5,56	31;6	0;0,4	333;36,43
342	29;30,48	29;30	–0;0,48	339;37,30
348	27;33,24	27;33	–0;0,24	-14;20,9
354	25;21,52	25;21	–0;0,52	-8;16,16
0	23;0,20	23;0	–0;0,20	-2;10,53
6	20;33,8	20;33	–0;0,8	3;55,55
12	18;4,24	18;4	–0;0,24	10;4,6
18	15;38,40	15;38	–0;0,40	16;13,32
24	13;24,12	13;24	–0;0,12	22;24,9
30	11;13,36	11;13	–0;0,36	28;35,48
36	9;35,16	9;35	–0;0,16	34;48,23
42	8;8,16	8;10	0;1,44	41;1,44
48	7;7,28	7;7	–0;0,28	47;15,44
54	6;33,32	6;34	0;0,28	53;30,13
60	6;12,40	6;12	–0;0,40	59;45,2
66	6;34,24	6;34	–0;0,24	66;0,0
72	7;6,32	7;6	–0;0,32	72;14,58
78	8;0,4	8;0	–0;0,4	78;29,47
84	9;7,44	9;8	0;0,16	84;44,16
90	10;23,44	10;23	–0;0,44	90;58,16
96	11;42,20	11;42	–0;0,20	97;11,37

degree	Calculation	Text	Text-Calculation	Mean (calculated)
102	12;57,36	12;57	–0;0,36	103;24,12
108	14;3,48	14;3	–0;0,48	109;35,51
114	14;53,20	14;53	–0;0,20	115;46,28
120	15;37,12	15;37	–0;0,12	121;55,54
126	15;42,52	16;3†	0;20,8	128;4,5
132	15;39,40	16;2†	0;22,20	134;10,53
138	15;13,20	15;19†	0;5,40	140;16,16
144	14;24,12	14;27†	0;2,48	146;20,9
150	13;26,48	13;27	0;0,12	152;22,30
156	11;59,40	11;59	–0;0,40	158;23,17
162	10;30,48	10;31	0;0,12	164;22,30
168	8;52,12	8;52	–0;0,12	170;20,9
174	7;11,44	7;11	–0;0,44	176;16,16
180	5;33,16	5;34	0;0,44	182;10,53
186	4;0,28	4;0	–0;0,28	188;4,5
192	2;37,12	2;31†	–0;6,12	193;55,54
198	1;26,56	1;28	0;1,4	199;46,28
204	0;37,24	0;37	–0;0,24	205;35,51
210	0;0,0	0;0	0;0,0	211;24,12
216	0;2,20	0;2	–0;0,20	217;11,37
222	0;22,8	0;22	–0;0,8	222;58,16
228	1;13,20	1;13	–0;0,20	228;44,16
234	2;35,16	2;35	–0;0,16	234;29,47
240	4;12,56	4;13	0;0,4	240;14,58
246	6;34,24	6;34	–0;0,24	246;0,0
252	9;6,16	9;6	–0;0,16	251;45,2
258	11;58,20	11;58	–0;0,20	257;30,13
264	15;1,52	15;2	0;0,8	263;15,44
270	18;9,52	18;9	–0;0,52	269;1,44

Table 2.3.2. The Equation of Time at 6 degree intervals

Applications of the Equation of Time

2.4.1 *Equation of Time in the Almagest*

In his Manual for the *Handy Tables* Ptolemy has only a brief remark on the use of the equation of time: 'as for the sixtieths of an equinoctial hour which are written for the degree of the Sun in the table of ascensions of the right sphere in the second column, if you wish to obtain the mean nychthemera from the apparent, we always add to the apparent hours'.[10] It is noteworthy that he does not consider an interval of time, any more than Theon.

In the *Almagest*, and in its various scholia, one might hope to find examples of the calculation of the Equation of Time, or of $M(\lambda, \Gamma)$. One most important example is provided by Ptolemy when he computes the epoch of the Mean Sun. In the *Almagest* III.7 Ptolemy calculates the mean Sun when its true position is at the Autumnal Equinox, $\lambda = 180$. He solves the triangle that defines the relation of mean and true positions (equivalent to equation (2) in 2.3.1), to find M(180,65;30) = 182;10 = 116;40 + 65;30. Calculation from equation (2) gives 182;10,22.

Another example is provided in the *Almagest* III.9, where Ptolemy gives the equation of time for the interval Sco 0° to Aqu 15° selected as the interval over which the equation of time is greatest. From the true positions $\lambda_0 = 210$, $\lambda_1 = 315$, we have from (3) the corresponding mean positions,

$$M_0 = 210 + \arcsin(\sin E \sin(210 - 65;30)) = 210 + 1;23,11,$$
$$M_1 = 315 + \arcsin(\sin E \sin(315 - 65;30)) = 315 - 2;14,12,$$

whence

$$M_1 - M_0 = 105 - 3;37,23 = 101;22,37.$$

As to the Right Ascensions, we have from the *Almagest* II.8

$$\alpha(210) = 207;50, \quad \alpha(315) = 317;31 \text{ (by linear interpolation)},$$
$$\alpha(315) - \alpha(210) = 105 + 4;41 = 109;41.$$

Then from equation (1) the equation of time between these points is given by

$$\eta(315) - \eta(210) = 109;41 - 101;22,37 = 8;18,23.$$

Ptolemy gives the increment in the mean positions as $3^2/_3$ degrees (3;37,23 precisely), the increment in Right Ascensions as $4^2/_3$ degrees (4;41 precisely), and the sum as $8^1/_3$, which is in fair agreement with the calculated value 8;18,23.

---

10 Heiberg (1907), p. 162.23.

Ptolemy's choice of Sco 0° in this calculation in the *Almagest* provided him with the basis of his normalized Equation of Time in the *Handy Tables*.

There is a scholium to *Almagest* III.9, in which the calculations are performed much more accurately than in the *Almagest*.[11] The increments are found to be 3;37, 4;41 and 8;18, respectively. The apogee is assumed to be 65;30.

2.4.2 *Equation of Time in the Small Commentary of Theon*

In his *Small Commentary* to the *Handy Tables* Theon gives an example of the use of the equation of time. He considers the 77th year of Diocletian, Thoth 22, 5 seasonal hours after Noon at Rome, when the true Sun is at Vir 24;53.[12] In the preceeding Chapter 2 of the Commentary he derived this position of the Sun on this date at 5 equinoctial hours after Noon at Alexandria, finding for that moment the true Sun 174;53, and he now assumes the same result for 5 seasonal hours after Noon at Rome. The following Table 2.4.1 shows the results both as presented by Theon, and according to a strict application of the Tables.

Step	Theon, Chs. 3-5[13]	*Handy Tables* exact calculation	Table
True Sun, Diocletian 77 Thoth 22, 5 hours p.m.	Vir 24;53	174;53,8 [5 equinoctial hours]	
'times' for 5 seasonal hours	5 × 15;17 = 76;25	5 × 15;17/15 = 5;5,40	A2, 5 (II)
equivalent equinoctial hours	76;25/15 = 5 1/10		
Rome - Alexandria, degrees	60 ½ −36 1/3 = 24 1/6	60;30 − 36;20 = 24;10	
in times	(24 1/6)/15 = 1 ½ 1/9	24;10/15 = 1;36,40	
equinoctial hours at Alexandria	5 1/10 + 1 ½ 1/9 = 6 ½ ¼ [= 6;45]	5;5,40 + 1;36,40 = 6;42,20	
equation of time for Vir 25	7 sixtieths	6;55	A1 (III)
times	7/4 = 1 ½ ¼ times	6;55/4 = 1;43,45	
hours	1 ½ ¼/15 = 1/9	1;43,45/15 = 0;6,55	
corrected equinoctial time at Alexandria	6 ½ ¼ + 1/9 = 6 ½ 1/3 1/30 [= 6;52]	6;42,20 + 0;6,55 = 6;49,15	

Table 2.4.1. Calculation of equinoctial time

11 *Vat. gr.* 1594, ff. 71-3; 76v-77.
12 AD 360 Sep 19 (1852810).
13 The *Small Commentary*, Tihon (1978), pp. 211-8; 306-310, (text and translation, respectively).

For the most part Theon works with common fractions rather than sexagesimal expressions, in spite of the regular use of the latter in the *Handy Tables*. This illustrates so well that Theon is uncomfortable with sexagesimal arithmetic and its place value notation: Theon was an Egyptian, not a Babylonian ! In any case, his final step in adding 1/9 to the time 6½¼ yields 6;52, instead of 6;49,15.[14] He ought also to have subtracted the equation of time for the Era of Philip, that is 1;18, but this would only reduce the correction by 0;1,18 hours.

The neglect of this last correction is justified in a lengthy argument in his *Great Commentary* Book I, where he asserted that Ptolemy chose this Era for the Handy Tables because the equation of time reaches a minimum at that point, when the Sun is at the beginning of Scorpio, but this may be safely regarded as no more than an odd coincidence.[15] There is reason to think that Ptolemy recognized and employed this quantity 1;18, as explained in the investigation described in 2.4.3.

In the conversion from seasonal to equinoctial time both intervals of 5 hours are described as after Noon. There are two 'Noons' in question. Noon for the tables of Mean Sun is derived from true Noon at the Era of Philip, differing from that by a multiple of the mean solar day. The Noon required for the seasonal hour is true Noon on the day in question, and so differs from the Noon of the mean solar day by an amount equal to the difference between the values of the equation of time at the Era of Philip and at the day in question.

2.4.3 *The epochs of the mean parameters of Ptolemy's canons*

Perhaps the most important application of the equation of time is to be found in the way in which Ptolemy derived his various canons from that of the *Almagest*. Ptolemy presented his astronomical results in four very different texts, the *Almagest*, the *Handy Tables*, the *Hypotheses of the Planets*, and the *Inscription of Canopus*. Of these the second and third present identical parameters, and are based on the same Era, that of Philip, so that we have in effect three apparently distinct canons, of which the parameters of mean motion are presented in the following Table 2.4.2.

---

14 The same example, along with with a comparison with Pappus's steps in converting the 5 hours, is discussed in TIHON (1985), p. 283s.

15 MOGENET (1985), pp. 124.12, 183.

	Almagest	*Handy Tables* (calculated without ET)	*Handy Tables*	Canopus (calculated without ET)	Canopus
Epoch	1448638 –746 Feb 26	1603398 –323 Nov 12	1603398 –323 Nov 12	1710708 –29 Aug 31	1710708 –29 Aug 31
True Sun, ET (min)	328;22,13 32;34		228;23,52 1;18		158;34,16 11;22
Sun	330;45	227;39,56.49	227;40	156;11,14.72	156;11
daily	0;59,8,17,13,12,31				
Moon	41;22	178;16,41.82	178;0	55;51,13.65	55;40
daily	13;10,34,58,33,30,30				
Moon-apogee ☾-$\Gamma_{☾}$	268;49	85;33,50.72	85;17	248;52,29.29	248;40
daily	13;3,53,56,17,51,59				
Moon:apogee $\Gamma_{☾}$	312;33	92;42,51.10	92;43	166;58,44.36	167;0
daily	0;6,41,2,15,38,31				
Moon: node	317;7	39;40,3.79	39;41	115;35,15.19	115;31
daily	0;3,10,41,15,26,7				0;3,10,41,48,20,51
Mercury	352;40	82;19,34.51	82;20	30;43,20.23	30;43
daily	4;5,32,24,12,48,21				

	Almagest	*Handy Tables* (calculated without ET)	*Handy Tables*	Canopus (calculated without ET)	Canopus
Mercury-Sun	21;55	214;39,38.02	214;40	234;32,5.51	234;32
daily	3;6,24,6,59,35,50				
Venus	41;52	309;40,26.45	309;41	155;44,52.72	155;45
daily	1;36,7,43,6,23,59				
Venus-Sun	71;7	82; 0,29.96	82;1	359;33,38.00	359;34
daily	0;36,59,25,53,11,28				
Mars	3;32	107; 0,51.35	107;1,24	183;51,42.80	183;52
daily	0;31,26,36,53,56,33				0;31,26,36,53,51,33
Jupiter	184;41	88;42,41.71	88;43,24	8;34,48.83	8;35
daily	0;4,59,14,26,46,31				
Saturn	296;43	79;24,11.33	79;26,24	73; 3,30.22	72;12
daily	0;2,0,33,31,28,51				

Table 2.4.2. *Almagest, Handy Tables* and Canopus: mean parameters; with calculations from the *Almagest*

To the left of the columns giving the parameters according to the text, there are columns giving the same parameters calculated from the *Almagest*, but allowing only for an integral number of days between the Eras, such as 154760 days between Nabonassar and Philip. There result serious discrepancies in the case of the lunar parameters, as highlighted in the table. Besides, in the *Inscription of Canopus* two of the rates of mean motion, also shown highlighted, there are small differences from those of the *Almagest*; of these it seems obvious that for the daily motion of Mars, at least, this is merely an error in fifth sexagesimal place in the received text.

In order to explain the discrepancies just noted we apply the equation of time. The definition of the equation of time depends on the distinction between mean and true Sun. While one would normally assume that in the conversion of a canon from one epoch date to another it would only be necessary to add the product of the rate of motion with the difference between the epoch dates, we will discover here that Ptolemy has involved the equation of time, for the reason that he has assumed that the epoch values of the mean motions were determined for true Noon, not mean Noon.

When Ptolemy applies the equation of time he calculates an interval of so many mean solar days corresponding to an interval of true solar time. Applied to two events at the true Solar times t_1, t_2, when the true Solar longitudes are λ_1, λ_2, the interval between the events measured in mean Solar days is

$$t_2 - t_1 + E(\lambda_2) - E(\lambda_1).$$

In the following the radices and daily motions are indicated respectively by a simple notation with suffixes 0 and 1, so that, for example, the mean Moon according to the *Almagest* at time t is

$$\text{Moon} = \text{Moon}_{0A} + (t - t_A)\,\text{Moon}_{1A}.$$

In order to derive the radix for the Moon in the *Handy Tables*, for example, we might expect to write

$$\text{Moon}_{1HT} = \text{Moon}_{0A} + (t_{HT} - t_A)\,\text{Moon}_{1A}.$$

However if we calculate this with the interval $t_{HT} - t_A$ = 1603398 – 1448638 = 154760, and the values for $Moon_{0A}$ and $Moon_{1A}$ given in the Table 2.4.2 above, we find the discrepant result shown there. Theon himself, indeed, explains the correct procedure when he observes that the equation of time has to be included at this point.[16] That is, we have to add to the interval 154760 days the correction

$$E(\lambda_{HT}) - E(\lambda_A) = 1;18 - 32;34 = -31;16,$$

resulting in the motion −31: 16 × $Moon_{1A}/(60 \times 24)$ = −0;17,10, and the final result for the mean Moon, 177;59,31.8, is now essentially in agreement with the radix of the Moon in the *Handy Tables*. *The implication is that Ptolemy assumes that the times of the epochs t_A and t_{HT} are true Solar times, that is true Noon, not mean Noon.*

From the values of $E(\lambda)$ in the above table we have the differences, such as $E(\lambda_A) - E(\lambda_{HT})$, to be applied in converting the intervals between the epochs expressed in true Solar time in order to obtain the intervals between the epochs in mean Solar days. The individual values and the differences are listed here.

	$E(\lambda_A)$	$E(\lambda_{HT})$	$E(\lambda_C)$
values:	32;34	1;18	11;22
differences:	$E(\lambda_A)$	$E(\lambda_{HT})$	$E(\lambda_C)$
$E(\lambda_A)$	0	31;16	21;12
$E(\lambda_{HT})$	−31;16	0	−10;4
$E(\lambda_C)$	−21;12	10;4	0

Table 2.4.3. Differences of equation of time

Now we derive the mean lunar parameters for the *Handy Tables* and the *Canopus Inscription* from those of the *Almagest*. As is seen in the Table 2.4.3, it is in the case of the three lunar motions that there is a clear discrepancy from the expected procedure.

16 MOGENET (1985), pp. 137.6, 192, 317 (text, translation, commentary, respectively).

Handy Tables

MOON

$Moon_{0HT} = Moon_{0A} + (t_{HT} - t_A) + \eta(\lambda_{HT}) - \eta(\lambda_A))\ Moon_{1A}$
$Moon_{0HT} = 178;16,41.8 - 0;17,10 = 177;59,31.8$
which is taken as 178;0 in the *Handy Tables.*

LUNAR ANOMALY

$Anom_{0HT} = Anom_{0A} + ((t_{HT} - t_A) + (\eta(\lambda_{HT}) - \eta(\lambda_A))\ Anom_{1A}$
$Anom_{0HT} = 86;33,50.75 - 0;17,1.25 = 85;16,49.5$
which is taken as 85;17 in the *Handy Tables.*

Inscription of Canopus

MOON

$Moon_{0C} = Moon_{0A} + ((t_C - t_A) + (\eta(\lambda_C) - \eta(\lambda_A))\ Moon_{1A},$
$Moon_{0C} = 55;51,13.59 - 0;11,38.35 = 55;39,35$
which is taken as 55;40 in the Inscription.

LUNAR ANOMALY

$Anom_{0C} = Anom_{0A} + ((t_C - t_A) + (\eta(\lambda_C) - \eta(\lambda_A))\ Anom_{1A}$
$Anom_{0C} = 248;52,29.33 - 0;11,32.44 = 248;40,57$
which is taken as 248;40 in the Inscription.

The inclusion of the equation of time therefore clears up all the discrepancies in the lunar parameters presented in the summary Table 2.4.2 of parameters, and this establishes the fact that the lunar system used by Ptolemy is the same in all of his canons.[17]

2.4.4 *Delambre, Tannery, Rome*

Delambre in his account of the *Handy Tables* noted the discrepancies that appear to arise when the radices of the *Handy Tables* are derived from the *Almagest*, and he tried to relate this to the equation of time.[18] Instead of making a straightforward application of the

---

[17] Therefore this contradicts the claim in HAMILTON (1987). There it is argued that the *Inscription of Canopus* employed lunar parameters differing from those of the *Almagest*, and further that the *Inscription* was Ptolemy's earliest canon, but this does not follow, as is clear from the present discussion.

[18] DELAMBRE (1817), vol. 2, pp. 616-638.

equation of time, in terms of the difference $\eta(\lambda_{HT}) - \eta(\lambda_A) = 31^m;16$, he derived from modern theory an expression for the equation of time which varied equally positive and negative, and to which he added $14^m;15$ in order to make it purely positive. He then compared the motions of Sun, Moon, lunar anomaly etc., in the interval $14^m;15$, and expected these motions to account for the discrepancies – which of course fails in that object.

Tannery[19] has a brief note on the equation of time as employed in the *Almagest*. He assumes expressly that the epoch of Nabonassar is for true Noon, but adds curiously, 'On voit qu'il y a théoriquement, entre le temps moyen suivant Ptolémée et le temps vrai suivant les modernes, une difference constante ... , qui est par suite 17^m26^s. Cette difference tient à ce qu'il a pris, pour le commencement de son ère, le midi vrai (d'Alexandrie) et non le midi moyen.' Apparently Tannery's figure $17^m;26$ was calculated as half the full range of the equation of time. In truth mean Solar Time is a concept foreign to Greek astronomy; Ptolemy established only the concept of a mean Solar day. However it is helpful to graft the modern concept onto the Greek canon, as will be explained below, and it will be seen that when a comparison is made with Ptolemy's mean parameters, those of the *Almagest* agree well with those of modern astronomy.

In an important discussion of the equation of time, Rome[20] made clear the distinction between the modern concept of Mean Solar time, on the one hand, and Ptolemy's *interval* measured in mean Solar days, on the other. He also criticized Delambre and his use of the additive constant $14^m;15$. Rome, like Tannery, also emphasized that Noon for Ptolemy was true Noon, since indeed there was no other sort of Noon in Greek astronomy. On this point he agreed with Tannery, but not with his conclusion that Ptolemy's 'Mean Solar time' differed from the modern by $17^m;26$. However he did not examine the discrepancies that arise in connection with the epochs of the *Handy Tables*. He also remarked that the choice of the Era of Philip was not made by Ptolemy for the reason that the equation of time (as found in the *Handy Tables*) is near zero at that Era, so rejecting a suggestion made by Theon

---

18 Tannery (1893), pp. 177-8.
19 Rome (1939), Rome (1943), p. cxxxiii.

himself.[21] After all, as Rome remarks, the equation of time in al-Battānī's tables vanishes when the Sun is at Aqu 18;0, a solar position that is unrelated to either of the eras used in his tables.[22] Regrettably, in comparing the equation of time according to al-Battānī with that of the *Handy Tables*, he made a number of errors in his calculations of the mean Moon from al-Battānī's tables, because he misunderstood their arrangement, being out step by one day. He gave, for example, for the year Nabonassar 1367, Mesori 16, [620 Mar 1, 1947573] the mean Moon 228;58,5, but that in fact refers to the previous day, 620 Feb 29, 1947572.

2.4.5 *Mean Solar Time*

We look again at the example derived from Theon's calculation in the *Small Commentary*, where we found that the true Sun in Vir 24;53 was referred finally to the mean time 6;49,15 after Noon, appropriate to the *Handy Tables*.[23] In the last of the three stages one corrected the equinoctial hour 6;42,20 by adding $\eta(174;53) = 6;55$ minutes. Now, strictly speaking one should add the difference between the equations of time, $\eta(174;53) - \eta(\lambda_{HT}) = 6;55 - 1;18 = 5;37$. If the term $\eta(\lambda_{HT})$ is not neglected we obtain 6;47,57, instead of 6;49,15, as the corrected hour of equinoctial time by the *Handy Tables*. In contrast, if one had been using the *Almagest*, the mean time would be converted by adding $\eta(174;53) - \eta(\lambda_A) = 6;55 - 32;34 = -25;39$, to get 6;16,41, roughly half an hour earlier. These two distinct mean times represent the same event. As for the Inscription of Canopus, its corrected mean time is obtained by adding to the equinoctial hour 6;55 − 11;22 = −4;27 minutes, to get 6;37,53.[24]

These considerations, by which we are led to three different equinoctial times for the same event, show us that Ptolemy is not calculating according to what we would recognise as a general

---

[21] Mogenet (1985), pp. 122.17, 181.

[22] Nallino (1899), Pars secunda Vol. 2, p. 61.

[23] In this discussion we deal only with the exact derivations from the Tables, without repeating Theon's very approximate values.

[24] Theon provides another example, available in a fragment of his commentary to Book V of the Almagest, for the true Moon of 323 Jan 5. Calculations are made from both the Almagest and the Handy Tables, at the mean times, respectively, of 21;23, 21;56. Tihon (1987), pp. 201-218.

Mean Solar Time. For if he were, we would obtain the same time by whichever canon we used, since the solar theory is the same in all these canons. Of course the times disagree because they are measured from different starting points, namely from the True Noons of three different epochs, Nabonassar, Philip and Augustus. The interval between two such True Noons is not just a multiple of mean solar days, but a multiple plus a fraction of a day, the fraction being equal to the difference between the equations of time at the two respective epochs.

The variations among the canons amount to that fact that each defines, in effect, its own mean solar time. The situation was partially understood by Tannery and Rome, but they did not carry the argument through to a full conclusion. Although the 'mean solar time' of the *Almagest* happens to agree well with the modern Mean Solar Time of Alexandria, those of the other canons depart from it considerably. In particular, if times for conjunctions (and eclipses) are obtained from the *Handy Tables*, they will be about half an hour greater than the times for the same event found by the *Almagest*, corresponding to a meridian some 7 or 8 degrees East of Alexandria. If the canons had been derived from the *Almagest* by a shift through a whole number of days to a new Era, then they would, of course, all have had the same implied mean solar time, but Ptolemy chose to fix each Era to True Noon, and that meant a different mean solar time for each canon.

2.4.6 *Deviation curves*

Since, therefore, Ptolemy did not have the concept of a standard 'Mean Solar Time for Alexandria', as such, we can stabilize the discussion of his canons if we relate the mean time time employed in his tables to the mean time of the modern ephemeris. The relation is made clear by studying the deviations, that is the differences between the ancient and modern means, as we see in the figure. Although the various curves show slopes that indicate a systematic departure between the ancient and modern, the two curves for Sun and Moon (marked by ☉, ☾) are virtually coincident, corresponding to the fact that the synodic month of the canon scarcely differs from the modern value. We may draw on this fact to infer the meridian of reference best suited to the canon. The deviation curves shown here were compared with modern mean longitudes calculated for the meridian of Alexandria, 29;55 E, but if they had been found for some other meridian the curves for Sun and Moon would separate more or less, although still essentially parallel. The optimum meridian is indeed very close to that of Alexandria.

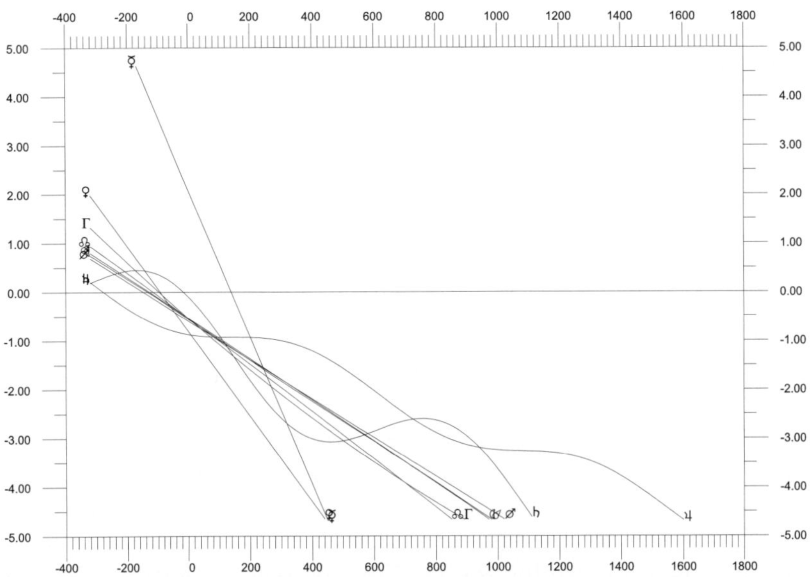

Fig. 2.4.1. Deviation curves for the *Almagest*.

We can establish this more directly. The mean luni-solar conjunctions according to the *Almagest* are at times that may be obtained by adding multiples of the Ptolemaic synodic month M to the first mean conjunction following the Era of Nabonassar (–746 Mar 21, 17^h;42,38 after Noon):

$$C_n = C_0 + nM,$$

where M = 29.5305941358,
C_0 = 1448661 17^h;42,38 = 1448661.73794
n any integer.

On the other hand, from the modern ephemeris calculated around the time of Ptolemy, say AD 100, we find that there is a mean conjunction at 1757935.56498 (100 Dec 18, Noon + 13^h;33,34),

Greenwich Mean Time. This is to be compared with the Ptolemaic conjunction C_{10473} = 1757935.65032. The difference 0.0854 shows that the Ptolemaic conjunction is correct for a meridian 0.08534 × 360 = 30;43 degrees East of Greenwich, which is essentially the longitude of Alexandria. This confirms that the *Almagest* fits well with that meridian. Although this is found for AD 100, it matters little whether this or some other year of that century is chosen, since M is such an accurate value.

If we make a similar calculation for the *Handy Tables*, we find that they fit a meridian near 39 degrees East of Greenwich, while the canon of the Inscription fits at about 36 degrees. These differences from 30;43 (found for the *Almagest*) are just the differences between the various values of the equation of time at the respective Eras, because these differences have been incorporated in the calculation of the parameters (especially the lunar parameters) of these canons. Between the *Almagest* and the *Handy Tables*, for example, the difference between the meridians is $\eta(\lambda_{HT}) - \eta(\lambda_A)$ = 31;16, which converts to 31;16/4 = 7;49 degrees, so that the meridian of the *Handy Tables* is at 30;43 + 7;49 = 38;32. Similarly for the *Inscription of Canopus*, we have $\eta(\lambda_C) - \eta(\lambda_A)$ = 21;12, that is 5;18 degrees, so that the meridian is at 36;1. Of course these determinations of the 'meridians' for the various canons are only to be understood as a means to determine the relations between the various mean times of the canons.

2.4.7 *The equation of time in the canon of al-Battānī*

Al-Battānī arranged his canon for two calendars, Roman and Arabic. His equation of time resembles that of P. Lond. 1278, in that it has to be subtracted from the true time to give the mean. For his two eras the initial values are as follows.

Era	Sun	ET	Moon
Roman 620 Feb 29 (1947572)	340;23,37	3;36	228;58,5
Arabic 622 Jul 14 (1948438)	113;58,4	0;38	119;43,46

Table 2.4.4. Epochs of the canon of al-Battānī

The difference between the values of ET is 11^m;52, in which time the Moon moves 0;6,30. The parameters of the two canons are related only through the difference between the Eras, 866 days, without regard to the equation of time. Therefore the same mean time is implied by either arrangement.

If we examine al-Battānī's mean lunations to find the meridian for which the canon is best suited, we find 35;36 E, whereas the canon was intended for al-Raqqa, whose longitude is 39;3 E. However the equation of time at the initial point of the Roman Era is 3;36, and this is just the difference required to explain the shift of meridian: 39;3 – 35;36 = 3;27 ≈ 3;36. Note, however, that al-Battānī's equation of time is the negative of that in the *Handy Tables*, that is, that the equation has to be subtracted from the true to get the mean; we can see that the value 3;36 is the amount by which the effective meridian is shifted *Westward* by that amount, just as that of the *Handy Tables* is shifted *Eastward* by $\eta(\lambda_{HT}) - \eta(\lambda_A)$.

It would seem, perhaps, that, at some point in the derivation of his canon, he had obtained mean values for the Sun and Moon that were indeed precise for al-Raqqa, but which he recalculated for some reason. Certainly his remarks on the equation of time are somewhat puzzling, and the comments by Nallino and Schiaparelli are not sufficient to resolve them.[25] In particular, al-Battānī appears to say that, from consideration of the equation of time, he has added 0;18 to the radix of the mean Moon, meaning apparently that this quantity had been added to whatever value had resulted from earlier stages of his calculation. This excess is equivalent to a time shift 0^h;32,47, approximately the full range of the equation (which runs from 0 to 7;54, i.e. 0^h;31,36). Since his equation of time is the 'negative' of Ptolemy's, he may have allowed at some stage for the conversion to such an arrangement.

[25] Nallino (1899), Pars prima pp. 48-9, 221-3.

CHAPTER 3

TABLE A2

Table A2 gives the tabulation of the oblique ascension in column 2 and the seasonal hours in column 3, for a range of latitudes, tabulated against ecliptic longitude, counted from Aries. The 'latitudes' are defined by the climates, from the first (Meroë) to the seventh (Borysthenes), and also Byzantium.

Column 2

3.2.1 *Ascension times in the oblique sphere*

The motion of the heavens is measured by the uniform rotation of the celestial equator about its pole, and so in order to measure the passage of time as the heavenly circles move along a circle parallel to the equator, we locate the portion of the equator that has risen simultaneously with that circle.

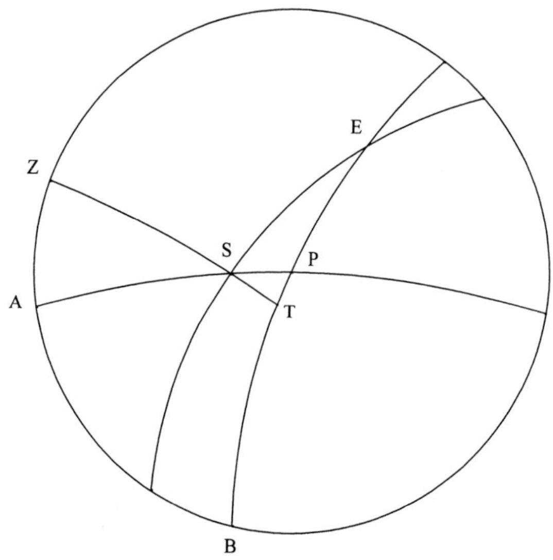

Fig. 3.2.1. Oblique Ascension

The Oblique Ascension is illustrated in Fig. 3.2.1, drawn for an observer at the latitude ϕ, and looking toward the Eastern horizon. The semicircles ASP, BEP are the horizon and the equator, respectively, while the circle BAZ is the meridian. The pole of the equator is Z, such that the arc ZA equals ϕ. Consider a point S lying on the ecliptic and the horizon at longitude ES = λ. The declination of S is measured along the arc that passes through the pole Z of the equator, and which meets the equator at the point T, so that δ = ST. Then the time taken for the point S of the ecliptc to rise to the meridian is measured by the rotation of the equator from P to the meridian, which falls short of the Right ascension ET = α by the amount β = PT, the *ascensional difference*. The Oblique Ascension is thus EP = ET – PT = $\alpha - \beta$. In order to determine the Oblique Ascension we first determine β for given values of λ and latitude ϕ.

With our knowledge of the tangent relations in the triangle SPT we can write down at once $\sin\beta = \tan\delta \tan\phi$. Ptolemy, however, would consider a configuration that would permit the application of the theorem of Menelaos. Here the configuration consists of the overlapping triangles ZTB, APB. We then have, if the chords are replaced by sines by way of compromise in favour of modern concepts,

$$\frac{\sin ZA}{\sin AB} = \frac{\sin ZS}{\sin ST}\,\frac{\sin TP}{\sin PB},$$

$$\frac{\sin\phi}{\sin(90-\phi)} = \frac{\sin(90-\delta)}{\sin\delta}\,\frac{\sin\beta}{\sin 90},$$

from which we have at once

(1) $$\sin\beta = \tan\delta \sin\varepsilon.$$

In order to complete the calculation for a given position of the point S at longitude λ we require the relation

$$\sin\delta = \sin\lambda \sin\varepsilon$$

where ε is the obliquity. This was derived in Chapter 2.

The Oblique Ascension, as noted above, is equal to the right ascension α reduced by the ascensional difference β,

(2) $$O(\lambda,\phi) = \alpha(\lambda) - \beta(\lambda,\phi);$$

here the functional dependence on λ, ϕ is made explicit. $O(\lambda,\phi)$ is the quantity συναναφορά, tabulated in column 2.

3.2.2 *Seasonal hours*

The portion of the equator that lies above the horizon is $180 + 2\beta$ degrees, which is divided into 12 seasonal hours. In contrast to the 24 equal equinoctial hours (ὥρας ἰσημερινὰς) in which the day-night (νυχθήμερος) is divided, the day and night may each be separately divided into 12 seasonal hours (καιρικὰς ὥρας). For this purpose, although the day begins at sunrise, that moment is taken by Ptolemy to mean simply the time determined by the ascensional difference, not the exact sunrise, which will be discussed in the next section. The conversion from equinoctial to seasonal hours is provided by the ratio

(3) $$H(\lambda,\phi) = (180 + 2\beta(\lambda,\phi))/12$$
$$H(\lambda,\phi) = 15 + \beta(\lambda,\phi)/6 \quad \text{degrees per seasonal hour.}$$

This is the quantity tabulated in column 3.

Conversely, the duration of daylight in terms of equinoctial hours is

(4) $$24(180 + 2\beta)/360 = 12 + 2\beta/15 \quad \text{equinoctial hours.}$$

The time of sunrise is $\tau_r = 90 - \beta/15$ equinoctial hours from midnight. At a time τ equinoctial hours during the day, the interval from sunrise is $\tau - \tau_1$ equinoctial hours, and this is converted to seasonal hours

(5) $$15(\tau - \tau_r)/H(\lambda,\phi) \quad \text{seasonal hours.}$$

At the time τ equinoctial hours of the night, the interval from sunset is $\tau - \tau_s$ equinoctial hours, where $\tau_s = 90 + \beta/15$ equinoctial hours from noon. This has to be converted by the ratio

$$24(180 - 2\beta)/360 = 12 - 2\beta/15.$$

Observe, however, that since $\beta(\lambda + \pi) = -\beta(\lambda)$, this conversion ratio is $H(\lambda + \pi, \phi)$. This is evident in the tabulation of H. In other words for a conversion at night one uses the seasonal hour for the longitude diametrically opposite to λ.

For the computation of O it is not necessary to derive values of β for the whole range of λ. Instead one can make use of simple relations which provide the value of O in the quadrants beyond the first.

Consider the point of the ecliptic diametrically opposite to P, with longitude λ+180. At this point the Right Ascension is greater than $\alpha(\lambda)$ by 180, that is $\alpha(180 + \lambda) = \alpha(\lambda) + 180$, and δ is reversed in sign, $\delta(180 + \lambda) = -\delta(\lambda)$, and therefore $\beta(180 + \lambda, \phi) = -\beta(\lambda, \phi)$. Thus

$$O(\lambda + 180, \phi) = \alpha(\lambda + 180) - \beta(\lambda + 180, \phi),$$
$$O(\lambda + 180, \phi) = 180 + \alpha(\lambda) + \beta(\lambda, \phi)$$
$$O(\lambda + 180, \phi) = O(\lambda) + 2\beta(\lambda, \phi) + 180 = O(\lambda) + 12H(\lambda, \phi). \tag{6}$$

There is a further symmetry of the Oblique ascension

$$O(360 - \lambda) = 360 - O(\lambda).$$

This is shown as follows

$$O(360 - \lambda, \phi) = \alpha(360 - \lambda) - \beta(360 - \lambda, \phi)$$
$$O(360 - \lambda, \phi) = 360 - \alpha(\lambda) + \beta(\lambda, \phi) = 360 - O(\lambda, \phi).$$

Thus the values of $O(\lambda, \phi)$ in the lower half of the table are found by subtracting from 360 the values in the upper half.

Once the values of O have been tabulated it is easy to calculate $H(\lambda)$ from the Oblique Ascension in column 2, since we have

$$H(\lambda, \phi) = (O(\lambda + 180, \phi) - O(\lambda, \phi))/12 \tag{7}$$

that is, we have only to consider the Oblique Ascensions at diametrically opposite points to obtain the seasonal hour.

The Seasonal Hour is symmetrical about $\lambda = 90$, that is,

$$H(\lambda, \phi) = H(180 - \lambda, \phi),$$

an evident consequence of the fact that β has the same symmetry. Further, the values of $H(\lambda)$ in the third and fourth quadrants are obtained from

$$H(\lambda + 180, \phi) = 30 - H(\lambda, \phi), \tag{8}$$

so that $H(\lambda)$ need only be calculated in one quadrant. As one sees from the results given by Ptolemy in *Almagest* II.7, these symmetries in O and H were recognized and used by him in order to shorten the work of tabulation

3.2.3 *True sunrise*

Throughout Book II of the *Almagest*, where Ptolemy expounds the theory of oblique ascension, he writes as if the Sun were fixed in the ecliptic during any particular day. In truth the Sun moves along the ecliptic, and at a variable rate. However Ptolemy conflates two quite distinct topics: on the one hand the equator and ecliptic that together form a framework that rotates daily around the earth, on the other hand the situation of the Sun, which has its own motion along the ecliptic. Once one recognizes that the Sun continues to move during the day the whole discussion becomes more complex, and Ptolemy's observations about seasonal hours and the length of day are undermined.

Consider what is involved in the calculation of sunrise. At sunrise the Sun is on the horizon, and its Right Ascension is 90° greater than the Right Ascension of the meridian. We need to fix the time of that moment, and this requires an iterative procedure, as follows.

1. Estimate the time T of sunrise, and calculate the hour angle of the meridian at that time H(T), that is its Right Ascension.
2. Compute the longitude of the true sun at the time T.
3. From that longitude calculate the Oblique Ascension O(T).
4. Calculate the difference $D = H(T) + 90 - O(T)$.
5. Since T is only an estimated time the difference D, which measures the interval in degrees between the horizon and the sun, will not be zero. A better estimate of the rising time is then T + D.
6. Return to step 1 with the new estimate T + D, and so iterate through steps 1-5, until D is sensibly zero. The resulting value of T is the time of sunrise.

The latitude of the observer enters in step 3, but not in step 1.

This iterative procedure is commonly used in modern spherical astronomy, and is used not only for the Sun, but for other celestial objects, the Moon, planets and stars.

If one has the real observable sunrise in mind one should consider the longitude of the true Sun in step 2, but it is interesting also to consider the rising of the mean Sun.

The moment of sunset is determined in the same way, and then the length of the day is the difference between these two. However, Ptolemy's procedure for the length of the day is very much simpler, and depends on the assumption that the Sun is fixed at a particular longitude in the interval between sunrise and sunset. He needs only the ascensional difference $\beta(\lambda,\phi)$, where λ is simply chosen as a typical position of the Sun on the day in question. Since the portion of the ecliptic that lies above the horizon is $180 + 2\beta(\phi)$, sunrise occurs $90 + \beta(\lambda,\phi)$ time degrees before Noon, or $90 + \beta(\lambda,\phi)/15 = 6H(\lambda,\phi)/15$ equinoctial hours before Noon. This is certainly not the time that would be obtained from an exact iterative procedure, although for the rising of the mean Sun the difference is not great, more a matter of seconds of time, than minutes.

As an example consider sunrise on 360 Sep 19, a date that will be used in a later example in **5.3**. The times are given in equinoctial hours from midnight:

true sunrise 5;45,2 a.m. mean sunrise 5;56,29 a.m.

On the other hand if $\beta(\lambda,\phi)$ is calculated for the time of the exact mean sunrise one obtains for Ptolemy's sunrise 5;55,21, or if $\beta(\lambda,\phi)$ is calculated for the time of the exact true sunrise one obtains for Ptolemy's sunrise 5;52,11, In this case there is little difference between Ptolemy's sunrise for the mean Sun and the exact mean sunrise, whereas the exact true sunrise is more than 10 minutes earlier.

The time of sunrise, as implied by the ascensional difference, or by the times tabulated in the Tables of Oblique Ascension, is also an essential part of the tables of parallax A.13. There the parallax is listed as a function of the equinoctial hour, but with entries at the beginning and end of each column corresponding to sunrise and sunset, respectively. In some copies of the tables, for example

MS H (*Leidensis* BPG 78), the length of day for each sign is written at the head of the tabulation for that sign. In an example given by Tihon the parallax table for Scorpio in the third climate shows the length of day 11;4 hours, which is derived from the Seasonal Hour 13;51 for Libra 30: 2 × (13;51 × 6/15) = 11;4,48.[1] The rule is also given clearly in a scholium, which specifies the rule $6H(\lambda,\phi)/15$, applied to the parallax in Leo in the third climate, derived from the Seasonal Hour 17;6 for Cancer 30: 2 × (17;6 × 6/15) = 13;40,48. In MS H the length of day is given as 13;42, however.[2]

3.2.4 *Length of day at solstice*

At the Summer Solstice the duration of daylight is maximum; at this time the declination is equal to the obliquity $\delta = \varepsilon$, and the ascensional difference is maximum, $\beta = \beta_{max}$, and the seasonal hour is maximum H_{max},

(9) $$\sin \beta_{max} = \tan \varepsilon \tan \phi.$$

If we denote by M the duration of this length of daylight, in equinoctial hours, then

(10) $$M = 12 + 2\beta_{max}/15 = 12 + 2 \arctan(\tan \varepsilon \tan \phi)/15,$$

or equivalently

$$M = 12H_{max}/15.$$

alternatively, we may express β_{max} and H_{max} in terms of the longest day M,

(11) $$\beta_{max} = 15(M - 12)/2.$$
$$H_{max} = 15M/12.$$

1 Tihon (1991), pp. 114-7. This detail is not found in every copy, not in the Vaticanus, for example.

2 Tihon (1973), pp. 96-9.

From (1) and (7) we have, by dividing the respective members,

$$\frac{\tan \delta}{\tan \varepsilon} = \frac{\sin \beta}{\sin \beta_{max}}, \tag{12}$$

which is a relationship demonstrated as follows by Ptolemy in *Almagest* II.7.

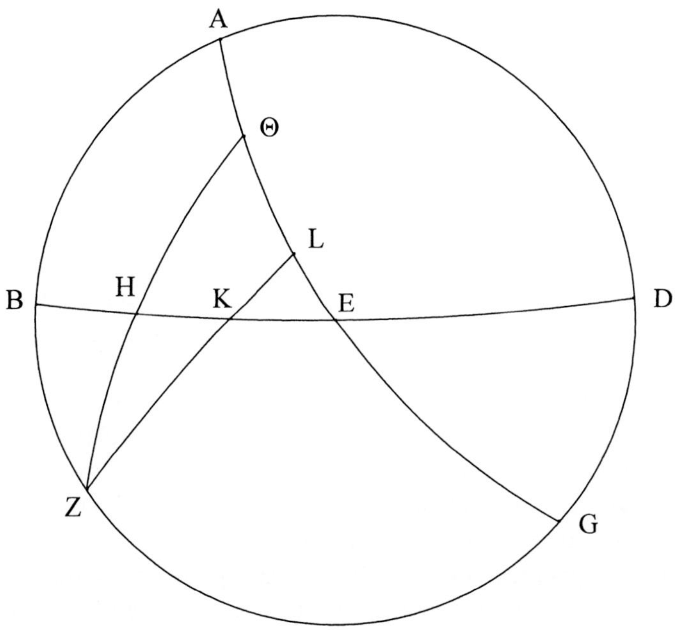

Fig. 3.2.2. Oblique ascension and length of day

Here we suppose H represents the Sun at the solstice, and add as well the point K on the horizon, as representing the position of the ascension of the Sun at some other time; draw the great circle from the pole Z through K to meet the equator at L. Applying a theorem of Menelaos to the triangles ZΘL, HΘE,

$$\frac{\sin \Theta H}{\sin ZH} = \frac{\sin \Theta E}{\sin EL} \frac{\sin KL}{\sin KZ}$$

$$\frac{\sin\varepsilon}{\sin(90-\varepsilon)} = \frac{\sin\beta_{max}}{\sin\beta}\,\frac{\sin\delta}{\sin(90-\delta)}$$

$$\tan\varepsilon = \frac{\sin\beta_{max}}{\sin\beta}\tan\delta,$$

which is equation (12).

Ptolemy remarks that the quantity $\sin\beta/\sin\beta_{max}$ is *independent of the latitude,* that is, that it depends only on the Sun's longitude. He provides a table of values of this ratio for a range of values of the Sun's longitude, in steps of 10°. On the other hand, from (11) he obtains the value of β_{max} for that latitude from the value of M. In order then to obtain $\sin\beta$ he has only to divide $\sin\beta_{max}$ by the ratio $\sin\beta/\sin\beta_{max}$, and hence β. It is a fine example of the way in which Ptolemy manages to factor the dependence of β on the two variables, λ and ϕ, into distinct steps.

Ptolemy's method, based on a tabulation of $\sin\beta/\sin\beta_{max}$, is the basis of some more or less contemporary tables in which this quantity is tabulated against the Sun's longitude λ. There is, for example, the second century papyrus P. Lond. 1278, where it appears in the first of three columns, followed by the Right Ascension and the equation of time.[3] The tables in this papyrus are discussed in Appendix D. The tabulation of $\sin\beta/\sin\beta_{max}$ on its own is found in a number of manuscripts, and is denoted S8 in the current classification of supplementary material.[4]

A further point, which Ptolemy actually fails to remark, is that the left hand member of (12) is equal to $\sin\alpha$, where α is the right ascension corresponding to δ; this is evident from $\sin\alpha = \tan\delta/\tan\varepsilon$, (3) in Section 2.2.1, although to Ptolemy this was not obvious, since he was not using trigonometric functions. Eventually, in Arabic hands, the connection with $\sin\alpha$ is clear, as we see in the zīj of al-Battānī [5], where α and $\sin\alpha$ are presented together in a separate table, so that one has only to calculate β from $\sin\beta = \sin\alpha\sin\beta_{max}$.

In order to obtain β_{max} from M, there was available a table giving M – 12, tabulated against latitude, from which β_{max} is immediately

3 Neugebauer (1958) and (1975), p. 981.
4 Tihon (1992).
5 Nallino (1899), Pars secunda, p. 58.

derived. This tabulation is denoted S3 in the classification of the supplementary material. This is found also in the P. Lond. 1278 noted above, and also in later Byzantine manuscripts, such as MS v (fol.48).

Such tabulations as S3 and S8 appear not to form part of the *Handy Tables*, but they do serve to illustrate that there was an active development of ancillary tables contemporary with the *Handy Tables*, and available in the following centuries.

3.2.5 *The climates*

The tabulation of the Oblique ascension is arranged according the succession of the seven traditional climates, defined by increasing values of M from 13 to 16 hours, in steps of ½ hour. Ptolemy in the *Almagest* II.7 obtains for each one of these values of M the corresponding latitude, and proceeds thence to derive the values of $O(\lambda)$ in steps of 10 degrees. He illustrates his work with all the details for the Climate of Rhodes, where M=14½, and $\phi \cong 36$. If we assume with Ptolemy that $\varepsilon = 22;51,20$, then $\phi = 36;0,47$, so that his value of ϕ in this case is nearly precise. Elsewhere, however, his association of latitude with values of M is generally much less precise. In *Almagest* II.6 he surveys a list of 33 parallels, which are listed in the following table, where the traditional seven climates are indicated. The latitudes are given both according to Ptolemy's account in the *Almagest* II.6, and also as recalculated from the maximum length of day prescribed for that climate; these freshly calculated latitudes can differ by as much as 4 minutes from those given by Ptolemy.[6] We will see that the agreement with the accurately calculated ascensions is best with the latitudes calculated from the maximum length of day.

[6] There is an extensive account of climates and latitudes in HONIGMANN (1929). He surveys much Greek, Arabic and Latin literature. In spite of the numerous values of maximum day length and latitude quoted from his various sources, one could come away from this volume without ever learning that there is a precise relation between the two quantities, as expressed in equation (9) in this section.

Longest Day hours		Parallel	Clima	Latitude: Ptolemy	Latitude: calculated[7]	Obliquity: implied	Ascension tabulated, *Almagest*
12	Equator	1st		0;0	0;0		+
12 ¼	Taprobane	2nd		4;15	4;13,54	23;45,48	
12 ½	Gulf of Aulitos	3th		8;25	8;24,47	23;50,47	+
12 ½¼	Gulf of Adulitikos	4th		12;30	12;29,52	23;51,5	
13	Meroë	5th	I	16;27	16;26,42	23;50,55	+
13 ¼	Napatea	6th		20;14	20;13,19	23;50,34	
13 ½	Syene[8]	7th	II	23;51	23;48,20	23;48,40	+
13 ½¼	Ptolemaïs	8th		27;12	27;10,50	23;50,16	
14	Lower Egypt	9th	III	30;22	30;20,23	23;49,58	+
14 ¼	Phoenicia	10th		33;18	33;16,57	23;50,29	
14 ½	Rhodes	11th	IV	36;0	36;0,47	23;51,57	+
14 ½¼	Smyrna	12th		38;35	38;32,23	23;49,21	
15	Hellespont	13th	V	40;56	40;52,21	23;48,36	+
15 ¼	Massalia	14th		43;4[9]	43;1,24	23;49,25	
15 ½	Middle Pontus	15th	VI	45;1	45;0,18	23;50,49	+
15 ½¼	Source of Ister	16th		46;51	46;49,47	23;50,26	
16	Borysthenes	17th	VII	48;32	48;30,35	23;50,17	+
16 ¼	Maiotides	18th		50;4	50;3,24	23;50,53	
16 ½	South Britain	19th		51;30[10]	51;28,54	23;46,42	+
16 ½¼	Mouth of Rhine	20th		52;50	52;47,41	23;49,33	
17	Mouth of Tanaïs	21th		54;1[11]	54;0,18	23;28,18	+
17 ¼	Brigantium	22th		55	55;7,16	23;33,27	

7 On the assumption that the obliquity is 23;51,20.

8 For Syene the obliquity implied is virtually the same as the latitude calculated, but it is curious that the latitude assigned by Ptolemy is the value of the obliquity that he later assumes.

9 The text has μγ δ, which Toomer (1984), p. 86, proposes to emend to μγ α, on the grounds that it then agrees with the calculation, although as we see in this table, Ptolemy's latitudes regularly disagree with calculations. The *Geography* (II.10.8) has 43 1/12 = 43;5. In any case, as Toomer says, the Arabic texts have 43;15, evidently from reading μγ δ′.

10 Heiberg (1898) has 0;35 ½ 1/6, but a better reading in D has the abbreviation for καὶ in place of ς′ =1/6.

11 Heiberg (1898), gives 54;30 from MS A, against three MSS BCD which give the better reading 54;1.

Longest Day hours		Parallel	Clima	Latitude: Ptolemy	Latitude: calculated	Obliquity: implied	Ascension tabulated, *Almagest*
17 ½	mid-Britain	23th		56	56;9,3	23;34,37	
17 ½¼	Caturactonium	24th		57	57;6,5	23;31,59	
18	Little Britain (South)[12]	25th		58	57;58,44	23;25,40	
18 ½	Little Britain (mid)	26th		59;30	59;32,14	23;53,13	
19	Little Britain (North)	27th		61	60;51,54	23;44,17	
19 ½	Hebudae	28th		62	61;59,39	23;51,1	
20	Thule	29th		63	62;57,1	23;48,36	
21	Scythia	30th		64½	64;25,19	23;46,54	
22		31th		65½	65;24,4	23;45,32	
23		32th		66	65:57,43	23;49,3	
24		33th		66;8,40	66;8,40	23:51,20	

Table 3.2.1. Climates listed in the *Almagest*

3.2.6 *Tabulation*

In the *Almagest* II.8 Ptolemy provides the tabulation of ascension times for successive decans (10-degree intervals), that is the differences $O(\lambda + 10) - O(\lambda)$, together the 'summation' of these, that is the whole $O(\lambda)$; both of these quantities are tabulated for $\lambda = 0, 10, 20, \ldots$, for ten climates, as well as the equator. There is no tabulation of the Seasonal Hour in the *Almagest*.

On the other hand, in the *Handy Tables* (tables A2.1 - A2.7), Ptolemy tabulates the values of $O(\lambda)$ and $H(\lambda)$, for each degree of λ, and for the seven traditional climates.

If we examine the values of $O(\lambda)$ as calculated from (2) in 3.2.1 above with the values tabulated by Ptolemy, in either the *Almagest* or the *Handy Tables*, we discover that the agreement is satisfactory only if we make the calculation of $O(\lambda)$ using the latitude derived

[12] By Little Britain apparently Ireland is meant.

from M, and not the latitude provided by Ptolemy in *Almagest* II.6. This is quite apparent in the two graphs in Figs. 3.2.3, 3.2.4, of the excess of the tabulated over the calculated values.

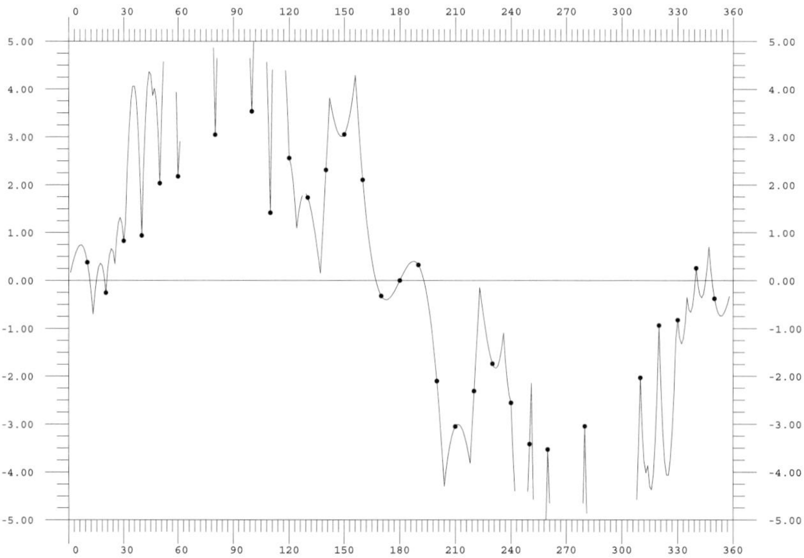

Fig. 3.2.3. Oblique ascension for Climate V, Hellespont: excess of *Handy Tables* over the values calculated for the latitude (40;56) given by Ptolemy. The dots mark the 10 degree points, and the ordinate is in minutes of arc.

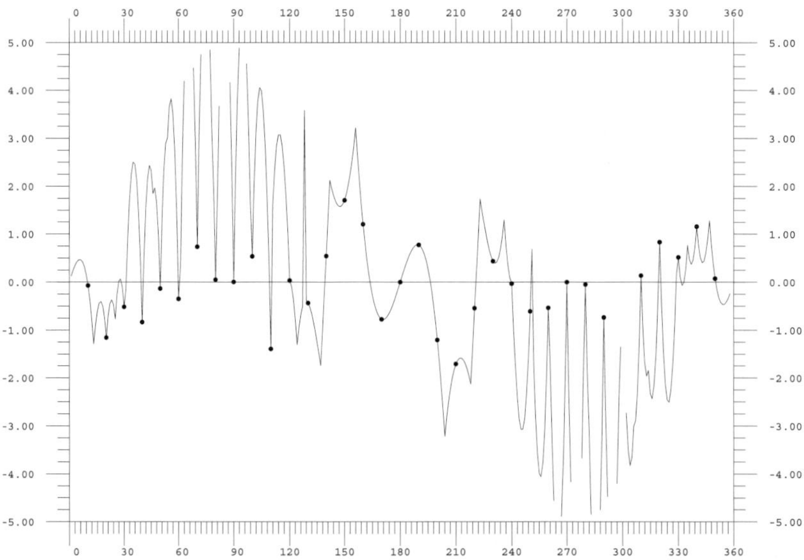

Fig. 3.2.4. Oblique ascension for Climate V, Hellespont: excess of *Handy Tables* over the values calculated for the latitude (40;52,21) implied by M (15 hours). The dots mark the 10 degree points, and the ordinate is in minutes of arc.

3.2.7 *Interpolation*

As noted, in the *Handy Tables* Ptolemy presents a tabulation at one degree intervals of the oblique ascension O(λ) for the seven traditional climates (I-VII in Table 3.2.1). An analysis of the successive differences of O(λ) shows clearly that Ptolemy has proceeded by step-wise interpolation of the values of O(λ) at 10-degree steps in the *Almagest*, just as he did with the Right Ascension.

The following Table 3.2.2, which applies to Climate I, Meroë, and MS F, provides a tabulation of the successive differences in O(λ). The second and third columns give the 10-degree differences according to the *Almagest* and MS F, respectively. These differences in MS F agree with those of the *Almagest*, apart from small discrepancies at longitudes 160 to 190, marked in bold in column 3. The remaining columns give the degree-by-degree differences within the decan, according to MS F. This display makes the scheme of interpolation sufficiently clear. Once certain errors are isolated it is clear that the scheme of the interpolation is to weight the sequence at the end of the decan for the longitudes from 0 to 100 and from 180 to 240, while the remaining sequences are weighted at the start. Shading in the third column is used to distinguish these schemes; the shaded rows indicate those decans in which the interpolation is weighted at the start. As to the errors, these are marked in bold, in the decans beginning at 50, 220, 290 and 330.

The complete tabulation of the differences is given in Appendix B.

Long. from Aries	*Almagest*	MS F Meroë	Differences									
0	7;58	7;58	0;47	0;47	**0;47**	**0;49**	0;48	0;48	0;48	0;48	0;48	0;48
10	8;5	8;5	0;48	0;48	0;48	0;48	0;48	0;49	0;49	0;49	0;49	0;49
20	8;17	8;17	0;49	0;49	0;49	0;50	0;50	0;50	0;50	0;50	0;50	0;50
30	8;36	8;36	0;51	0;51	0;51	0;51	0;52	0;52	0;52	0;52	0;52	0;52
40	9;1	9;0	0;54	0;54	0;54	0;54	0;54	0;54	0;54	0;54	0;54	0;54
50	9;27	9;28	**0;57**	**0;56**	0;56	0;57	0;57	0;57	0;57	0;57	0;57	0;57
60	9;56	9;56	0;59	0;59	0;59	0;59	1;0	1;0	1;0	1;0	1;0	1;0
70	10;23	10;23	1;2	1;2	1;2	1;2	1;2	1;2	1;2	1;2	1;3	1;4
80	10;47	10;47	1;4	1;4	1;4	1;5	1;5	1;5	1;5	1;5	1;5	1;5
90	11;3	11;3	1;6	1;6	1;6	1;6	1;6	1;6	1;6	1;7	1;7	1;7

100	11;11	11;11	1;7	1;7	1;7	1;7	1;7	1;7	1;7	1;7	1;7	1;8
110	11;12	11;12	1;8	1;8	1;7	1;7	1;7	1;7	1;7	1;7	1;7	1;7
120	11;5	11;5	1;7	1;7	1;7	1;7	1;7	1;6	1;6	1;6	1;6	1;6
130	10;55	10;55	1;6	1;6	1;6	1;6	1;6	1;5	1;5	1;5	1;5	1;5
140	10;44	10;44	1;5	1;5	1;5	1;5	1;4	1;4	1;4	1;4	1;4	1;4
150	10;33	10;33	1;4	1;4	1;4	1;3	1;3	1;3	1;3	1;3	1;3	1;3
160	10;25	**10;27**	1;3	1;3	1;3	1;3	1;3	1;3	1;3	1;2	1;2	1;2
170	10;22	**10;20**	1;2	1;2	1;2	1;2	1;2	1;2	1;2	1;2	1;2	1;2
180	10;22	**10;20**	1;2	1;2	1;2	1;2	1;2	1;2	1;2	1;2	1;2	1;2
190	10;25	10;27	1;2	1;2	1;2	1;2	1;2	1;2	1;2	1;4	1;5	1;4
200	10;33	10;33	1;3	1;3	1;3	1;3	1;3	1;3	1;3	1;4	1;4	1;4
210	10;44	10;44	1;4	1;4	1;4	1;4	1;4	1;4	1;5	1;5	1;5	1;5
220	10;55	10;55	**1;1**	**1;9**	1;5	1;5	1;5	1;6	1;6	1;6	1;6	1;6
230	11;5	11;5	1;6	1;6	1;6	1;6	1;6	1;7	1;7	1;7	1;7	1;7
240	11;12	11;12	1;7	1;7	1;7	1;7	1;7	1;7	1;7	1;7	1;8	1;8
250	11;11	11;11	1;8	1;7	1;7	1;7	1;7	1;7	1;7	1;7	1;7	1;7
260	11;3	11;3	1;7	1;7	1;7	1;6	1;6	1;6	1;6	1;6	1;6	1;6
270	10;47	10;47	1;5	1;5	1;5	1;5	1;5	1;5	1;5	1;4	1;4	1;4
280	10;23	10;23	1;3	1;3	1;3	1;2	1;2	1;2	1;2	1;2	1;2	1;2
290	9;56	9;56	**1;2**	**0;58**	1;0	1;0	1;0	1;0	0;59	0;59	0;59	0;59
300	9;27	9;27	0;57	0;57	0;57	0;57	0;57	0;57	0;57	0;56	0;56	0;56
310	9;1	9;1	0;55	0;54	0;54	0;54	0;54	0;54	0;54	0;54	0;54	0;54
320	8;36	8;36	0;52	0;52	0;52	0;52	0;52	0;52	0;51	0;51	0;51	0;51
330	8;17	8;17	**0;21**	**1;19**	0;50	0;50	0;50	0;50	0;50	0;49	0;49	0;49
340	8;5	8;5	0;49	0;49	0;49	0;49	0;49	0;48	0;48	0;48	0;48	0;48
350	7;58	7;58	0;48	0;48	0;48	0;48	0;48	0;48	0;48	0;48	0;47	0;47

Table 3.2.2. Successive differences in Oblique Ascension in A1, 1

In Theon's commentary on the interpolation he remarks simply that Ptolemy proceeded as with the right sphere, with smaller increments in the part of the decan nearer to the equator.[13]

---

[13] MOGENET (1985), pp. 101, 165, 246.

3.2.8 *The present edition and the original text of Ptolemy*

A systematic error is found in the values of oblique ascension for each climate. This is illustrated in Fig. 3.2.5 for the case of the climate of Middle Pontus, which shows the excess of the tabulated values over those found by correct interpolation of the 10 degree values given in the *Almagest* II.8 The error is found in the range 180±50, and reaches a maximum of 4. Similar errors are found for the other climates, and of a magnitude that increases with the latitude of the climate.

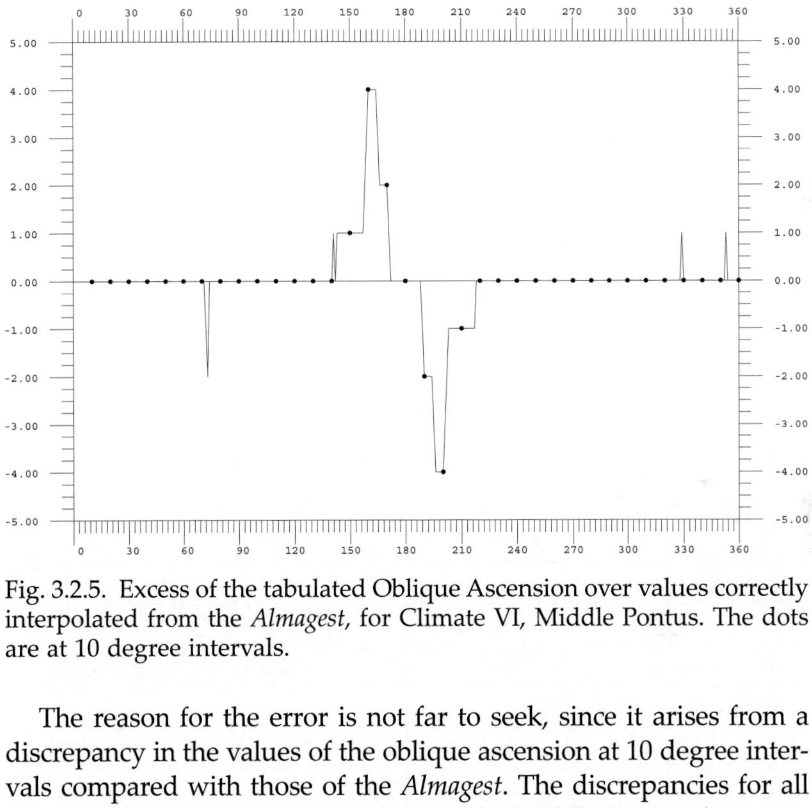

Fig. 3.2.5. Excess of the tabulated Oblique Ascension over values correctly interpolated from the *Almagest*, for Climate VI, Middle Pontus. The dots are at 10 degree intervals.

The reason for the error is not far to seek, since it arises from a discrepancy in the values of the oblique ascension at 10 degree intervals compared with those of the *Almagest*. The discrepancies for all the climates are listed in Table **3.2.3**. For the Middle Pontus, for example, the maximum error of 0;4 occurs at longitudes 160, and 200. The occasion for this revision is not at all clear; it is clear only that these 10 degree values of oblique ascension found in the *Handy Tables* were not taken from the *Almagest* II.8 as we know it. The symmetry of the arrangement is as evident in Table **3.2.3** as it is graphically, with a balance of excess and defect either side of the longitude 180.

The question immediately arises as to whether or not Ptolemy in composing the *Handy Tables* intended to change these 10 degree values before carrying out the interpolation. This question is answered by an examination of the entries in the Oxyrhynchus papyri edited by Jones. Although only a few rows of A2 survive yet there is enough to confirm that the entries follow from an interpolation of the 10 degree values of the *Almagest*, and so differ from those of the present edition. For example, in A2, 6 (II) the papyrus conserves the entries interpolated between Virgo 10 and Virgo 20, and these are the values calculated correctly from the 10 degree values in the *Almagest*.[14]

This consideration leads to a most important conclusion, that the present edition of the *Handy Tables* represents a version which resulted from a revision made some time after Ptolemy's original composition, and indeed altered for the worse. In contrast, as we will see, the tables B1 (I-IV), for the climate of Byzantium, preserve values which are interpolated within the 10 degree values of the *Almagest*, and so represent the original version.

In the transcription of the tables A2 the oblique ascensions calculated from the interpolation of the 10 degree values of the *Almagest* are presented alongside the text, effectively a reconstruction of Ptolemy's original composition; these values agree with the fragments surviving in the Oxyrhynchus papyri.

Long.	*Handy Tables*	*Almagest*	Long.	*Handy Tables*	*Almagest*
Climate 1 Meroë					
170	169;40	169;38	190	190;20	190;22
Climate 2 Syene					
130	124;17	124;16	190	190;58	190;57
170	169;2	169;3	230	235;43	235;44
Climate 3 Lower Egypt					
130	121;36	121;32	190	191;30	191;32
170	168;30	168;28	230	238;24	238;28
Climate 4 Rhodes					
150	143;33	143;32	200	204;16	204;15
160	155;44	155;45	210	216;27	216;28

[14] Jones (1999b), Vol.2, pp. 120-1.

Long.	*Handy Tables*	*Almagest*	Long.	*Handy Tables*	*Almagest*
Climate 5 Hellespont					
140	129;2	129;1	200	205;20	205;23
150	141;54	141;52	210	218;6	218;8
160	154;40	154;37	220	230;58	230;59
Climate 6 Middle Pontus					
150	140;16	140;15	190	193;10	193;12
160	153;36	153;32	200	206;24	206;28
170	166;50	166;48	210	219;44	219;45
Climate 7 Borysthenes					
140	124;45	124;46	190	193;40	193;44
160	152;32	152;29	200	207;28	207;31
170	166;20	166;16	220	235;15	235;14

Table 3.2.3. Discrepancies in oblique ascension between the *Handy Tables* and the *Almagest*.

Although, as remarked, the *Handy Tables* as found in the Oxyrhynchus papyri agree with the entries in A2 as reconstructed from the *Almagest*, there remains the problem of determining Theon's place in the complex text traditions following on Ptolemy's original composition. The example in the Small Commentary does not answer the point, for Theon considers only Virgo 25 and Aquarius 28-29 in the fifth climate, and these values are not changed in the later Byzantine recension.[15] In another place, in his commentary on the *Almagest* Book 2 Ch. 9, he refers to 226;34 as the oblique ascension for Scor 10 in the third climate, and to 28;26 as that of Tau 10 in the same climate, but these are unaffected in the later recension.[16]

In several places Theon and Pappus remarked on the agreement between the *Handy Tables* and the *Almagest*, although such remarks do not rigourously entail the consistency of the 10 degree values of the oblique ascension. In his commentary on the *Almagest* Book 4, he has indeed a chapter entitled Περὶ τῆς συμφωνίας τῶν κατὰ

15 Tihon (1978), pp. 220-1, 311.

16 Rome (1936), p. 718.

τὴν σύνταξιν καὶ τὸν πρόχειρον ψηφοφοριῶν, 'On the agreement of calculations according to the *Almagest* and the *Handy Tables*'.[17] In more than one place in Theon's commentary on the *Almagest* Book 6, where he gives his detailed working of the eclipse of 364 June 16 according to the *Almagest* and the *Handy Tables*, he remarks on the agreement between the two works.[18] For example he writes

> ἵνα δὲ διὰ τῶν ἐπιλογισμῶν τῆς τῶν προχέιρων κανόνων ἐκθέσεως συμφώνως τοῖς διὰ τῆς συντάξεως κατειλημμένοις τούς τε χρόνους καὶ τὰς παρόδους ...
>
> So that through the calculations of times and motions according to the *Handy Tables* agreeing with those based on the *Almagest* ...

In that same commentary, where he discusses lunar eclipses, he also remarks on the agreement.[19]

Tihon has drawn attention to Theon's insistence in the *Great Commentary* on the harmony between the *Handy Tables* and the *Almagest*.[20]

In his commentary on the *Almagest* Book 6, Ch. 10, Pappus remarks à propos of lunar parallax on the agreement between the two works: ἀφαιρεθείσης τῆς ἡλίου παραλλάξεως, συμφώνως προχείροις, 'the parallax of the Sun being subtracted, in agreement with the *Handy Tables*'.[21]

In the discussion of the Syriac material in Appendix E it will be seen that Severus Sebokht used a recension in agreement with the Byzantine.

3.2.9 *Summary of interpolation procedure*

Differences in Oblique Ascension in the *Almagest*, for intervals of 10 degrees in ecliptic for each of the 7 climates tabulated in the *Handy Tables* are shown in the next table, 3.2.3. The shaded cells in the Table 3.2.3 below mark those in which the interpolation is weighted at the start, arranged to suit MS F.

---

17 Rome (1943), pp. 912-6.

18 Ptolemy (1538) , Part two (Theon's commentary), pp. 337; two other examples are on pp. 338, 339.

19 Ptolemy (1538) , Part two (Theon's commentary), pp. 320.

20 Tihon (1985), p. 107; Mogenet (1985), pp. 158-9.

21 Rome (1931), p. 296.

Climate:	equator	1	2	3	4	5	6	7
Long.								
0	9 10	7 58	7 23	6 48	6 14	5 40	5 8	4 36
10	9 15	8 5	7 29	6 55	6 21	5 47	5 14	4 43
20	9 25	8 17	7 45	7 10	6 37	6 5	5 33	5 1
30	9 40	8 36	8 4	7 23	7 1	6 29	5 58	5 26
40	9 58	9 1	8 31	8 2	7 23	7 4	6 34	6 5
50	10 16	9 27	9 3	8 37	8 12	7 26	7 20	6 52
60	10 34	9 56	9 26	9 17	8 56	8 38	8 15	7 53
70	10 47	10 23	10 11	10 0	9 47	9 32	9 19	9 5
80	10 55	10 47	10 43	10 38	10 34	10 29	10 24	10 19
90	10 55	11 3	11 7	11 12	11 16	11 21	11 26	11 31
100	10 47	11 11	11 23	11 34	11 47	12 2	12 15	12 29
110	10 34	11 12	11 32	11 51	12 12	12 30	12 53	13 15
120	10 16	11 5	11 29	11 55	12 20	12 46	13 12	13 40
130	9 58	10 55	11 25	11 54	12 23	12 52	13 22	13 51
140	9 40	10 44	11 16	11 47	12 19	12 51	13 22	13 54
150	9 25	10 33	11 5	11 40	12 13	12 45	13 17	13 49
160	9 15	10 25	11 1	11 35	12 9	12 43	13 16	13 47
170	9 10	10 22	10 57	11 32	12 6	12 40	12 12	13 44
180	9 10	10 22	10 57	11 32	12 6	12 40	13 12	13 44
190	9 15	10 25	11 1	11 35	12 9	12 43	13 16	13 47
200	9 25	10 33	11 5	11 40	12 13	12 45	13 17	13 49
210	9 40	10 44	11 16	11 47	12 19	12 51	13 22	13 54
220	9 58	10 55	11 25	11 54	12 23	12 52	12 22	13 51
230	10 16	11 5	11 29	11 55	12 20	12 46	13 12	13 40
240	10 34	11 12	11 32	11 51	12 12	12 30	12 53	13 15
250	10 47	11 11	11 23	11 34	11 47	12 2	12 15	12 29
260	10 55	11 3	11 7	11 12	11 16	11 21	11 26	11 31
270	10 55	10 47	10 43	10 38	10 34	10 29	10 24	10 19
280	10 47	10 23	10 11	10 0	9 47	9 32	9 19	9 5
290	10 34	9 56	9 26	9 17	8 56	8 38	8 15	7 53
300	10 16	9 27	9 3	8 37	8 12	7 26	7 20	6 52
310	9 58	9 1	8 31	8 2	7 23	7 4	6 34	6 5
320	9 40	8 36	8 4	7 23	7 1	6 29	5 58	5 26

Climate:	equator	1	2	3	4	5	6	7
330	9 25	8 17	7 25	7 10	6 37	6 5	5 33	5 1
340	9 15	8 5	7 29	6 55	6 21	5 47	5 14	4 43
350	9 10	7 58	7 23	6 48	6 14	5 40	5 8	4 36

Table 3.2.4. Overview of interpolation

Column 3

3.3.1 *Tabulation of Seasonal Hours*

In column 3 of Tables A2 the seasonal hour $H(\lambda)$ is tabulated for each degree value of λ. The simplest derivation is given by equation (6) in section 3.2.2.

$$H(\lambda,\phi) = (O(\lambda + 180, \phi) - O(\lambda))/12$$

but there remains the matter of deciding on the source of the values of the oblique ascension $O(\lambda)$, for it may be derived from the *Almagest* by linear or stepwise interpolation, or directly from the tabulated values in column 2. The graphs of the seasonal hour are shown for each of the seven climates in Fig 3..1.

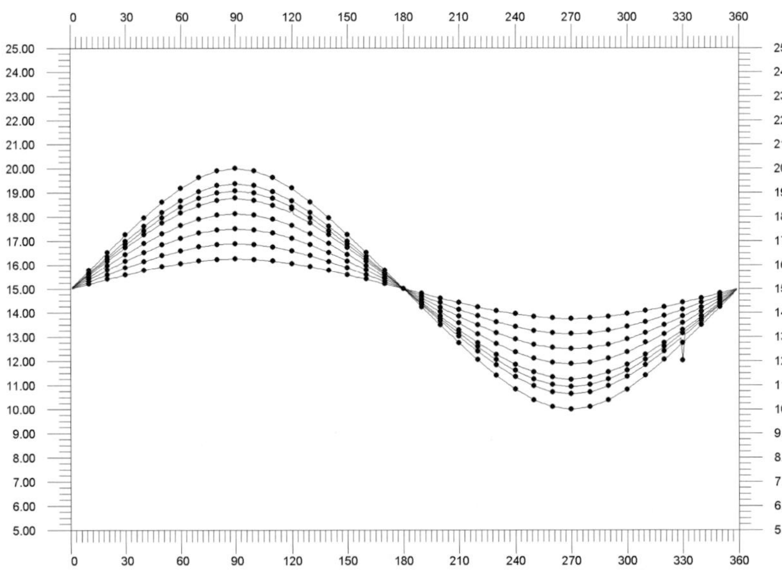

Fig. 3.3.1. The Seasonal Hours for each of the seven climates and Byzantium; MS F

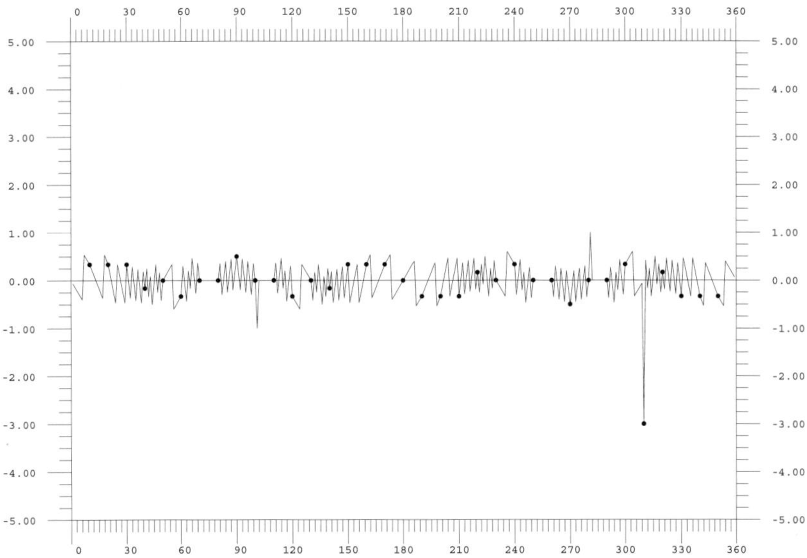

Fig. 3.3.2. The values calculated from Eqn 2.2, derived from the Oblique Ascension in the *Almagest*, linearly interpolated, compared with column 3 in MS F, and for the climate of Rhodes. The dots are at 10-degree intervals, and the ordinates show minutes of arc.

In Fig 3.3.2 we have the plot of the excess of $H(\lambda)$ over column 3, when the values are derived (according to Eqn (6)) from the Oblique Ascension in the *Almagest*, linearly interpolated; this is for the climate of Rhodes. This shows not only a clear symmetry about the 90 and 270 degree points, but a reversal in sign of the excess in the range beyond 180, as one must expect if the values are obtained from the first and second quadrants by means of Eqn 2.3. It is clear therefore that values were calculated for the first quadrant alone, and then applied to the remaining quadrants. Further, apart isolated exceptional points, it is clear that the points lie within the bounds ±0.5 minute, so that there has been a careful rounding to the nearest minute of the value derived from Eqn (6).

Fig 3.3.3 shows a similar plot when the Oblique Ascension is taken from Column 2 of the *Handy Tables* instead of the *Almagest*. On comparison with the preceding plot in Fig, 3.3.2, one sees marked differences at isolated points, showing that the calculation of the seasonal hour in column 3 was not made from the values of oblique ascension in column 2, but rather from the *Almagest*.

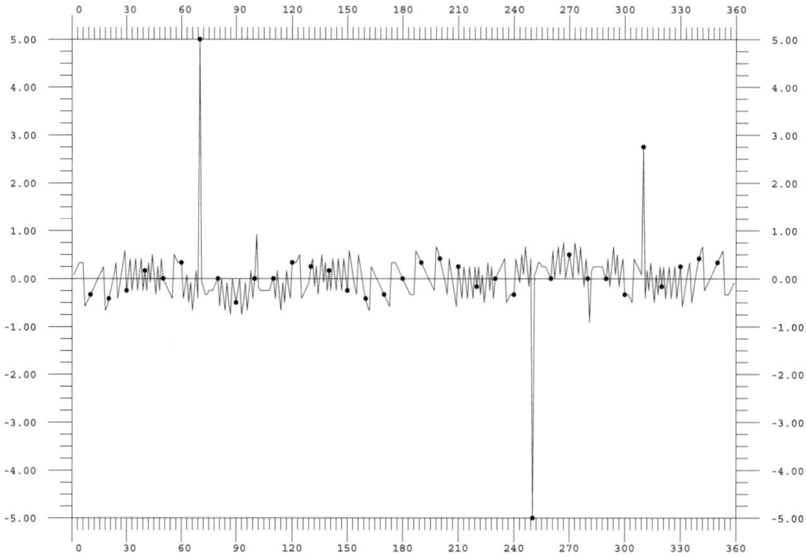

Fig. 3.3.3. The values calculated from Eqn 2.2, derived from the Oblique Ascension in column 2 in MS F, compared with column 3 in MS F, and for the climate of Rhodes. The dots are at 10-degree intervals, and the ordinates show minutes of arc.

On comparison of Fig, 3.3.3 with the preceding plot in Fig, 3.3.2, one sees marked differences at isolated points, showing that the calculation of the seasonal hour in column 3 were not made from the values of oblique ascension in column 2.

CHAPTER 4

TABLE B1

4.1 *Oblique ascension for Byzantium*

In the MS F fols 35-36^{v} there is also a table of the Oblique Ascension for Byzantium. This is not part of Ptolemy's original composition, but the work of a later student of the *Handy Tables*. The climate is specified by the length of day 15h ¼, and the latitude 43;5. This length of day is midway between the values given for climates V, VI (Hellespont and Middle Pontus), and agrees with that of Massalia (*mod.* Marseille). This parallel is the 14th in the list in the *Almagest* II.6, with the same length of day, but with the latitude 43;4[1]. In any case the latitude derived for that length of day is 43;1,24. In the *Geography* Ptolemy has 15h ¼, 43 1/12 = 43;5 for both Massalia and Byzantium.[2]

That the length of day is more relevant than the Ptolemy's calculated latitude has already been noted above, so that here one would expect that the oblique ascensions and times for Byzantium have been obtained by simply taking values midway between those of climates V, VI.

At the foot of each column of the table the scribe has written δ′, for which the editor has remarked that while this is not clear, it may mean only that the copy has been verified, διακεκϱιμένον.

If we take the mean of the oblique ascensions for climates V, VI, from MS F, (with corrections), then the result of subtraction from the entries in B1 is shown in Fig. 4.1.1. We see here that in the region 180±30 there are errors of up to 3 minutes, a situation quite like that in Fig. 3.2.5. Indeed the errors that arose because the 10 degree

---

1 See the note on this latitude in the table above.

2 Massalia, II.10.8, VIII.5; Byzantion, III.11.5,VIII.11.7.

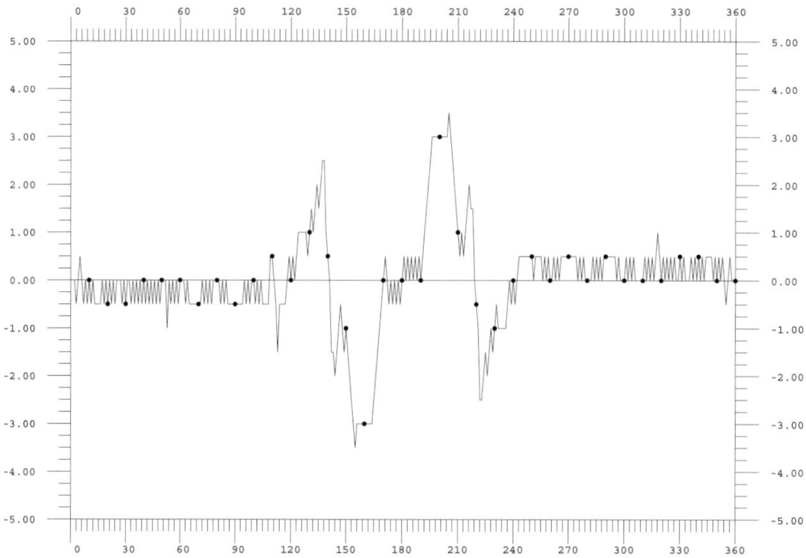

Fig. 4.1.1. Excess in minutes of the Ascension from B1 over the mean of ascensions for climates V, VI. The dots are at 10-degree intervals.

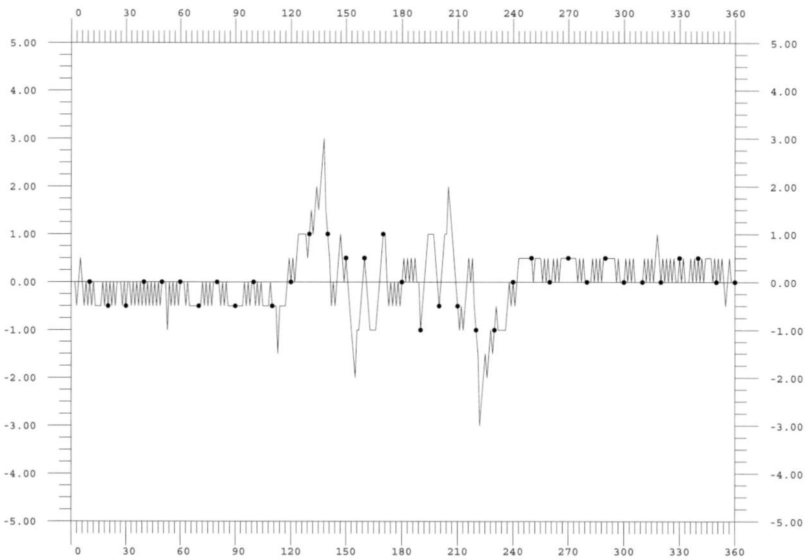

Fig. 4.1.2. Excess in minutes of the Ascension from B1 over the mean of ascensions for climates V, VI, calculated from the *Almagest*. The dots are at 10-degree intervals.

points departed from those of the *Almagest* are reflected here. However if the oblique ascensions are calculated correctly by interpolating from the 10 degree points of the *Almagest* we obtain values of the oblique ascension that are free of this error, as shown in Fig. 4.1.2. Here there are still errors, but these lie between the 10 degree points are must be attributed to simple arithmetical errors in individual entries. We see therefore that this table for Byzantium was calculated from the oblique ascensions for the climates 5 and 6, but derived from what we may regard as the original composition of Ptolemy, not the later recension found in the present edition based on the Byzantine manuscripts, as explained in section **3.2.8**.

The perfect symmetry between the two halves shows clearly that the second half of the tabulation was simply derived from the first by means of the relation $O(360 - \lambda) = 360 - O(\lambda)$. Nevertheless within the range 130-160, 200-230 there are errors of up to 3 minutes. That the difference is essentially zero elsewhere shows well enough that it was intended to find the result as the simple average, but that somehow this was not carried through without error.

Column 3 of B1, the seasonal hour, agrees almost without exception with the calculation from the simple average of the seasonal hours of climates V, VI. The few departures are indicated in the footnotes to the transcription.

CHAPTER 5

EXAMPLES IN THE USE OF TABLES A1 AND A2

In the *Almagest* II.9 Ptolemy gives very briefly the procedure for determining the positions in the ecliptic of the horoscope and of the intersection with the meridian, that is culmination. These key features of the nativity calculation provide a useful application of Tables A1, A2. The procedures are explained in greater detail, with numerical examples, by Theon, in the *Small Commentary* (chaps. 6, 7), and the *Great Commentary* (chaps. 11, 12).[1] Al-Battānī, as would be expected, also explains these calculations.[2]

5.1 *The horoscope*

1. Find the position λ of the Sun in the ecliptic at the time in question. In practice the time will be given so many seasonal hours h after Sunrise.
2. In A2 find the Seasonal Hour for that position of the Sun, and multiply this by the number of seasonal hours after Sunrise; $hH(\lambda)$. This product is the motion of the equator since Sunrise.
3. From A2, for the climate appropriate to the place, find the Oblique Ascension $O(\lambda)$, the portion of the equator from the equinoctial point to the point on it that rises with the Sun. Increase this by $hH(\lambda)$; then $O(\lambda)+ hH(\lambda)$. This is the arc of the equator from equinoctial point to the point on it at the horizon.
4. From A2 determine from Column 1 the longitude corresponding to $O(\lambda)+ hH(\lambda)$, which will be the point of the ecliptic on the horizon, the Horoscope.

---

1 Tihon (1978), 216-222, 310-2. Mogenet (1985), pp. 126-132, 184-8, 303-9.
2 Nallino (1899), Pars prima, Ch. xvi, xviii.

5.2 *The culmination*

From Column 1 of Table A1 determine the longitude corresponding to $O(\lambda)+ hH(\lambda)$. This will be the point of the ecliptic on the meridian, the culmination.

5.3 *Numerical example*

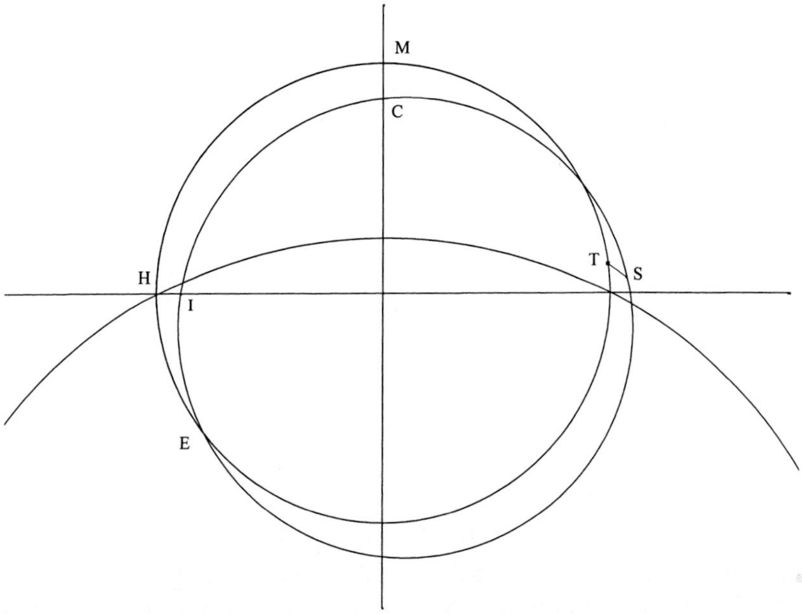

Fig. 5.3.1. Calculation of the horoscope and culmination

Theon works through the details for the date 684 Choiak 28, in the Era of Philip[3], 11 seasonal hours after Sunrise, for the fifth climate.[4] The calculation is illustrated in Fig. 5.3.1, a diagram showing the equator, ecliptic, and horizon, as in an astrolabe. The equator

[3] 360 Sep 19, 1852810.

[4] In the previous examples Theon has considered the local time at Rome, but now he reverts in effect to the local time at Alexandria, still determining the horoscope for the fifth climate, more suited to Rome. At the latitude 41;40, Rome is near enough to the Hellespont (40;56). His calculations fit precisely for the time 4;58,40 hours after Noon.

is HETM, intersecting the meridian at M, and the Eastern horizon at H. The ecliptic is IESC, where the equinoctial point is at E, and the Sun at S.

For this place, which is in the fifth climate, Table A2,5 applies. The longitude of the Sun is 174;53, represented by the arc from E to S, but here Theon has taken the rounded figure 175.[5]

		Theon	Tables
True Sun	ES	175;0	
seasonal hour		15;17	A2, 5 (II)
equinoctial hours	HT	168;7	
oblique ascension	ET	173;40	A2, 5 (II)
sum	ET + TH	341;47	A2, 5 (III)
horoscope	EI	Aqu 28;55,23	
culmination	ESC	Sag 13;15,42	A1 (IV)

Table 5.3.1. Calculation of Horoscope and culmination

On that day sunrise by Ptolemy's method, is at 5;52 equinoctial hours, so that 11 seasonal hours after sunrise means nearly 5;52 + 11 × 15;17/15 = 17;4 equinoctial hours from midnight. This is however inconsistent with Theon's figures, for one finds that he has used in effect the time 16;58,40 hours from midnight, and this time, not 17;4, is required in order to obtain the horoscope Aqu 28;55 and mid-heaven Sag 13;15. Taken together with his stated 11^h (seasonal) after sunrise this implies that sunrise occurred at 5;46,12 equinoctial hours. We have seen in section **3.2.3** that the time of sunrise of the true Sun, calculated precisely, is 5;45, in contrast to the possible times calculated from the ascensional difference. This presents us with a problem, for Theon says nothing about the precise time of sunrise.

The culmination point C is found by taking the arc EH 341;47, and finding the corresponding longitude in A1 (IV), which by interpolation yields Sag 13;15. Ptolemy would have worked from his table of right ascensions to find the longitude of culmination from EH – 90 = $\alpha(\lambda)$.

5 This is calculated for 5 seasonal hours after Noon, neglecting the difference that results from a conversion at this point to equinoctial hours.

While Theon in his example does not discuss the applications to the astrologer's horoscope diagram, the θέμα, this is nevetheless one of the principal applications in antiquity of such calculations. The horoscope diagram for this date is shown in Fig. 5.3.2.[6]

II ♈ 5;7	I ♒ 28;55	XII ♒ 2;20	XI ♑ 7;32 ♃ ♑ 15;59
III ♉ 10;45	360 September 9 Latitude 40;54,30 Hour (from Noon) 4;58,38 Meridian 0;0,0		X ♐ 13;15
IV ♊ 13;15 ☾ ♋ 5;22			IX ♏ 10;45 ♀ ♏ 11;10
V ♋ 7;32	VI ♌ 2;20 Ø ♌ 27;59 ☊ ♌ 28;37	VII ♌ 28;55 ♂ ♍ 24;53 ♄ ♍ 10;6 ☿ ♍ 23;31	VIII ♎ 5;7

Fig. 5.3.2. The horoscope diagram or θέμα of 360 September 19 calculated from the *Handy Tables*.

Theon, in his *Great Commentary*, Chapters 11, 12, gives a more elaborate explanation, but without benefit of a numerical example.[7] He does however, justify at some length the way in which the Table A1 of the Right Ascension can be used to find the culmination, as we have just done.

Ptolemy's procedure for the culmination as illustrated in the above procedure is much more involved than it need be, and wrongly appears to suggest that the latitude of the observer has to be taken into account. In both the Almagest and in his Manual,

---

6 The diagram is from the author's program *Devplo*.

7 MOGENET (1985), pp. 184-8.

of which a translation is given below in Appendix C, he gives not only the above approach, but also a more straightforward procedure.[8]

> One obtains the point of culmination by multiplying the hours from the previous noon up to the given seasonal hour by the seasonal hours written in the appropriate table, (again the hours of the day at the degree of the sun, of the night at the diametrically opposite degree). The resulting times are added to those written for the degree of the sun in the table of right ascensions. When the given hours are equinoctial hours multiply their number by 15, whether from previous sunrise or previous noon, and we add the result to those [times] at the degree of the sun, as already set out.

This approach may be applied not only to the Noon previous to the day in question, but to the origin date of the mean sun, which is also Noon, at the Era of Philip. In the above example the date is 360 Sep 19 4;58,38 hours p.m. (1852810 + 4^h;58,38). The mean sun at that time is

$$S = sun_1 \times (T - T_0) + sun_0 = 177;8,14$$

where T_0, sun_0, sun_1 are the defining parameters of the mean sun in the *Handy Tables*,

$$T_o = 1603398, \quad sun_0 = 227;40, \quad sun_1 = 360/(365\tfrac{1}{4} - 1/300).$$

The Right Ascension then is obtained by taking the mean sun S, together with the addition of 360° for each day, in effect merely (4;58,40 /24)×360° = 74;39,30:

$$RA_{uc} = S + 360 \times (T - T_0) = 251;48,14.$$

This Right Ascension RA_{uc} is the Hour Angle of the equinoctial point, in other words the Sidereal Time, as defined in modern astronomical practice, evidently independent of the observer's latitude. The corresponding position in the ecliptic longitude

8 *Almagest* II.9 (H pp. 144-5).

may be read from Table A1 corresponding to $RA_{uc} + 90 = 341;48,14$ (Since A1 tabulates Right Ascension + 90), that is Sag 13;15 While the culmination, and of course lower mid-heaven opposite to it, are independent of the latitude of the observer, all the other cusps depend on it.

5.4 *Horoscopes from literary sources*

Neugebauer & van Hoesen published a collection of horoscopes from Greek literary and epigraphical sources, so providing a wealth of material bearing on Greek methods of calculation.[9] These were dated by the authors by comparison with modern calculations of the Sun, Moon and planets, but no attempt was made carry out a comparison with calculation by ancient methods. A number of these horoscopes, mainly of the fifth century, gave positions in degrees and minutes, so it might be hoped that one could determine whether these had been calculated by the *Almagest* or by the *Handy Tables.* It would also be interesting to determine whether precession according to Theon's rule had been applied. In fact, because of the smallness in the differences between these two canons, and because of inevitable discrepancies between our exact calculations and those of the ancient calculator, it is generally impossible to establish which canon was used. Only in the case of L497 (497, Oct 28) can we be sure that the *Almagest* and not the *Handy Tables* was used. It is noteworthy that Theon did not include precession (in any form) in the example discussed in the preceding section.

---

9 Neugebauer (1959b).

CHAPTER 6

TEXT TRADITIONS

Although the edition has so far been concerned only with the tables A1, A2, that is, with Right and Oblique Ascensions, it is yet possible to gain considerable insight into the complex text traditions of this work. For the original work, undoubtedly based by Ptolemy on the *Almagest*, clearly underwent alterations at various times and while some of these are found in the Byzantine mss other records reveal different traditions.

The departures from what one would expect of a straightforward derivation from the *Almagest* are not all of the same kind, but are a mixture of consistent departures and clear errors. Under the former head

1. In A1 the equation of time was calculated for the solar apogee 66, in place of the regular Ptolemaic value 65;30.
2. In A2 the oblique ascensions were obtained by interpolation of the 10 degree values of the *Almagest*, but in the revision many of these 10 degree values were altered by a few minutes of arc, with consistent consequent changes in the interpolated values.

On the other hand there are besides, in A1, major errors in the calculation of the equation of time, notably for the sign Leo. It cannot be ruled out that these errors go back to Ptolemy himself, or to his assistants.

While all these features are found in all the Byzantine mss, (apart from Table B, in the ms F) , there is a variety of other texts that reveal different text traditions:

The Oxyrhynchus papyrus 4167 includes some lines of A2, 4 (IV), A2, 6 (I), A2, 6 (II), A2, 7 (II). Here the comparison with the entries in F and with the calculated values shows clearly that the papyrus does not reflect the revision evident in the Byzantine mss, but is apparently directly dependent on the work of Ptolemy.

The tables for the climate of Byzantium (found in ms F) are clearly based on a version of A2 that existed before the revision.

The oblique ascensions quoted by Severus Sebokht (early 7th cent.) show that he knew A2 as we have it in the Byzantine mss, that is with the revision noted in item 2. above.

The Greek palimpsest (9th cent.) has substantial portions of A1, and these show the same major errors in the equation of time as found in the Byzantine mss. Moreover, a detailed examination of the text shows that it is linked to the ms F, rather than to the other Byzantine mss.

Theon (4th cent.) himself says nothing about any such revision, nor do any of his examples happen to throw light on the matter. Nevertheless we can with some likelihood infer that the version which he knew contained at least the major error in the equation of time in A1. For among the scholia to the *Great Commentary* in *Vat. gr.* 190, there is one gloss on the general range of values of the equation of time, remarking that at Leo 9 it has the value 16;21, which is indeed found in the present edition, in contrast to the calculated value 15;41.

> Τηι γαρ τριακοστηι μοι του Ταυρου παρακειμενων ϛ ιβ, τηι δε των Διδυμων παρακεινται ϛ ιϛ και (?) παραυξει εως θ λεοντος ιϛ κα, ειτα αφαιρει εως αρχης σκορπιου το παν.[1]
>
> From Tau 30, at 6;12, then Gemini [1], 6;16, increasing up to Leo 9, 16;21, then decreases totally [to zero] at the beginning of Scorpio.

From this we infer that the scholiast of A.D. 462 had used the version of the *Handy Tables* which shared with all the others this erroneous equation of time. Since the scholiast seems to be closely related to Theon's teaching we may suppose that Theon himself had the same version of these tables.[2]

Here follows a stemma of the text traditions.

---

1 *Vat. gr.* 190, f. 294v.

2 Cf the stemma in MOGENET (1985), p. 77.

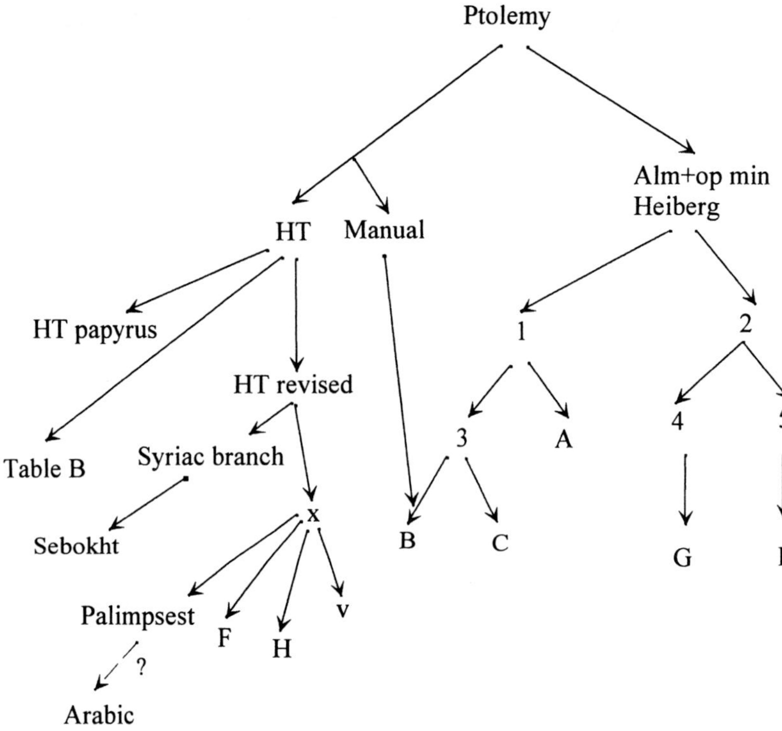

Fig. 6.1. Stemma showing the various traditions of the *Handy Tables* and the *Almagest*.

'Table B' is the table of oblique ascension for the climate of Byzantium, found in ms F.

The part of the stemma determined by Heiberg for the *Almagest* is explained by the following remarks.

[1] = copy containing faults common to the mss ABC.
[2] = Alexandrian recension interpolated towards 300.
[3] = copy containing errors common to the mss BC, compiled towards 500.
[4], [5] = copies produced in Alexandrian schools, interpolated in various ways.

The sigla for mss of the *Almagest* are as follows

A = *Parisinus gr.* 2389, IX s.
B = *Vaticanus gr.* 1594, IX s.

C = *Marcianus gr.* 313, X s. Served as the base of the Latin version of the *Almagest* made in Sicily.
D = *Vaticanus gr.* 180, X s. or XII s.
G = *Vaticanus gr.* 184, end XIII s.

This stemma notes the position of Ptolemy's Manual of the *Handy Tables*, although it is not found in any of the manuscripts noted here except for the descendents of B (*Vat.gr.* 1594); the opening signatures of B have disappeared.

We have seen that the text of A2 as used by Sebokht agrees with the tradition that led immediately to the Byzantine mss, agreeing with them where they disagree with the version originally created by Ptolemy. The principal sign that there was a version in which A2, at least, agrees with a direct derivation from the *Almagest* lies in the tables B, calculated for the climate of Byzantium. As shown above in **4.1** the tables B give the oblique ascension for Byzantium presenting values of the oblique ascension that are simply half the sum of those for climates 5 and 6, but calculated correctly from the *Almagest*.

Approximately at the same time as the Byzantine mss employed here we have the fragment of the Greek text of the tables in the palimpsest *Vat. Syr.* 623. It is intriguing to find that this fragment tends to agree with the Byzantine ms F rather than with H, v.

Closest in time to the work as composed by Ptolemy we have the Oxyrhynchus papyrus 4167 which includes some lines of A2, 4 (IV), A2, 6 (I), A2, 6 (II), A2, 7 (II). Here the comparison with the entries in F and with the calculated values shows clearly that the papyrus does not reflect the alterations evident in the Byzantine mss, but is apparently directly dependent on the work of Ptolemy.

CONCLUSION

This second part of the edition provides the transcriptions of the Greek text of Tables A1, A2, and B, that is the tables of Right and Oblique Ascensions for the seven traditional climates and the climate of Byzantium, and also the equation of time. This is followed by an extensive commentary.

The tables are derived from the *Almagest* by means of various techniques of interpolation, and these are discussed in some detail. Once these techniques are clear it is possible to demonstrate certain systematic departures from a strict derivation, so making clear something of the complexities in the developing text traditions up to the ninth century, the time of the Byzantine mss used in the edition. The equation of time has always been a difficult topic, but we have now a systematic derivation, allowing for the fact that the solar apogee was assumed to be 66°, and with the recognition as well that a number of errors of calculation had been made, notably in the sign Leo. The tabulated values are obtained by linear interpolation of values calculated at intervals of 6°.

Examples are drawn from the commentaries of Theon of Alexandria, and include a horoscope for 360 Sept 19.

The text tradition is made clearer not only by a consideration of an early papyrus in which survive some portions of the tables, but also of Syriac and Arabic records. The Syriac material includes an account by Severus Sebokht of the use of the tables. Besides, there is one Syriac ms of the ninth century which preserves as a palimpsest not only a short section of the Greek text of the tables, but also a fragment of the Arabic translation of Theon's *Small Commentary*. Although other Arabic material makes it clear that the tables and commentaries were known to Arabic scholars, this palimpsest brings us closer to the reality of the transmission.

The *Handy Tables* make use of the Era of Philip, and there is an extensive discussion of that and related eras, and of their incidence in Greek astronomy.

A series of Appendices provide support for a number of topics: a tabulation of the results of the analysis of the interpolation, a discussion of the papyrus London 1278, a translation of the relevant parts of Ptolemy's *Manual*, the Arabic summary of the *Handy Tables* by al-Yaʿqūbī, a review of the Syriac material, noting the work of Severus Sebokht and the Syriac palimpsest with its Greek and Arabic texts, and finally a group of trigonometrical formulae.

APPENDICES

Appendix A

DERIVATION OF EQUATION $M = \lambda + \arcsin(\sin E \sin(\lambda - \Gamma))$

The true longitude of the Sun is given by

$$\lambda = M - e,$$

where e is the equation of the Sun, given by the expression

$$\tan e = \frac{\sin(M - \Gamma)\sin E}{1 + \cos(M - \Gamma)\sin E},$$

M and λ are the Mean and True longitudes, Γ is the apogee, and E is the maximum equation of the Sun.

Substituting for e in the first equation,

$$\tan\lambda = \frac{\tan M - \tan e}{1 + \tan M \tan e} = \frac{\tan M(1 + \cos(M - \Gamma)\sin E) - \sin(M - \Gamma)\sin E}{1 + \cos(M - \Gamma)\sin E + \tan M \sin(M - \Gamma)\sin E}$$
$$= \frac{\sin M + \sin E[\sin E \cos(M - \Gamma) - \cos M \sin(M - \Gamma)]}{\cos M + \sin E[\cos M \cos(M - \Gamma) + \sin M \sin(M - \Gamma)]}$$
$$= \frac{\sin M + \sin E \sin\Gamma}{\cos M + \sin E \cos\Gamma}.$$

From this one derives an expression for M in terms of λ:

$$\tan\lambda(\cos M + \sin E \cos\Gamma) = \sin M + \sin E \sin\Gamma$$
$$\sin\lambda(\cos M + \sin E \cos\Gamma) = \cos\lambda(\sin M + \sin E \sin\Gamma)$$
$$\sin E(\sin\lambda \cos\Gamma - \cos\lambda \sin\Gamma) = \cos\lambda \sin M - \sin\lambda \cos M$$
$$\sin E \sin(\lambda - \Gamma) = \sin(M - \lambda)$$
whence $M = \lambda + \arcsin(\sin E \sin(\lambda - \Gamma))$.

Alternatively, we can examine the geometry of the deferent-epicycle model.

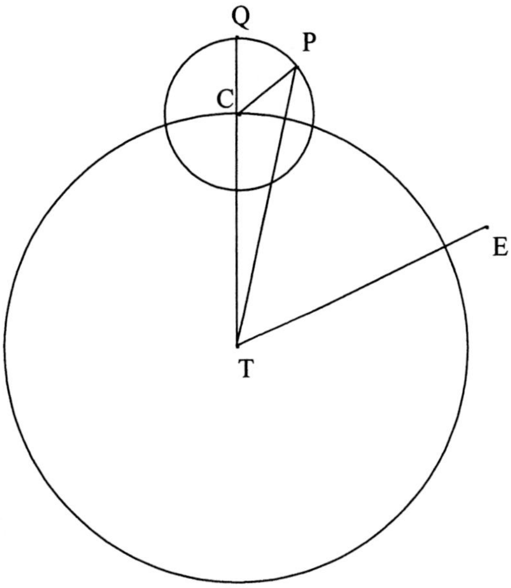

Fig. A.1 Mean and true Sun

In this model of the Sun's motion the triangle TCP defines the relation between the mean and true positions of the Sun at C and P respectively, measured from the origin TE directed to the Vernal Equinox. The internal angles are $\angle CTP = M - \lambda$, $\angle TPC = \lambda - \Gamma$, and the external angle at C is $\angle QCP = M - \Gamma$. The sine relations in the triangle give

$$\frac{\sin(M - \lambda)}{CP} = \frac{\sin(\lambda - \Gamma)}{TC},$$

$$\sin(M - \lambda) = \frac{CP}{TC}\sin(\lambda - \Gamma), \ \sin(M - \lambda) = \sin E \sin(\lambda - \Gamma).$$

Appendix B

TABULATION OF SUCCESSIVE DIFFERENCES IN OBLIQUE ASCENSION TABLES

In each of the followings tables B.1-B.16 the ascensional differences for each decan are shown, together with those from the *Almagest* for comparison. The degree by degree differences within the decan are shown in each row, so that one can see how these intervals are weighted at either the start or the end of each decan. In the rows where the interpolation is weighted at the start the ascensional difference is shaded. Entries in bold face mark either a disagreement with the ascensional differences in the *Almagest*, or some clear inconsistency within the successive differences.

long	Alm.	MS F	differences									
0	7;58	7;58	0;47	0;47	**0;47**	**0;49**	0;48	0;48	0;48	0;48	0;48	0;48
10	8;5	8;5	0;48	0;48	0;48	0;48	0;48	0;49	0;49	0;49	0;49	0;49
20	8;17	8;17	0;49	0;49	0;49	0;50	0;50	0;50	0;50	0;50	0;50	0;50
30	8;36	8;36	0;51	0;51	0;51	0;51	0;52	0;52	0;52	0;52	0;52	0;52
40	9;1	**9;0**	0;54	0;54	0;54	0;54	0;54	0;54	0;54	0;54	0;54	0;54
50	9;27	**9;28**	**0;57**	**0;56**	**0;56**	0;57	0;57	0;57	0;57	0;57	0;57	0;57
60	9;56	9;56	0;59	0;59	0;59	0;59	1;0	1;0	1;0	1;0	1;0	1;0
70	10;23	10;23	1;2	1;2	1;2	1;2	1;2	1;2	1;2	1;2	1;3	1;4
80	10;47	10;47	1;4	1;4	1;4	1;5	1;5	1;5	1;5	1;5	1;5	1;5
90	11;3	11;3	1;6	1;6	1;6	1;6	1;6	1;6	1;6	1;7	1;7	1;7
100	11;11	11;11	1;7	1;7	1;7	1;7	1;7	1;7	1;7	1;7	1;7	1;8
110	11;12	11;12	1;8	1;8	1;7	1;7	1;7	1;7	1;7	1;7	1;7	1;7
120	11;5	11;5	1;7	1;7	1;7	1;7	1;7	1;6	1;6	1;6	1;6	1;6
130	10;55	10;55	1;6	1;6	1;6	1;6	1;6	1;5	1;5	1;5	1;5	1;5
140	10;44	10;44	1;5	1;5	1;5	1;5	1;4	1;4	1;4	1;4	1;4	1;4
150	10;33	10;33	1;4	1;4	1;4	1;3	1;3	1;3	1;3	1;3	1;3	1;3
160	10;25	**10;27**	1;3	1;3	1;3	1;3	1;3	1;3	1;3	1;2	1;2	1;2
170	10;22	**10;20**	1;2	1;2	1;2	1;2	1;2	1;2	1;2	1;2	1;2	1;2
180	10;22	10;20	1;2	1;2	1;2	1;2	1;2	1;2	1;2	1;2	1;2	1;2
190	10;25	10;27	1;2	1;2	1;2	**1;2**	**1;2**	**1;2**	**1;2**	**1;4**	**1;5**	**1;4**
200	10;33	10;33	1;3	1;3	1;3	1;3	1;3	1;3	1;3	1;4	1;4	1;4
210	10;44	10;44	1;4	1;4	1;4	1;4	1;4	1;4	1;5	1;5	1;5	1;5
220	10;55	10;55	1;5	1;5	1;5	1;5	1;5	1;6	1;6	1;6	1;6	1;6
230	11;5	11;5	1;6	1;6	1;6	1;6	1;6	1;7	1;7	1;7	1;7	1;7
240	11;12	11;12	1;7	1;7	1;7	1;7	1;7	1;7	1;7	1;7	1;8	1;8
250	11;11	11;11	1;8	1;7	1;7	1;7	1;7	1;7	1;7	1;7	1;7	1;7
260	11;3	11;3	1;7	1;7	1;7	1;6	1;6	1;6	1;6	1;6	1;6	1;6
270	10;47	10;47	1;5	1;5	1;5	1;5	1;5	1;5	1;5	1;4	1;4	1;4
280	10;23	10;23	1;3	1;3	1;3	1;2	1;2	1;2	1;2	1;2	1;2	1;2
290	9;56	9;56	**1;2**	**0;58**	1;0	1;0	1;0	1;0	0;59	0;59	0;59	0;59
300	9;27	9;27	0;57	0;57	0;57	0;57	0;57	0;57	0;57	0;56	0;56	0;56
310	9;1	9;1	0;55	0;54	0;54	0;54	0;54	0;54	0;54	0;54	0;54	0;54
320	8;36	8;36	0;52	0;52	0;52	0;52	0;52	0;52	0;51	0;51	0;51	0;51
330	8;17	8;17	**0;21**	**1;19**	0;50	0;50	0;50	0;50	0;50	0;49	0;49	0;49
340	8;5	8;5	0;49	0;49	0;49	0;49	0;49	0;48	0;48	0;48	0;48	0;48
350	7;58	7;58	0;48	0;48	0;48	0;48	0;48	0;48	0;48	0;48	0;47	0;47

Table B.1. MS: F, climate 1

long	Alm.	MS F	differences									
0	7;23	7;23	0;44	0;44	0;44	0;44	0;44	0;44	0;44	0;45	0;45	0;45
10	7;29	7;30	0;45	0;45	0;45	0;45	0;45	0;45	0;45	0;45	0;45	0;45
20	7;45	7;44	0;46	0;46	0;46	0;46	0;46	0;46	0;47	0;47	0;47	0;47
30	8;4	8;4	0;48	0;48	0;48	0;48	0;48	0;48	0;49	0;49	0;49	0;49
40	8;31	**8;30**	0;51	0;51	0;51	0;51	0;51	0;51	0;51	0;51	0;51	**0;51**
50	9;3	**9;4**	**0;55**	0;54	0;54	0;54	0;54	0;54	0;54	0;55	0;55	0;55
60	9;26	**9;36**	0;57	0;57	0;57	0;57	0;58	0;58	0;58	0;58	0;58	0;58
70	10;11	10;11	1;1	1;1	1;1	1;1	1;1	1;1	1;1	1;1	1;1	1;2
80	10;43	10;43	1;4	1;4	1;4	1;4	1;4	1;4	1;4	**1;9**	**1;1**	1;5
90	11;7	11;7	1;6	1;6	1;6	1;7	1;7	1;7	1;7	1;7	1;7	1;7
100	11;23	11;23	1;8	1;8	1;8	1;8	1;8	1;8	1;8	1;9	1;9	1;9
110	11;32	11;32	1;9	1;9	1;9	1;9	**1;10**	**1;10**	1;9	1;9	1;9	1;9
120	11;29	**11;30**	1;9	1;9	1;9	1;9	1;9	1;9	1;9	1;9	1;9	1;9
130	11;25	**11;24**	**1;8**	**1;10**	1;9	1;9	1;8	1;8	1;8	1;8	1;8	1;8
140	11;16	11;16	1;8	1;8	1;8	1;8	1;8	1;8	1;7	1;7	1;7	1;7
150	11;5	11;5	1;7	1;7	1;7	1;7	1;7	1;6	1;6	1;6	1;6	1;6
160	11;1	**11;0**	1;6	1;6	1;6	1;6	1;6	1;6	1;6	1;6	1;6	1;6
170	10;57	**10;58**	1;6	1;6	1;6	1;6	1;6	1;6	1;6	1;6	1;5	1;5
180	10;57	10;58	1;5	1;5	1;6	1;6	1;6	1;6	1;6	1;6	1;6	1;6
190	11;1	11;0	1;6	1;6	1;6	1;6	1;6	1;6	1;6	1;6	1;6	1;6
200	11;5	11;5	1;6	1;6	1;6	1;6	1;6	1;7	1;7	1;7	1;7	1;7
210	11;16	11;16	1;7	1;7	1;7	1;7	1;8	1;8	1;8	1;8	1;8	1;8
220	11;25	**11;24**	1;8	1;8	1;8	1;8	1;8	1;8	1;9	1;9	1;9	1;9
230	11;29	**11;30**	1;9	1;9	1;9	1;9	1;9	1;9	1;9	1;9	1;9	1;9
240	11;32	11;32	1;9	1;9	1;9	1;9	**1;10**	**1;10**	1;9	1;9	1;9	1;9
250	11;23	11;23	1;9	1;9	1;9	1;8	1;8	1;8	1;8	1;8	1;8	1;8
260	11;7	11;7	1;7	1;7	1;7	1;7	1;7	1;7	1;7	1;6	1;6	1;6
270	10;43	10;43	1;5	1;5	1;5	1;4	1;4	1;4	1;4	1;4	1;4	1;4
280	10;11	10;11	1;2	1;1	1;1	1;1	1;1	1;1	1;1	1;1	1;1	1;1
290	9;26	**9;36**	0;58	0;58	0;58	0;58	0;58	0;58	0;57	0;57	0;57	0;57
300	9;3	9;3	0;55	0;55	0;55	0;54	0;54	0;54	0;54	0;54	0;54	0;54
310	8;31	8;31	0;52	0;51	0;51	0;51	0;51	0;51	0;51	0;51	0;51	0;51
320	8;4	8;4	0;49	0;49	0;49	0;49	0;48	0;48	0;48	**0;49**	**0;48**	**0;47**
330	7;25	7;44	0;47	0;47	0;47	0;47	0;46	0;46	0;46	0;46	0;46	0;46
340	7;29	7;30	0;45	0;45	0;45	0;45	0;45	0;45	0;45	0;45	0;45	0;45
350	7;23	7;23	0;45	0;45	0;45	0;44	0;44	0;44	0;44	0;44	0;44	0;44

Table B.2. MS: F, climate 2

long	Alm.	MS F	differences									
0	6;48	6;48	0;40	0;40	0;41	0;41	0;41	0;41	0;41	0;41	0;41	0;41
10	6;55	6;55	0;41	0;41	0;41	0;41	0;41	0;42	0;42	0;42	0;42	0;42
20	7;10	7;10	0;43	0;43	0;43	0;43	0;43	0;43	0;43	0;43	0;43	0;43
30	7;23	**7;34**	0;45	0;45	0;45	0;45	0;45	0;45	0;45	0;46	0;46	**0;47**
40	8;2	**8;1**	**0;47**	0;48	0;48	0;48	0;48	0;48	0;48	0;48	0;49	0;49
50	8;37	8;37	0;51	0;51	0;51	0;52	0;52	0;52	0;52	0;52	0;52	0;52
60	9;17	9;17	0;55	0;55	0;55	0;56	0;56	0;56	0;56	0;56	0;56	0;56
70	10;0	10;0	1;0	1;0	1;0	1;0	1;0	1;0	1;0	1;0	1;0	1;0
80	10;38	10;38	1;3	1;3	1;4	1;4	1;4	1;4	1;4	1;4	**1;3**	**1;5**
90	11;12	11;12	1;7	1;7	1;7	1;7	1;7	1;7	1;7	1;7	**1;7**	**1;9**
100	11;34	11;34	1;9	1;9	1;9	1;9	1;9	1;9	1;10	1;10	1;10	1;10
110	11;51	11;51	1;11	1;11	1;11	1;11	1;11	1;11	1;11	1;11	1;12	1;11
120	11;55	**11;59**	**1;13**	1;12	1;12	1;12	1;12	1;12	1;12	1;12	1;11	1;11
130	11;54	**11;50**	1;11	1;11	1;11	1;11	1;11	1;11	1;11	1;11	1;11	1;11
140	11;47	11;47	1;11	1;11	1;11	1;11	1;11	1;11	1;11	1;10	1;10	1;10
150	11;40	11;40	1;10	1;10	1;10	1;10	1;10	1;10	1;10	1;10	1;10	1;10
160	11;35	**11;37**	1;10	1;10	1;10	1;10	1;10	1;10	1;10	1;9	1;9	1;9
170	11;32	**11;30**	1;9	1;9	1;9	1;9	1;9	1;9	1;9	1;9	1;9	1;9
180	11;32	**11;30**	1;9	1;9	1;9	1;9	1;9	1;9	1;9	1;9	1;9	1;9
190	11;35	**11;37**	1;9	1;9	1;9	1;10	1;10	1;10	1;10	1;10	1;10	1;10
200	11;40	11;40	1;10	1;10	1;10	1;10	1;10	1;10	1;10	1;10	1;10	1;10
210	11;47	11;47	1;10	1;10	1;10	1;11	1;11	1;11	1;11	1;11	1;11	1;11
220	11;54	**11;50**	1;11	1;11	1;11	1;11	1;11	1;11	1;11	1;11	1;11	1;11
230	11;55	**11;59**	1;11	1;11	1;12	1;12	1;12	1;12	1;12	1;12	1;12	**1;13**
240	11;51	11;51	1;11	1;12	1;11	1;11	1;11	1;11	1;11	1;11	1;11	1;11
250	11;34	11;34	1;10	1;10	1;10	1;10	1;9	1;9	1;9	1;9	1;9	1;9
260	11;12	11;12	1;8	1;8	1;7	1;7	1;7	1;7	1;7	1;7	1;7	1;7
270	10;38	10;38	1;4	1;4	1;4	1;4	1;4	1;4	1;4	1;4	1;3	1;3
280	10;0	10;0	1;0	1;0	1;0	1;0	1;0	1;0	1;0	1;0	1;0	1;0
290	9;17	9;17	0;56	0;56	0;56	0;56	0;56	0;56	0;56	0;55	0;55	0;55
300	8;37	8;37	0;52	0;52	0;52	0;52	0;52	0;52	0;52	0;51	0;51	0;51
310	8;2	8;2	**0;51**	**0;47**	0;48	0;48	0;48	0;48	0;48	0;48	0;48	0;48
320	7;23	**7;33**	**0;48**	**0;44**	0;46	0;45	0;45	0;45	0;45	0;45	0;45	0;45
330	7;10	7;10	0;43	0;43	0;43	0;43	0;43	0;43	0;43	0;43	0;43	0;43
340	6;55	6;55	0;42	0;42	0;42	0;42	0;42	0;41	0;41	0;41	0;41	0;41
350	6;48	6;48	0;41	0;41	0;41	0;41	0;41	0;41	0;41	**0;36**	**0;45**	0;40

Table B.3. M: F, climate 3

long	Alm.	MS F	differences									
0	6;14	6;14	0;37	0;37	0;37	0;37	0;37	0;37	0;38	0;38	0;38	0;38
10	6;21	6;21	0;38	0;38	0;38	0;38	0;38	0;38	0;38	0;38	0;38	0;39
20	6;37	6;37	0;39	0;39	0;39	0;40	0;40	0;40	0;40	0;40	0;40	0;40
30	7;1	7;1	0;42	0;42	0;42	0;42	0;42	0;42	0;42	0;42	0;42	0;43
40	7;23	**7;33**	0;45	0;45	0;45	0;45	0;45	0;45	0;45	**0;45**	**0;47**	0;46
50	8;12	8;12	0;49	0;49	0;49	0;49	0;49	0;49	0;49	0;49	0;50	0;50
60	8;56	9;56	0;53	0;53	0;53	0;53	0;54	0;54	0;54	0;54	0;54	**1;54**
70	9;47	8;47	**359;58**	0;58	**0;57**	**0;59**	**1;0**	0;59	0;59	0;59	0;59	0;59
80	10;34	10;34	1;3	1;3	1;3	1;3	1;3	1;3	1;4	1;4	1;4	1;4
90	11;16	11;16	1;7	1;7	1;7	1;7	1;8	1;8	1;8	1;8	1;8	1;8
100	11;47	11;47	1;10	1;10	1;10	1;11	1;11	1;11	1;11	1;11	1;11	1;11
110	12;12	12;12	1;13	1;13	1;13	1;13	1;13	1;13	1;13	1;13	1;14	1;14
120	12;20	12;20	1;14	1;14	1;14	1;14	1;14	1;14	1;14	1;14	1;14	1;14
130	12;23	12;23	1;15	1;15	1;15	1;14	1;14	1;14	1;14	1;14	1;14	1;14
140	12;19	12;20	1;14	1;14	1;14	1;14	1;14	1;14	1;14	1;14	1;14	1;14
150	12;13	12;11	1;14	1;13	1;13	1;13	1;13	1;13	1;13	1;13	1;13	1;13
160	12;9	12;10	1;13	1;13	1;13	1;13	1;13	1;13	1;13	1;13	1;13	1;13
170	12;6	12;6	1;13	1;13	1;13	1;13	1;13	1;13	1;12	1;12	1;12	1;12
180	12;6	12;6	1;12	1;12	1;12	1;12	1;13	1;13	1;13	1;13	1;13	1;13
190	12;9	**12;10**	1;13	1;13	1;13	1;13	1;13	1;13	1;13	1;13	1;13	1;13
200	12;13	**12;11**	1;13	1;13	1;13	1;13	1;13	1;13	1;13	1;13	1;13	1;14
210	12;19	12;20	1;14	1;14	1;14	1;14	1;14	1;14	1;14	1;14	1;14	1;14
220	12;23	12;23	1;14	1;14	1;14	1;14	1;14	1;14	1;14	1;15	1;15	1;15
230	12;20	12;20	1;14	1;14	1;14	1;14	1;14	1;14	1;14	1;14	1;14	1;14
240	12;12	12;12	1;14	1;14	**1;14**	**1;12**	1;13	1;13	1;13	1;13	1;13	1;13
250	11;47	11;47	1;11	1;11	1;11	1;11	1;11	1;11	1;11	1;10	1;10	1;10
260	11;16	11;16	**1;10**	1;8	**1;7**	**1;7**	1;8	1;8	1;7	1;7	1;7	1;7
270	10;34	10;34	1;4	1;4	1;4	1;4	1;3	1;3	1;3	1;3	1;3	1;3
280	9;47	9;47	0;59	0;59	0;59	0;59	0;59	0;59	0;59	**0;59**	**0;57**	0;58
290	8;56	8;56	0;54	0;54	0;54	0;54	0;54	0;54	0;53	0;53	0;53	0;53
300	8;12	**8;9**	0;50	0;50	0;49	0;49	0;49	0;49	0;49	0;49	0;49	**0;46**
310	7;23	**7;36**	**0;49**	0;46	0;46	0;45	0;45	0;45	0;45	0;45	0;45	0;45
320	7;1	7;1	0;43	0;42	0;42	0;42	0;42	0;42	0;42	0;42	0;42	0;42
330	6;37	6;37	0;40	0;40	0;40	0;40	**0;39**	**0;39**	**0;40**	**0;40**	**0;40**	0;39
340	6;21	6;21	0;39	0;38	0;38	0;38	0;38	0;38	0;38	0;38	0;38	0;38
350	6;14	6;14	0;38	0;38	0;38	0;38	0;37	0;37	0;37	0;37	0;37	0;37

Table B.4. MS: F, climate 4

long	Alm.	MS F	differences									
0	5;40	5;40	0;34	0;34	0;34	0;34	0;34	0;34	0;34	0;34	0;34	0;34
10	5;47	5;47	0;34	0;34	0;34	0;35	0;35	0;35	0;35	0;35	0;35	0;35
20	6;5	6;5	0;36	0;36	0;36	0;36	0;36	0;37	0;37	0;37	0;37	0;37
30	6;29	6;29	0;38	0;39	0;39	0;39	0;39	0;39	0;39	0;39	0;39	0;39
40	7;4	7;4	0;42	0;42	0;42	0;42	0;42	0;42	0;43	0;43	0;43	0;43
50	7;26	**7;46**	0;46	0;46	0;46	0;46	0;47	0;47	0;47	0;47	0;47	0;47
60	8;38	8;38	**0;50**	**0;52**	0;52	0;52	0;52	0;52	0;52	0;52	0;52	0;52
70	9;32	9;32	0;57	0;57	0;57	0;57	0;57	0;57	0;57	0;57	0;58	0;58
80	10;29	10;29	1;2	1;3	1;3	1;3	1;3	1;3	1;3	1;3	1;3	1;3
90	11;21	11;21	1;8	1;8	1;8	1;8	1;8	1;8	1;8	1;8	1;8	1;9
100	12;2	12;0	1;12	1;12	1;12	1;12	1;12	1;12	1;12	1;12	1;12	1;12
110	12;30	**12;32**	**1;17**	**1;15**	1;15	1;15	1;15	1;15	1;15	1;15	1;15	1;15
120	12;46	12;46	1;16	1;16	1;16	1;16	1;17	1;17	1;17	**1;21**	**1;13**	1;17
130	12;52	**12;53**	1;17	1;17	1;17	1;17	1;17	1;17	1;17	1;18	1;18	1;18
140	12;51	**12;52**	1;18	1;18	1;17	1;17	1;17′	1;17	1;17	1;17	1;17	1;17
150	12;45	**12;46**	1;17	1;17	1;17	1;17	1;17	1;17	1;16	1;16	1;16	1;16
160	12;43	**12;40**	1;16	1;16	1;16	1;16	1;16	1;16	1;16	1;16	1;16	1;16
170	12;40	12;40	1;16	1;16	1;16	1;16	1;16	1;16	1;16	1;16	1;16	1;16
180	12;40	12;40	1;16	1;16	1;16	1;16	1;16	1;16	1;16	1;16	1;16	1;16
190	12;43	**12;40**	1;16	1;16	1;16	1;16	1;16	1;16	1;16	1;16	1;16	1;16
200	12;45	**12;46**	1;16	1;16	1;16	1;16	1;17	1;17	1;17	1;17	1;17	1;17
210	12;51	**12;52**	1;17	1;17	1;17	1;17	1;17	1;17	1;17	1;17	1;18	1;18
220	12;52	**12;53**	1;18	1;18	1;18	1;17	1;17	1;17	1;17	1;17	1;17	1;17
230	12;46	12;46	1;17	1;17	1;17	1;17	1;17	1;17	1;16	1;16	1;16	1;16
240	12;30	12;30	1;15	1;15	1;15	1;15	1;15	1;15	1;15	1;15	1;15	1;15
250	12;2	12;2	1;15	1;11	1;12	1;12	1;12	1;12	1;12	1;12	1;12	1;12
260	11;21	11;21	1;9	1;8	1;8	1;8	1;8	1;8	1;8	1;8	1;8	1;8
270	10;29	10;29	1;3	1;3	1;3	1;3	1;3	1;3	1;3	1;3	1;3	1;2
280	9;32	9;32	0;58	0;58	0;57	0;57	0;57	0;57	0;57	0;57	0;57	0;57
290	8;38	**7;38**	0;52	0;52	**1;39**	**0;5**	0;52	0;52	0;52	0;52	0;51	**359;51**
300	7;26	**8;46**	**1;41**	**0;53**	0;47	0;47	0;47	0;47	0;46	0;46	0;46	0;46
310	7;4	7;4	0;43	0;43	0;43	0;43	0;42	0;42	0;42	0;42	0;42	0;42
320	6;29	6;29	0;39	0;39	0;39	0;39	0;39	0;39	0;39	0;39	0;39	0;38
330	6;5	6;5	0;37	0;37	0;37	0;37	0;37	0;36	0;36	0;36	0;36	0;36
340	5;47	5;47	0;35	0;35	0;35	0;35	0;35	0;35	0;35	0;34	0;34	0;34
350	5;40	5;40	0;34	0;34	0;34	0;34	0;34	0;34	0;34	0;34	**0;28**	**0;40**

Table B.5. MS: F, climate 5

ng	Alm.	MS F	differences									
0	5;8	5;8	0;30	0;30	0;31	0;31	0;31	0;31	0;31	0;31	0;31	0;31
10	5;14	5;14	0;31	0;31	0;31	0;31	0;31	0;31	0;32	0;32	0;32	0;32
20	5;33	5;33	0;33	0;33	0;33	0;33	0;33	0;33	0;33	0;34	0;34	0;34
30	5;58	5;58	0;35	0;35	0;36	0;36	0;36	0;36	0;36	0;36	0;36	0;36
40	6;34	6;34	0;39	0;39	0;39	0;39	0;39	0;39	0;40	0;40	0;40	0;40
50	7;20	7;20	0;44	0;44	0;44	0;44	0;44	0;44	0;44	0;44	0;44	0;44
60	8;15	8;15	0;49	0;49	0;49	0;49	0;49	0;50	0;50	0;50	0;50	0;50
70	9;19	9;19	0;55	**0;55**	**0;55**	**0;58**	0;56	0;56	0;56	0;56	0;56	0;56
80	10;24	10;24	1;2	1;2	1;2	1;2	1;2	1;2	1;3	1;3	1;3	1;3
90	11;26	11;26	1;8	1;8	1;8	1;8	1;9	1;9	1;9	1;9	1;9	1;9
100	12;15	12;15	1;13	1;13	1;13	1;13	1;13	1;14	1;14	1;14	1;14	1;14
110	12;53	12;53	1;17	1;17	1;17	1;17	1;17	1;17	1;17	1;18	1;18	1;18
120	13;12	13;12	1;19	1;19	1;19	1;19	1;19	1;19	1;19	1;19	1;20	1;20
130	13;22	13;22	1;20	1;20	1;20	1;20	1;20	1;20	1;20	1;20	1;21	1;21
140	13;22	**13;23**	**1;22**	**1;20**	1;21	1;20	1;20	1;20	1;20	1;20	1;20	1;20
150	13;17	**13;20**	1;20	1;20	1;20	1;20	1;20	1;20	1;20	1;20	1;20	1;20
160	13;16	**13;14**	1;20	1;20	1;20	1;20	1;19	1;19	1;19	1;19	1;19	1;19
170	13;12	**13;10**	1;19	1;19	**0;59**	**1;39**	1;19	1;19	1;19	1;19	1;19	1;19
180	13;12	**13;10**	1;19	1;19	1;19	1;19	1;19	1;19	1;19	1;19	1;19	1;19
190	13;16	**13;14**	1;19	1;19	1;19	1;19	1;19	1;19	1;20	1;20	1;20	1;20
200	13;17	**13;20**	1;20	1;20	1;20	1;20	1;20	1;20	1;20	1;20	1;20	1;20
210	13;22	**13;23**	1;20	1;20	1;20	1;20	1;20	1;20	1;20	1;21	1;21	1;21
220	13;22	13;22	1;21	1;21	1;20	1;20	1;20	1;20	1;20	1;20	1;20	1;20
230	13;12	13;12	1;20	1;20	1;19	1;19	1;19	1;19	1;19	1;19	1;19	1;19
240	12;53	12;53	1;18	1;18	1;18	1;17	1;17	1;17	1;17	1;17	1;17	1;17
250	12;15	12;15	1;14	1;14	1;14	1;14	1;14	1;13	1;13	1;13	1;13	1;13
260	11;26	11;26	1;9	1;9	1;9	1;9	1;9	1;9	1;8	1;8	1;8	1;8
270	10;24	10;24	**0;3**	**2;3**	1;3	1;3	1;2	1;2	1;2	1;2	1;2	1;2
280	9;19	9;19	0;56	0;56	0;56	0;56	0;56	0;56	0;56	0;56	0;56	0;55
290	8;15	8;15	0;50	0;50	0;50	0;50	0;50	0;49	0;49	0;49	0;49	0;49
300	7;20	7;20	0;44	0;44	0;44	0;44	0;44	0;44	0;44	0;44	0;44	0;44
310	6;34	6;34	0;40	0;40	0;40	0;40	0;39	0;39	0;39	0;39	0;39	0;39
320	5;58	5;58	0;36	0;36	0;36	0;36	0;36	0;36	0;36	0;36	**0;36**	**0;34**
330	5;33	5;33	0;34	0;34	0;34	0;33	0;33	0;33	0;33	0;33	0;33	0;33
340	5;14	5;14	0;32	0;32	0;32	0;32	0;31	0;31	0;31	0;31	0;31	0;31
350	5;8	5;8	0;31	0;31	**0;32**	**0;30**	0;31	0;31	0;31	0;31	0;30	0;30

Table B.6. MS: F, climate 6

long	Alm.	MS F	differences									
0	4;36	4;36	0;27	0;27	0;27	0;27	0;28	0;28	0;28	0;28	0;28	0;28
10	4;43	4;43	0;28	0;28	0;28	0;28	0;28	0;28	0;28	0;29	0;29	0;29
20	5;1	5;1	0;30	0;30	0;30	0;30	0;30	0;30	0;30	0;30	0;30	0;31
30	5;26	5;26	0;32	0;32	0;32	0;32	0;33	0;33	0;33	0;33	0;33	0;33
40	6;5	6;5	0;36	0;36	0;36	0;36	0;36	0;37	0;37	0;37	0;37	0;37
50	6;52	6;52	0;41	0;41	0;41	0;41	**0;40**	**0;42**	0;41	0;41	0;42	0;42
60	7;53	7;53	0;47	0;47	0;47	0;47	0;47	0;47	0;47	0;48	0;48	0;48
70	9;5	9;5	0;54	0;54	0;54	0;54	0;54	0;55	0;55	0;55	0;55	0;55
80	10;19	10;19	1;1	1;2	1;2	1;2	1;2	1;2	1;2	1;2	1;2	1;2
90	11;31	11;31	1;9	1;9	1;9	1;9	1;9	1;9	1;9	1;9	1;9	1;10
100	12;29	12;29	1;14	1;15	1;15	1;15	1;15	1;15	1;15	1;15	1;15	1;15
110	13;15	13;15	1;19	1;19	1;19	1;19	1;19	1;20	1;20	1;20	1;20	1;20
120	13;40	13;40	1;22	1;22	1;22	1;22	1;22	1;22	1;22	1;22	1;22	1;22
130	13;51	**13;50**	1;23	**1;24**	**1;22**	1;23	1;23	1;23	1;23	1;23	1;23	1;23
140	13;54	**13;55**	1;23	1;23	1;23	1;23	1;23	1;24	1;24	1;24	1;24	1;24
150	13;49	**13;52**	1;24	1;24	1;23	1;23	1;23	1;23	1;23	1;23	1;23	1;23
160	13;47	13;48	1;23	1;23	1;23	1;23	1;23	1;23	1;23	1;23	1;22	1;22
170	13;44	**13;40**	1;22	1;22	1;22	1;22	1;22	1;22	1;22	1;22	1;22	1;22
180	13;44	**13;40**	1;22	1;22	1;22	1;22	1;22	1;22	1;22	1;22	1;22	1;22
190	13;47	**13;48**	1;22	1;22	1;23	1;23	1;23	1;23	1;23	1;23	1;23	1;23
200	13;49	**13;52**	1;23	1;23	1;23	1;23	1;23	1;23	1;23	1;23	1;24	1;24
210	13;54	**13;55**	1;24	1;24	1;24	1;24	1;24	1;23	1;23	1;23	1;23	1;23
220	13;51	**13;50**	1;23	1;23	1;23	1;23	1;23	1;23	1;23	1;23	1;23	1;23
230	13;40	13;40	1;22	1;22	1;22	1;22	1;22	1;22	1;22	1;22	1;22	1;22
240	13;15	13;15	1;20	1;20	1;20	1;20	1;20	1;19	1;19	1;19	1;19	1;19
250	12;29	12;29	1;15	1;15	1;15	1;15	1;15	1;15	1;15	1;15	1;15	1;14
260	11;31	11;31	1;10	1;9	1;9	1;9	1;9	1;9	1;9	1;9	1;9	1;9
270	10;19	10;19	1;2	1;2	1;2	1;2	1;2	1;2	1;2	1;2	1;2	1;1
280	9;5	9;5	0;55	0;55	0;55	0;55	0;55	0;54	0;54	0;54	0;54	0;54
290	7;53	7;53	0;48	0;48	0;48	**0;48**	**0;46**	0;47	0;47	0;47	0;47	0;47
300	6;52	6;52	0;42	0;42	0;41	0;41	0;41	0;41	0;41	0;41	0;41	0;41
310	6;5	6;5	0;37	0;37	0;37	0;37	0;37	0;36	0;36	0;36	0;36	0;36
320	5;26	5;26	0;33	0;33	0;33	0;33	0;33	0;33	0;32	0;32	0;32	0;32
330	5;1	5;1	0;31	0;30	0;30	0;30	0;30	0;30	0;30	0;30	0;30	0;30
340	4;43	4;43	0;29	0;29	0;29	0;28	0;28	0;28	0;28	0;28	0;28	0;28
350	4;36	4;36	0;28	**359;28**	**1;28**	0;28	0;28	0;28	0;27	0;27	**0;28**	**0;26**

Table B.7. MS: F, climate 7

MS: v

	Alm	v	differences									
0	7;58	7;58	0;47	0;47	0;48	0;48	0;48	0;48	0;48	0;48	0;48	0;48
10	8;5	8;5	0;48	0;48	0;48	0;48	0;48	0;49	0;49	0;49	0;49	0;49
20	8;17	8;17	0;49	0;49	0;49	0;50	0;50	0;50	0;50	0;50	0;50	0;50
30	8;36	8;36	0;51	0;51	0;51	0;51	0;52	0;52	0;52	0;52	0;52	0;52
40	9;1	9;1	0;54	0;54	0;54	0;54	0;54	0;54	0;54	0;54	0;54	0;55
50	9;27	9;27	0;56	0;56	0;56	0;57	0;57	0;57	0;57	0;57	0;57	0;57
60	9;56	9;56	0;59	0;59	0;59	0;59	1;0	1;0	1;0	1;0	1;0	1;0
70	10;23	10;23	1;2	1;2	1;2	1;2	1;2	1;2	1;2	**1;2**	**1;7**	**1;0**
80	10;47	10;47	1;4	1;4	1;4	1;5	1;5	1;5	1;5	1;5	1;5	1;5
90	11;3	11;3	1;6	1;6	1;6	1;6	1;6	1;6	1;6	1;7	1;7	1;7
100	11;11	11;11	1;7	1;7	1;7	1;7	1;7	1;7	1;7	1;7	1;7	1;8
110	11;12	11;12	1;8	1;8	1;7	1;7	1;7	1;7	1;7	1;7	1;7	1;7
120	11;5	11;5	1;7	1;7	1;7	1;7	1;7	1;6	1;6	1;6	1;6	1;6
130	10;55	10;55	1;6	1;6	1;6	1;6	1;6	1;5	1;5	1;5	1;5	1;5
140	10;44	10;44	1;5	1;5	1;5	1;5	1;4	1;4	1;4	1;4	1;4	1;4
150	10;33	10;33	1;4	1;4	1;4	1;3	1;3	1;3	1;3	1;3	1;3	1;3
160	10;25	**10;27**	1;3	1;3	1;3	1;3	1;3	1;3	1;3	1;2	1;2	1;2
170	10;22	**10;20**	1;2	1;2	1;2	1;2	1;2	1;2	1;2	1;2	1;2	1;2
180	10;22	**10;20**	1;2	1;2	1;2	1;2	1;2	1;2	1;2	1;2	1;2	1;2
190	10;25	**10;27**	1;2	1;2	1;2	1;2	1;2	1;2	1;2	**1;4**	**1;5**	**1;4**
200	10;33	10;33	1;3	1;3	1;3	1;3	1;3	1;3	1;3	1;4	1;4	1;4
210	10;44	10;44	1;4	1;4	1;4	1;4	1;4	1;4	1;5	1;5	1;5	1;5
220	10;55	10;55	1;5	1;5	1;5	1;5	1;5	1;6	1;6	1;6	1;6	1;6
230	11;5	11;5	1;6	1;6	1;6	1;6	1;6	1;7	1;7	1;7	1;7	1;7
240	11;12	11;12	1;7	1;7	1;7	1;7	1;7	1;7	1;7	1;7	1;8	1;8
250	11;11	11;11	1;8	1;7	1;7	1;7	1;7	1;7	1;7	1;7	1;7	1;7
260	11;3	11;3	1;7	1;7	1;7	1;6	1;6	1;6	1;6	1;6	1;6	1;6
270	10;47	10;47	1;5	1;5	1;5	1;5	1;5	1;5	1;5	1;4	1;4	1;4
280	10;23	10;23	1;3	1;3	1;3	1;2	1;2	1;2	1;2	1;2	1;2	1;2
290	9;56	9;56	**1;2**	**0;58**	1;0	1;0	1;0	1;0	0;59	0;59	0;59	0;59
300	9;27	9;27	0;57	0;57	0;57	0;57	0;57	0;57	0;57	0;56	0;56	0;56
310	9;1	9;1	0;55	0;54	0;54	0;54	0;54	0;54	0;54	0;54	0;54	0;54
320	8;36	8;36	0;52	0;52	0;52	0;52	0;52	0;52	0;51	0;51	0;51	0;51
330	8;17	8;17	**0;21**	**1;19**	0;50	0;50	0;50	0;50	0;50	0;49	0;49	0;49
340	8;5	8;5	0;49	0;49	0;49	0;49	0;49	0;48	0;48	0;48	0;46	0;50
350	7;58	7;58	0;48	0;48	0;48	0;48	0;48	0;48	0;48	0;48	0;47	0;47

Table B.8. MS: v, climate 1

	Alm.	v	differences									
0	7;23	7;23	0;44	0;44	0;44	0;44	0;44	0;44	0;44	0;45	0;45	0;45
10	7;29	7;30	0;45	0;45	0;45	0;45	0;45	0;45	0;45	0;45	0;45	0;45
20	7;45	7;44	0;46	0;46	0;46	0;46	0;46	0;46	0;47	0;47	0;47	0;47
30	8;4	8;4	0;48	**0;58**	**0;38**	0;48	0;48	0;48	0;49	0;49	0;49	0;49
40	8;31	8;31	0;51	0;51	0;51	0;51	0;51	0;51	0;51	0;51	0;51	0;52
50	9;3	9;3	0;54	0;54	0;54	0;54	0;54	0;54	0;54	0;55	0;55	0;55
60	9;26	**9;36**	0;57	0;57	0;57	0;57	0;58	0;58	0;58	0;58	0;58	0;58
70	10;11	10;11	1;1	1;1	1;1	1;1	1;1	1;1	1;1	1;1	1;1	1;2
80	10;43	10;43	1;4	1;4	1;4	1;4	1;4	1;4	1;4	1;5	1;5	1;5
90	11;7	11;7	1;6	1;6	1;6	1;7	1;7	1;7	1;7	1;7	1;7	1;7
100	11;23	11;23	1;8	1;8	1;8	1;8	1;8	1;8	1;8	1;9	1;9	1;9
110	11;32	11;32	1;9	1;9	1;9	1;9	1;10	1;10	1;9	1;9	1;9	1;9
120	11;29	**11;30**	1;9	1;9	1;9	1;9	1;9	1;9	1;9	1;9	1;9	1;9
130	11;25	**11;24**	1;9	1;9	1;9	1;9	1;8	1;8	1;8	1;8	1;8	1;8
140	11;16	11;16	1;8	1;8	1;8	1;8	1;8	1;8	1;7	1;7	1;7	1;7
150	11;5	11;5	1;7	1;7	1;7	1;7	1;7	1;6	1;6	1;6	1;6	1;6
160	11;1	**11;0**	1;6	1;6	1;6	1;6	1;6	1;6	1;6	1;6	1;6	1;6
170	10;57	**10;58**	1;6	1;6	1;6	1;6	1;6	1;6	1;6	1;6	1;5	1;5
180	10;57	**10;58**	1;5	1;5	1;6	1;6	1;6	1;6	1;6	1;6	1;6	1;6
190	11;1	**11;0**	1;6	1;6	1;6	1;6	1;6	1;6	1;6	1;6	1;6	1;6
200	11;5	11;5	1;6	1;6	1;6	1;6	1;6	1;7	1;7	1;7	1;7	1;7
210	11;16	11;16	1;7	**1;4**	**1;10**	1;7	1;8	1;8	1;8	1;8	1;8	1;8
220	11;25	**11;24**	1;8	1;8	1;8	1;8	1;8	1;8	1;9	1;9	1;9	1;9
230	11;29	**11;30**	1;9	1;9	1;9	1;9	1;9	1;9	1;9	1;9	1;9	1;9
240	11;32	11;32	1;9	1;9	1;9	1;9	1;10	1;10	1;9	1;9	1;9	1;9
250	11;23	11;23	1;9	1;9	1;9	1;8	1;8	1;8	1;8	1;8	1;8	1;8
260	11;7	11;7	1;7	1;7	1;7	1;7	1;7	1;7	1;7	1;6	1;6	1;6
270	10;43	10;43	1;5	1;5	1;5	1;4	1;4	1;4	1;4	1;4	1;4	1;4
280	10;11	10;11	1;2	1;1	1;1	1;1	1;1	1;1	1;1	1;1	1;1	1;1
290	9;26	**9;36**	0;58	0;58	0;58	0;58	0;58	0;58	0;57	0;57	0;57	0;57
300	9;3	9;3	0;55	0;55	0;55	0;54	0;54	0;54	0;54	0;54	0;54	0;54
310	8;31	8;31	**0;54**	**0;49**	0;51	0;51	0;51	0;51	0;51	0;51	0;51	0;51
320	8;4	8;4	0;49	0;49	0;49	0;49	0;48	0;48	**0;46**	**0;49**	**0;50**	**0;47**
330	7;25	**7;44**	0;47	0;47	0;47	0;47	0;46	0;46	0;46	0;46	0;46	0;46
340	7;29	**7;30**	0;45	0;45	0;45	0;45	0;45	0;45	0;45	0;45	0;45	0;45
350	7;23	7;23	0;45	0;45	0;45	0;44	0;44	0;44	0;44	0;44	0;44	0;44

Table B.9. MS: v, climate 2

MS: v, climate 2

	Alm.	v	differences									
0	6;48	6;48	0;40	0;40	0;41	0;41	0;41	0;41	0;41	0;41	0;41	0;41
10	6;55	6;55	0;41	0;41	0;41	0;41	0;41	0;42	0;42	0;42	0;42	0;42
20	7;10	7;10	0;43	0;43	0;43	0;43	0;43	0;43	0;43	0;43	0;43	0;43
30	7;23	7;34	0;45	0;45	0;45	0;45	0;45	0;45	0;45	0;46	0;46	**0;47**
40	8;2	8;1	**0;47**	0;48	0;48	0;48	0;48	0;48	0;48	0;48	0;49	0;49
50	8;37	8;37	0;51	0;51	0;51	0;52	0;52	0;52	0;52	0;52	0;52	0;52
60	9;17	9;17	0;55	0;55	0;55	0;56	0;56	0;56	0;56	0;56	0;56	0;56
70	10;0	10;0	1;0	1;0	1;0	1;0	1;0	1;0	1;0	1;0	1;0	1;0
80	10;38	10;38	1;3	1;3	1;4	1;4	1;4	**0;0**	**2;8**	**1;4**	**1;3**	**1;5**
90	11;12	11;12	1;7	1;7	1;7	1;7	1;7	1;7	1;7	1;7	1;7	1;9
100	11;34	11;34	1;9	1;9	1;9	1;9	1;9	1;9	1;10	1;10	1;10	1;10
110	11;51	11;53	1;11	1;11	1;11	1;11	1;11	1;11	1;11	**1;11**	1;12	**1;13**
120	11;55	**11;57**	**1;11**	1;12	1;12	1;12	1;12	1;12	1;12	1;12	1;11	1;11
130	11;54	**11;50**	1;11	1;11	1;11	1;11	1;11	1;11	1;11	1;11	1;11	1;11
140	11;47	11;47	1;11	1;11	1;11	1;11	1;11	1;11	1;11	1;10	1;10	1;10
150	11;40	11;40	1;10	1;10	1;10	1;10	1;10	1;10	1;10	1;10	1;10	1;10
160	11;35	**11;37**	1;10	1;10	1;10	1;10	1;10	1;10	1;10	1;9	1;9	1;9
170	11;32	**11;30**	1;9	1;9	1;9	1;9	1;9	1;9	1;9	1;9	1;9	1;9
180	11;32	**11;30**	1;9	1;9	1;9	1;9	1;9	1;9	1;9	1;9	1;9	1;9
190	11;35	**11;37**	1;9	1;9	1;9	1;10	1;10	1;10	1;10	1;10	1;10	1;10
200	11;40	11;40	1;10	1;10	1;10	1;10	1;10	1;10	1;10	1;10	1;10	1;10
210	11;47	11;47	1;10	1;10	1;10	1;11	1;11	1;11	1;11	1;11	1;11	1;11
220	11;54	**11;50**	1;11	1;11	1;11	1;11	1;11	1;11	1;11	1;11	1;11	1;11
230	11;55	**11;59**	1;11	1;11	1;12	1;12	1;12	1;12	1;12	1;12	1;12	**1;13**
240	11;51	11;51	**1;11**	**1;12**	1;11	1;11	1;11	1;11	1;11	1;11	1;11	1;11
250	11;34	11;34	1;10	1;10	1;10	1;10	1;9	1;9	1;9	1;9	1;9	1;9
260	11;12	11;12	1;8	1;8	1;7	1;7	1;7	1;7	1;7	1;7	1;7	1;7
270	10;38	10;38	1;4	1;4	1;4	1;4	1;4	1;4	1;4	1;4	1;3	1;3
280	10;0	10;0	1;0	1;0	1;0	1;0	1;0	1;0	1;0	1;0	1;0	1;0
290	9;17	9;17	0;56	0;56	0;56	0;56	0;56	0;56	0;56	0;55	0;55	0;55
300	8;37	8;37	0;51	0;52	0;52	0;51	0;52	0;52	0;51	0;52	0;52	0;52
310	8;2	8;2	0;48	0;48	0;48	0;48	**0;49**	**0;48**	**0;49**	**0;47**	**0;48**	**0;49**
320	7;23	**7;33**	**0;45**	**0;42**	**0;48**	**0;46**	**0;45**	**0;45**	**0;46**	**0;45**	**0;45**	**0;46**
330	7;10	7;10	0;43	0;43	0;43	0;43	0;43	0;43	0;43	0;43	0;43	0;43
340	6;55	6;55	**0;41**	**0;42**	**0;41**	**0;42**	**0;38**	**0;45**	**0;41**	**0;42**	**0;41**	**0;42**
350	6;48	6;48	**0;40**	**0;41**	**0;41**	**0;41**	**0;41**	**0;40**	**0;41**	**0;41**	**0;41**	**0;41**

Table B.10. MS: v, climate 3

	Alm.	v	differences									
0	6;14	6;14	0;37	0;37	0;37	0;37	0;37	0;37	0;38	0;38	0;38	0;38
10	6;21	6;21	0;38	0;38	0;38	0;38	0;38	0;38	0;38	0;38	0;38	0;39
20	6;37	6;37	0;39	0;39	0;39	0;40	0;40	0;40	0;40	0;40	0;40	0;40
30	7;1	7;1	0;42	0;42	0;42	0;42	0;42	0;42	0;42	0;42	0;42	0;43
40	7;23	**7;33**	0;45	0;45	0;45	0;45	0;45	0;45	0;45	0;45	0;47	0;46
50	8;12	8;12	0;49	0;49	0;49	0;49	0;49	0;49	0;49	0;49	0;50	0;50
60	8;56	8;56	0;53	0;53	0;53	0;53	0;54	0;54	0;54	0;54	0;54	0;54
70	9;47	**10;47**	1;58	0;58	0;58	0;59	0;59	0;59	0;59	0;59	0;59	0;59
80	10;34	**9;34**	1;3	1;3	1;3	1;3	1;3	**354;3**	**359;4**	**10;4**	0;4	1;4
90	11;16	11;16	1;7	1;7	1;7	1;7	1;8	1;8	1;8	1;8	1;8	1;8
100	11;47	11;47	1;10	1;10	1;10	1;11	1;11	1;11	1;11	1;11	1;11	1;11
110	12;12	12;12	1;13	1;13	1;13	1;13	1;13	1;13	1;13	1;13	1;14	1;14
120	12;20	12;20	1;14	1;14	1;14	1;14	1;14	1;14	1;14	1;14	1;14	1;14
130	12;23	12;23	1;15	1;15	1;15	1;14	1;14	1;14	1;14	1;14	1;14	1;14
140	12;19	**12;20**	1;14	1;14	1;14	1;14	1;14	1;14	1;14	1;14	1;14	1;14
150	12;13	**12;11**	1;14	1;13	1;13	1;13	1;13	1;13	1;13	1;13	1;13	1;13
160	12;9	**12;10**	1;13	1;13	1;13	1;13	1;13	**0;13**	**1;13**	**2;13**	1;13	1;13
170	12;6	12;6	1;13	1;13	1;13	1;13	1;13	1;13	1;12	1;12	1;12	1;12
180	12;6	12;6	1;12	1;12	1;12	1;12	1;13	1;13	1;13	1;13	1;13	1;13
190	12;9	**12;10**	1;13	1;13	1;13	1;13	1;13	1;13	1;13	1;13	1;13	1;13
200	12;13	**12;11**	1;13	1;13	1;13	1;13	1;13	1;13	1;13	1;13	1;13	1;14
210	12;19	**12;20**	1;14	1;14	1;14	1;14	1;14	1;14	1;14	1;14	1;14	1;14
220	12;23	12;23	1;14	1;14	1;14	1;14	1;14	1;14	1;14	1;15	1;15	1;15
230	12;20	12;20	1;14	1;14	1;14	1;14	1;14	1;14	1;14	1;14	1;14	1;14
240	12;12	12;12	1;14	1;14	1;14	1;12	1;13	1;13	1;13	1;13	1;13	1;13
250	11;47	11;47	1;11	1;11	1;11	1;11	1;11	1;11	1;11	1;10	1;10	1;10
260	11;16	11;16	**1;10**	**1;10**	**1;8**	**1;4**	1;8	1;8	1;7	1;7	1;7	1;7
270	10;34	10;34	1;4	1;4	**0;58**	**1;10**	1;3	1;3	1;3	1;3	1;3	1;3
280	9;47	9;47	0;59	0;59	0;59	0;59	0;59	0;59	0;59	0;59	0;57	0;58
290	8;56	8;56	0;54	0;54	0;54	0;54	0;54	0;54	0;53	0;53	0;53	0;53
300	8;12	8;12	0;50	0;50	0;49	0;49	0;49	0;49	0;49	0;49	0;49	0;49
310	7;23	**7;33**	0;46	0;46	0;46	0;45	0;45	0;45	0;45	0;45	0;45	0;45
320	7;1	7;1	0;45	0;41	0;41	0;42	0;42	0;42	0;42	0;42	0;42	0;42
330	6;37	6;37	0;40	0;40	0;40	**0;40**	**0;39**	**0;39**	**0;40**	**0;40**	**0;40**	**0;39**
340	6;21	6;21	0;39	0;38	0;38	0;38	0;38	0;38	0;38	0;38	0;38	0;38
350	6;14	6;14	0;38	0;38	0;38	0;38	0;37	0;37	0;37	0;37	0;37	0;37

Table B.11. MS: v, climate 4

	Alm.	v	differences									
0	5;40	5;40	0;34	0;34	0;34	0;34	0;34	0;34	0;34	0;34	0;34	0;34
10	5;47	5;47	0;34	0;34	0;34	0;35	0;35	0;35	0;35	0;35	0;35	0;35
20	6;5	6;5	0;36	0;36	0;36	0;36	0;36	0;37	0;37	0;37	0;37	0;37
30	6;29	6;29	0;38	0;39	0;39	0;39	0;39	0;39	0;39	0;39	0;39	0;39
40	7;4	7;4	0;42	0;42	0;42	0;42	0;42	0;42	0;43	0;43	0;43	0;43
50	7;26	7;46	0;46	0;46	0;46	0;46	0;47	0;47	0;47	0;47	0;47	0;47
60	8;38	8;38	**0;50**	**0;52**	0;52	0;52	0;52	0;52	0;52	0;52	0;52	0;52
70	9;32	9;32	0;57	0;57	0;57	0;57	0;57	0;57	0;57	0;57	0;58	0;58
80	10;29	10;29	1;2	1;3	1;3	1;3	1;3	1;3	1;3	1;3	1;3	1;3
90	11;21	11;21	1;8	1;8	1;8	0;8	2;8	1;8	1;8	1;8	1;8	1;9
100	12;2	12;0	1;12	1;12	1;12	1;12	1;12	1;12	1;12	1;12	1;12	1;12
110	12;30	**12;32**	**1;17**	**1;16**	**1;14**	1;15	1;15	1;15	1;15	1;15	1;15	1;15
120	12;46	12;46	1;16	1;16	1;16	1;16	1;17	1;17	1;17	1;17	1;17	1;17
130	12;52	**12;53**	1;17	1;17	1;17	1;17	1;17	1;17	1;17	1;18	1;18	1;18
140	12;51	**12;52**	1;18	1;18	1;17	1;17	1;17	1;17	1;17	1;17	1;17	1;17
150	12;45	**12;46**	1;17	1;17	**1;18**	**1;16**	1;17	1;17	1;16	1;16	1;16	1;16
160	12;43	**12;40**	1;16	1;16	1;16	1;16	1;16	1;16	1;16	1;16	1;16	1;16
170	12;40	12;40	**321;16**	**41;16**	1;16	1;16	1;16	1;16	1;16	1;16	1;16	1;16
180	12;40	12;40	1;16	1;16	1;16	1;16	1;16	1;16	1;16	1;16	1;16	1;16
190	12;43	**12;40**	1;16	1;16	1;16	1;16	1;16	1;16	1;16	1;16	1;16	1;16
200	12;45	**12;46**	1;16	1;16	1;16	1;16	1;17	1;17	1;17	1;17	1;17	1;17
210	12;51	**12;52**	1;17	1;17	1;17	1;17	1;17	1;17	1;17	1;17	1;18	1;18
220	12;52	**12;53**	1;18	1;18	1;18	1;17	1;17	1;17	1;17	1;17	1;17	1;17
230	12;46	12;46	1;17	1;17	**1;27**	**1;7**	1;17	1;17	1;16	1;16	1;16	1;16
240	12;30	12;30	1;1a5	1;15	1;15	1;15	1;15	1;15	1;15	1;15	1;15	1;15
250	12;2	12;2	**1;15**	**1;11**	1;12	1;12	1;12	1;12	1;12	1;12	1;12	1;12
260	11;21	11;21	1;9	1;8	1;8	1;8	1;8	1;8	1;8	1;8	1;8	1;8
270	10;29	10;29	1;3	1;3	1;3	1;3	1;3	1;3	1;3	1;3	1;3	1;2
280	9;32	9;32	0;58	0;58	0;57	0;57	0;57	0;57	0;57	0;57	0;57	0;57
290	8;38	**8;28**	0;52	0;52	**0;49**	**0;47**	**0;52**	**0;51**	**0;53**	**0;51**	**0;50**	**0;51**
300	7;26	**7;56**	**0;51**	**0;53**	**0;47**	**0;47**	**0;47**	**0;47**	**0;46**	**0;44**	**0;48**	**0;46**
310	7;4	7;4	**0;43**	**0;46**	**0;43**	**0;40**	0;42	0;42	0;42	0;42	0;42	0;42
320	6;29	6;29	0;39	0;39	0;39	0;39	0;39	0;39	0;39	0;39	0;39	0;38
330	6;5	6;5	0;37	0;37	0;37	0;37	0;37	0;36	0;36	0;36	0;36	0;36
340	5;47	5;47	0;35	0;35	0;35	0;35	0;35	0;35	0;35	0;34	0;34	0;34
350	5;40	5;40	0;34	0;34	0;34	0;34	0;34	0;34	0;34	0;34	0;34	0;34

Table B.12. MS: v, climate 5

	Alm.	v	differences									
0	5;8	5;8	0;30	0;30	0;31	0;31	0;31	0;31	0;31	0;31	0;31	0;31
10	5;14	5;14	0;31	0;31	0;31	0;31	0;31	0;31	0;32	0;32	0;32	0;32
20	5;33	5;33	0;33	0;33	0;33	0;33	0;33	0;33	0;33	0;34	0;34	0;34
30	5;58	5;58	0;35	**1;5**	**0;6**	0;36	0;36	0;36	0;36	0;36	0;36	0;36
40	6;34	6;34	0;39	0;39	0;39	0;39	0;39	0;39	0;40	0;40	0;40	0;40
50	7;20	7;20	0;44	0;44	0;44	0;44	0;44	0;44	0;44	0;44	0;44	0;44
60	8;15	8;15	0;49	0;49	0;49	0;49	0;49	0;50	0;50	0;50	0;50	0;50
70	9;19	9;19	0;55	**0;55**	**0;55**	**0;58**	0;56	0;56	0;56	0;56	0;56	0;56
80	10;24	10;24	1;2	1;2	1;2	1;2	1;2	1;2	1;3	1;3	1;3	1;3
90	11;26	11;26	1;8	1;8	1;8	**321;8**	**41;9**	1;9	1;9	1;9	1;9	1;9
100	12;15	12;15	1;13	1;13	1;13	1;13	1;13	1;14	1;14	1;14	1;14	1;14
110	12;53	12;53	1;17	1;17	1;17	1;17	1;17	1;17	1;17	1;18	1;18	1;18
120	13;12	13;12	1;19	1;19	1;19	1;19	1;19	1;19	1;19	1;19	1;20	1;20
130	13;22	13;22	1;20	1;20	1;20	1;20	1;20	1;20	1;20	1;20	1;21	1;21
140	13;22	**13;23**	**1;22**	**1;20**	1;21	1;20	1;20	1;20	1;20	1;20	1;20	1;20
150	13;17	**13;20**	1;20	1;20	1;20	1;20	1;20	1;20	1;20	1;20	**2;45**	**0;-5**
160	13;16	**13;14**	1;20	1;20	1;20	1;20	1;19	1;19	1;19	1;19	1;19	1;19
170	13;12	**13;10**	1;19	1;19	1;19	1;19	1;19	1;19	1;19	1;19	1;19	1;19
180	13;12	**13;10**	1;19	1;19	1;19	1;19	1;19	1;19	1;19	1;19	1;19	1;19
190	13;16	**13;14**	1;19	1;19	1;19	1;19	1;19	1;19	1;20	1;20	1;20	1;20
200	13;17	**13;20**	1;20	1;20	1;20	1;20	1;20	1;20	1;20	1;20	1;20	1;20
210	13;22	**13;23**	1;20	1;20	1;20	1;20	1;20	1;20	**1;56**	**0;45**	1;21	1;21
220	13;22	13;22	**1;16**	**1;26**	1;20	1;20	1;20	1;20	1;20	1;20	1;20	1;20
230	13;12	13;12	1;20	1;20	1;19	1;19	1;19	1;19	1;19	1;19	1;19	1;19
240	12;53	12;53	1;18	1;18	1;18	1;17	1;17	1;17	1;17	1;17	1;17	1;17
250	12;15	12;15	1;14	1;14	1;14	1;14	1;14	1;13	1;13	1;13	1;13	1;13
260	11;26	11;26	1;9	1;9	1;9	1;9	1;9	1;9	1;8	1;8	1;8	1;8
270	10;24	10;24	1;3	1;3	1;3	1;3	1;2	1;2	1;2	1;2	1;2	1;2
280	9;19	9;19	0;56	0;56	0;56	0;56	0;56	0;56	0;56	0;56	0;56	0;55
290	8;15	8;15	0;50	0;50	0;50	0;50	0;50	0;49	0;49	0;49	0;49	0;49
300	7;20	7;20	0;44	0;44	0;44	0;44	0;44	0;44	0;44	0;44	0;44	0;44
310	6;34	6;34	0;40	0;40	0;40	0;40	0;39	0;39	0;39	0;39	0;39	0;39
320	5;58	5;58	0;36	0;36	0;36	0;36	0;36	0;36	0;36	0;36	0;36	0;34
330	5;33	5;33	0;34	0;34	0;34	0;33	0;33	0;33	0;33	0;33	0;33	0;33
340	5;14	5;14	0;32	0;32	0;32	0;32	0;31	0;31	0;31	0;31	0;31	0;31
350	5;8	5;8	0;31	0;31	**0;32**	**0;30**	0;31	0;31	0;31	0;31	0;30	0;30

Table B.13. MS: v, climate 6

	Alm.	v	differences									
0	4;36	4;36	0;27	0;27	0;27	0;27	0;28	0;28	0;28	0;28	0;28	0;28
10	4;43	4;43	0;28	0;28	0;28	0;28	0;28	0;28	0;28	0;29	0;29	0;29
20	5;1	5;1	0;30	0;30	0;30	0;30	0;30	0;30	0;30	0;30	0;30	0;31
30	5;26	5;26	0;32	0;32	0;32	0;32	0;33	0;33	0;33	0;33	0;33	0;33
40	6;5	6;5	0;36	0;36	0;36	0;36	0;36	0;37	0;37	0;37	0;37	0;37
50	6;52	6;52	0;41	0;41	0;41	0;41	**0;40**	**0;42**	0;41	0;41	0;42	0;42
60	7;53	7;53	0;47	0;47	0;47	0;47	0;47	0;47	0;47	0;48	0;48	0;48
70	9;5	9;5	0;54	0;54	0;54	0;54	0;54	0;55	0;55	0;55	0;55	0;55
80	10;19	10;19	1;1	1;2	1;2	1;2	1;2	1;2	1;2	1;2	1;2	1;2
90	11;31	11;31	1;9	1;9	1;9	1;9	1;9	1;9	1;9	1;9	1;9	1;10
100	12;29	12;29	1;14	1;15	1;15	1;15	1;15	1;15	1;15	1;15	1;15	1;15
110	13;15	13;15	1;19	1;19	1;19	1;19	1;19	1;20	1;20	1;20	1;20	1;20
120	13;40	13;40	1;22	1;22	1;22	1;22	1;22	1;22	1;22	1;22	1;22	1;22
130	13;51	**13;50**	1;23	1;23	1;23	1;23	1;23	0;23	2;23	1;23	1;23	1;23
140	13;54	**13;55**	1;23	1;23	1;23	1;23	1;23	1;24	1;24	1;24	1;24	1;24
150	13;49	**13;52**	1;24	1;24	1;23	1;23	1;23	1;23	1;23	1;23	1;23	1;23
160	13;47	**13;48**	1;23	1;23	1;23	1;23	1;23	1;23	1;23	**351;23**	**11;22**	1;22
170	13;44	**13;40**	1;22	1;22	1;22	1;22	1;22	1;22	1;22	1;22	1;22	1;22
180	13;44	**13;40**	1;22	1;22	1;22	1;22	1;22	1;22	1;22	1;22	1;22	1;22
190	13;47	**13;48**	1;22	1;22	1;23	1;23	1;23	1;23	1;23	1;23	1;23	1;23
200	13;49	**13;52**	1;23	1;23	1;23	1;23	1;23	1;23	1;23	1;23	1;24	1;24
210	13;54	**13;55**	1;24	1;24	1;24	1;24	1;24	1;23	1;23	1;23	1;23	1;23
220	13;51	**13;50**	1;23	1;23	1;23	1;23	1;23	1;23	1;23	1;23	1;23	1;23
230	13;40	13;40	1;22	1;22	1;22	1;22	1;22	1;22	1;22	1;22	1;22	1;22
240	13;15	13;15	1;20	1;20	1;20	1;20	1;20	1;19	1;19	1;19	1;19	1;19
250	12;29	12;29	1;15	1;15	1;15	1;15	1;15	1;15	1;15	1;15	1;15	1;14
260	11;31	11;31	1;10	1;9	1;9	1;9	1;9	1;9	1;9	1;9	1;9	1;9
270	10;19	10;19	1;2	1;2	1;2	1;2	1;2	1;2	1;2	1;2	1;2	1;1
280	9;5	9;5	0;55	0;55	0;55	0;55	0;55	0;54	0;54	0;54	0;54	0;54
290	7;53	7;53	0;48	0;48	0;48	0;48	0;46	0;47	0;47	0;47	0;47	0;47
300	6;52	6;52	0;42	0;42	0;41	0;41	0;41	0;41	0;41	0;41	0;41	0;41
310	6;5	6;5	0;37	0;37	0;37	0;37	0;37	0;36	0;36	0;36	0;36	0;36
320	5;26	5;26	0;33	0;33	0;33	0;33	0;33	0;33	0;32	0;32	0;32	0;32
330	5;1	5;1	0;31	0;30	0;30	0;30	0;30	0;30	0;30	0;30	0;30	0;30
340	4;43	4;43	0;29	0;29	0;29	0;28	0;28	0;28	0;28	0;28	0;28	0;28
350	4;36	4;36	0;28	**359;28**	**1;28**	0;28	0;28	0;28	0;27	0;27	**0;28**	**0;26**

Table B.14. MS: v, climate 7

The tabulation here presents the analysis of the oblique ascension for Byzantium, as found in manuscripts F, v. Here there is no comparison with the *Almagest*, which does not include this climate. The degree by degree differences within the decan are shown in each row, but in contrast with the preceding there is no weighting of the differences towards either end of the row, because the interpolation is not by the stepwise method. Entries in bold face mark some clear inconsistency within the successive differences, arising from an erroneous entry; such entries are indicated in the transcription of B1 above, from F.

	F	differences									
0	5;24	0;32	0;32	0;32	0;33	0;33	0;32	0;32	0;33	0;32	0;33
10	5;30	0;32	0;33	0;32	0;33	0;33	0;33	0;34	0;33	0;34	0;33
20	5;49	0;35	0;34	0;35	0;34	0;35	0;35	0;35	0;35	0;36	0;35
30	6;4	0;37	0;37	0;37	0;38	0;37	0;38	0;37	0;38	0;37	**0;28**
40	6;59	**0;50**	0;41	0;40	0;41	0;40	0;41	0;41	0;42	0;41	0;42
50	7;33	0;45	0;45	**0;48**	**0;42**	0;45	0;46	0;45	0;46	0;45	0;46
60	8;26	0;50	0;50	0;50	0;51	**0;21**	**1;20**	0;51	0;51	0;51	0;51
70	9;26	0;56	0;57	0;56	0;57	0;56	0;57	0;56	0;57	0;57	0;57
80	10;26	1;2	1;2	1;3	1;2	1;3	1;2	1;3	1;3	1;3	1;3
90	11;24	1;8	1;8	1;8	1;8	1;9	1;8	1;9	1;8	1;9	1;9
100	12;8	1;12	1;13	1;12	1;13	1;12	1;13	1;13	1;13	1;14	1;13
110	12;42	1;16	1;16	1;15	1;17	1;16	1;16	1;16	1;17	1;17	1;16
120	13;0	1;18	1;17	1;18	1;18	1;18	1;18	1;18	1;18	1;18	1;19
130	13;7	1;19	1;18	1;19	1;19	1;18	1;19	1;19	1;19	1;18	1;19
140	13;6	1;19	1;18	1;19	1;18	1;19	1;19	1;19	1;18	1;18	1;19
150	13;1	1;18	1;18	1;18	1;18	**0;58**	**1;39**	1;18	1;18	1;18	1;18
160	13;0	1;18	1;18	1;18	1;18	1;18	1;18	1;18	1;18	1;18	1;18
170	12;55	**1;21**	**1;14**	1;17	1;18	1;17	1;18	1;17	1;18	1;17	1;18
180	12;55	1;18	1;17	1;18	1;17	1;18	1;17	1;18	1;17	1;18	1;17
190	13;0	1;18	1;18	1;18	1;18	1;18	1;18	**1;47**	**0;49**	1;18	1;18
200	12;41	1;18	1;18	1;18	1;18	1;19	1;18	1;18	1;18	1;18	**0;58**
210	13;26	**1;38**	**0;59**	**1;38**	1;19	1;19	1;19	1;18	1;19	1;18	1;19
220	13;7	1;19	1;18	1;19	1;19	1;19	1;18	1;19	1;19	1;18	1;19
230	13;0	1;19	1;18	1;18	1;18	1;18	1;18	1;18	1;18	1;17	1;18
240	12;42	1;16	1;17	1;17	1;16	1;16	1;16	1;16	1;16	1;16	1;16
250	12;8	1;13	1;14	1;13	1;13	1;13	1;12	1;13	1;12	1;13	1;12
260	11;24	1;9	1;9	1;8	1;9	1;8	1;9	1;8	1;8	1;8	1;8
270	10;26	1;3	1;3	1;3	1;3	1;2	1;3	1;2	1;3	1;2	1;2
280	9;26	0;57	0;57	0;57	0;56	0;57	0;56	0;57	0;56	0;57	0;56
290	8;26	0;51	0;51	0;51	0;51	0;51	0;50	0;51	0;50	0;50	0;50
300	7;33	0;46	0;45	0;46	0;45	0;46	0;45	0;45	0;45	0;45	0;45
310	6;49	0;42	0;41	0;42	0;41	0;41	0;40	0;41	**0;42**	**0;39**	0;40
320	6;14	0;38	0;37	0;38	0;37	0;38	0;37	0;38	0;37	0;37	0;37
330	5;49	0;35	0;36	0;35	0;35	0;35	0;35	0;34	0;35	0;34	0;35
340	5;30	0;33	0;34	0;33	0;34	0;33	0;33	0;33	0;32	0;33	0;32
350	5;24	0;33	0;32	0;33	0;32	0;32	0;33	0;33	0;32	0;32	0;32

Table B.15. MS F, Byzantium

	v	differences									
0	5;24	0;32	0;32	0;32	0;33	0;33	0;32	0;32	0;33	0;32	0;33
10	5;30	0;32	0;33	0;32	0;33	0;33	0;33	0;34	0;33	0;34	0;33
20	5;49	0;35	0;34	0;35	0;34	0;35	0;35	0;35	0;35	0;36	0;35
30	6;14	0;37	0;37	0;37	0;38	0;37	0;38	0;37	0;38	0;37	0;38
40	6;49	0;40	0;41	0;40	0;41	0;40	0;41	0;41	0;42	0;41	0;42
50	7;33	0;45	0;45	0;45	0;45	0;45	0;46	0;45	0;46	0;45	0;46
60	8;26	0;50	0;50	0;50	0;51	0;50	0;51	0;51	0;51	0;51	0;51
70	9;26	0;56	0;57	0;56	0;57	0;56	0;57	0;56	0;57	0;57	0;57
80	10;26	1;2	1;2	1;3	1;2	1;3	1;2	1;3	1;3	1;3	1;3
90	11;24	1;8	**0;58**	**1;18**	1;8	1;9	1;8	1;9	1;8	1;9	1;9
100	12;8	1;12	1;13	1;12	1;13	1;12	1;13	1;13	1;13	1;14	1;13
110	12;42	1;16	1;16	1;16	1;16	1;16	1;16	1;16	1;17	1;17	1;16
120	13;0	1;18	1;17	1;18	1;18	1;18	1;18	1;18	1;18	1;18	1;19
130	13;7	1;19	1;18	1;19	1;19	1;18	1;19	1;19	1;19	1;18	1;19
140	13;6	1;19	1;18	1;19	1;18	1;19	1;19	1;19	1;18	1;18	1;19
150	13;1	1;18	1;18	1;18	1;18	0;58	1;39	1;18	1;18	1;18	1;18
160	13;0	1;18	1;18	1;18	1;18	1;18	1;18	1;18	1;18	1;18	1;18
170	12;55	**1;21**	**1;14**	1;17	1;18	1;17	1;18	1;17	1;18	1;17	1;18
180	12;55	1;18	1;17	1;18	1;17	1;18	1;17	1;18	1;17	1;18	1;17
190	13;0	1;18	1;18	1;18	1;18	1;18	1;18	1;18	1;18	1;18	1;18
200	13;1	1;18	1;18	1;18	1;18	1;19	1;18	1;18	1;18	1;18	1;18
210	13;6	1;18	1;19	1;18	1;19	1;19	1;19	1;18	1;19	1;18	1;19
220	13;7	1;19	1;18	1;19	1;19	1;19	1;18	1;19	1;19	1;18	1;19
230	13;0	1;19	1;18	1;18	1;18	1;18	1;18	1;18	1;18	1;17	1;18
240	12;42	1;16	1;17	1;17	1;16	1;16	1;16	1;16	1;16	1;16	1;16
250	12;8	1;13	1;14	1;13	1;13	1;13	1;12	1;13	1;12	1;13	1;12
260	11;24	1;9	1;9	1;8	1;9	1;8	1;9	1;8	1;8	1;8	1;8
270	10;26	1;3	1;3	1;3	1;3	1;2	1;3	1;2	1;3	1;2	1;2
280	9;26	0;57	0;57	0;57	0;56	0;57	0;56	0;57	0;56	0;57	0;56
290	8;26	0;51	0;51	0;51	0;51	0;51	0;50	0;51	0;50	0;50	0;50
300	7;33	0;46	0;45	0;46	0;45	0;46	0;45	0;45	0;45	0;45	0;45
310	6;49	0;42	0;41	0;42	0;41	0;41	0;40	0;41	**0;42**	**0;39**	0;40
320	6;14	0;38	0;37	0;38	0;37	0;38	0;37	0;38	0;37	0;37	0;37
330	5;49	0;35	0;36	0;35	0;35	0;35	0;35	0;34	0;35	0;34	0;35
340	5;30	0;33	0;34	0;33	0;34	0;33	0;33	0;33	0;32	0;33	0;32
350	5;24	0;33	0;32	0;33	0;32	0;32	0;33	0;33	0;32	0;32	0;32

Table B.16. MS v, Byzantium

Appendix C

The Manual of Ptolemy

This is the translation of the first part of Ptolemy's Manual of the *Handy Tables*. The edition is Heiberg's, and is included in his *Claudii Ptolemaei Opera astronomica minora*[1]. The relevant tables of the present edition (A1, etc.) are indicated parenthetically.

Arrangement and calculation of the Handy Tables

The organisation of these *Handy Tables* for the movements of the planets, my dear Syrus, was made by us conformable to their mean and circular hypotheses, with a view to being able, by means of the eccentrics and epicycles drawn on a surface, according to the explanations demonstrated in the Syntaxis, to indicate their movements in longitude referred to the zodiac in accord with results obtained by calculations, while the deviations in latitude, which cannot result from such drawings, will be calculated methodically by the relevant tables.

The first tables have the positions in longitude and latitude of the famous towns of our inhabited earth [G1]; those that follow, the ascensions of the right sphere, the ecliptic and equator together, the sixtieths of an equinoctial hour [A1] being provided for each degree of the ecliptic: (the sixtieths) by which the mean nychthemera differ from the origin up to that time, compared with apparent nychthemera; and again for the seven parallels in the interval of our habitable earth, are written, for each degree of the ecliptic, the seasonal times[2] [A2] of the day, in order to be able to convert differences of times in a way that will be demonstrated in the following.

The tables that come after the aforesaid tables, and apart from them, the preliminary table of the chronography of kings from the beginning [C1], which give the mean movements of the sun and moon [A3], and then also that of the fixed star Cor Leonis and those of the planets [A14], for the periods of 25 years, years, months, days and hours. Attached to these (are tables) that give

[1] Heiberg (1907), pp. 159-185; the translation here is from pp. 159 to 165, l.12.

[2] ὡριαίων χρόνων.

the distances of the fixed stars along the zodiac itself, up to a distance of 10 degrees of latitude and up to the fourth magnitude, always referred to the star Cor Leonis [A20]. The tables that follow give the procedures for calculating the movements in longtude of each of the planets[A15].

The origins of all the tables found here were established for Noon at Alexandria in Egypt, on the first day of Thoth[3] according to the Egyptians, in the first year of Philip the successor of Alexander the Founder, the starting point of the signs of the zodiac[4] being taken from the tropical and equinoctial points.

And since times may be given as simple or corrected, while their difference is found by means of the degree of the Sun and the preliminary tables, let us examine first the degree of the sun, in a general way, thus.

The mean motions of the Sun that corresponded to the standard times – periods of 25 years, years, months, days and hours up to noon of the day in question – these we add. Dropping the whole circles resulting we substitute the remaining degrees in the table of its anomaly. The prospthapheses corresponding to it, if the number substituted falls short of 180°, we subtract it from the latter; if it exceeds 180° we add it, and count off the total obtained in the direct sense from the solar apogee, which always occupies the place Gem 5;30. We note the degree at this number for the determination of the time that consists of three differences, namely that of the seasonal hours with respect to equinoctial hours, that of the hours of a place with respect to noon at Alexandria, and that of the mean nychthemera with respect to the apparent.

On the seasonal hours

Thus if we want to resolve seasonal hours to equinoctial hours, we seek, by means of the degrees written in the first table for the given place[5] – the degrees of the distance in latitude with respect to the equator – the parallel which passes nearest among the seven parallels set out later for the risings, according to the title placed at the head of each. In the latter we substitute the degrees obtained

---

3 νεομηνίας

4 δωδεκατημορίων, literally twelfth parts.

5 That is in the table of famous cities.

for the sun; multiplying the seasonal hours corresponding to these degrees by the hours of the day – and those that correspond to the degree diametrically opposite the sun by the hours of the night –, and taking one fifteenth of the result, we will have the equinoctial hours. If on the contrary we want to resolve the equinoctial hours into seasonal hours, multiplying by 15 the number the number of equinoctial hours, dividing the number resulting by the appropriate number of seasonal hours, then we will have the whole number of seasonal hours.

And if we want to convert the equinoctial hours given for a given place, considered according to the distance with respect to noon or midnight, into hours for the meridian of Alexandria, or conversely, as many degrees as there between the two places in longitude, so many degrees do we have for the equinoctial times (= degrees of the equator). If the degrees of the given place exceed those of Alexandria, the times will appear as hours ahead of those of Alexandria; if they are fewer, as hours behind.

And the sixtieths of the equinoctial hours [A1] written by the degree of the sun in the table of ascensions of the right sphere [A1] in the second (columns), if we want to obtain the mean nychthemera from the apparent, we always add them to the apparent hours; if apparent from the mean, we always subtract from the mean.

Thus if any time is given in a simple way, one must calculate the motions of the sun, the moon, and the five stars, we carry out the conversion of the given time: of seasonal hours into equinoctial, then of the hours given for the meridian of Alexandria, and next the hours in apparent nychthemera to mean nychthemera. And if any motion or syzygy having been calculated, we wish to convert the times for which the numbers have been added to times of a simple observation, we proceed inversely in order and in power, that is, transforming first the equinoctial hours for the meridian (Alexandria) starting with hours of mean nychthemera into apparent nychthemera, then hours for the meridian of Alexandria into hours of the given place, finally, equinoctial hours themselves into seasonal hours of the given place.

On the rising point

Following this, one obtains the point of the zodiac that is rising: one mutliplies the seasonal hours from the previous sunrise by the seasonal hours written in the table of the given climate, the hours of the day at the degrees of the sun, the hours of the night at the diametrically opposite degree; the times found are substituted in the ascension times written for the degree of the sun.

On the point of culmination

One obtains the point of culmination by multiplying the hours from the previous noon up to the given seasonal hour by the seasonal hours written in the appropriate table, (again the hours of the day at the degree of the sun, of the night at the diametrically opposite degree). The resulting times are added to those written for the degree of the sun in the table of right ascensions. When the given hours are equinoctial hours multiply their number by 15, whether from previous sunrise or previous noon, and we add the result to those [times] at the degree of the sun, as already set out.[6]

And one derives the point of the ecliptic which culminates from the rising point by substituting the ascension time that is written into the table of the appropriate climate, which are reckoned from the head of Aries in the times of the right sphere, which are reckoned from the head of Capricorn. One takes the rising point from the point that culminates by the inverse, substituting the ascensions given for the right sphere for the degree of ascensions counted from Aries for the appropriate climate.

---

6 Heiberg (1907), p.164.19-20; translated as if one had ἐκτεθειμμένοις and not ἐκτεθειμμέναις.

Appendix D

Papyrus London 1278

P. Lond.1278 consists of fragments from a second century codex, 6 folios, recto and verso; it was reconstructed by Neugebauer on the strength of drawings made by Skeat.[7] It includes a table of Right and Oblique Ascension and of the Equation of Time. The papyrus is of the greatest interest in revealing, if only partially, a text very similar to, and contemporary with, the *Handy Tables*, but with differences that show that there had been a variety of approaches to the problems.

The fragment of the table of Right Ascension α and Equation of Time E includes 87 entries of Ascension, and about the same number for the Equation, distributed over nine signs. The tables are arranged to include three signs on each side, beginning with Aries, and apparently with 30 lines, although the fragments have only 15 lines of each table. The signs are distributed in the various folios as follows:

6v	I, II, III
3r	IV, V, VI
3v	VII, VIII, IX
1r	X, XI
2r	XII

Table D.1. The location of the table of Right Ascension and Equation of Time in P. Lond. 1278.

In these folia each table consists of a column of common numbers followed by three others, tabulating $\sin\alpha$, α, E. The use of α in connection with the oblique ascension has been explained in 3.2.4, eqn 12.

[7] Kenyon (1907), p. lxxi, "Pap. 1278. Fragments of numerical tables of uncertain nature, written on both sides of the papyrus, in a medium-sized uncial hand. Lines ruled in red. 2nd century." Formerly in the Library of the British Museum, but now in the British Library; Neugebauer (1958).

The ascension α is not that tabulated in the *Handy Tables*, but instead the simple right ascension starting from zero in Aries, that is the quantity denoted by α in 2.2.1. Moreover, the equation of time is 'inverted' compared with that in the *Handy Tables*, that is, it is related to the latter approximately as $32^{m} - \eta$(*Handy Tables*). It is maximum around 216, zero around 318 and is to be *added* to the mean time to get the true time. It therefore differs little from al-Battānī's equation of time, except that here the equation is tabulated as minutes of an hour (without seconds). A portion of fol.6^{v} for the signs II, III is shown here, Table D.2.

Neugebauer in his comments asserts that this arrangement of the equation of time, where it is zero around 318, can only have resulted if the Era had been assumed to be that of Nabonassar, when the Sun is roughly near 318.[8] However this interpretation must be rejected, since one can by suitable adjustment of the mean longitudes design the equation of time (in either 'positive' or 'negative' form) to work with any Era, as indeed we see in al-Battānī's canon.

	II (♉)			III (♊)		
	sin α	α	η	sin α	α	η
[5]						
[6]						25
[7]			23	54	65,6	25
[8]			23	54	66,10	25
[9]			23	54	67,14	
[10]		37,30	23	55	68,18	
[11]		38,29	24	56	69,22	
[12]		39,28	24	56	70,26	
[13]		40,28	24	57		
[14]		41,28	24	57		
[15]		42,28	24	57		

Table D.2. P. Lond. 1278, 6v, showing a portion of the Table of Right Ascension and Equation of Time.

8 Neugebauer (1958) p. 110.

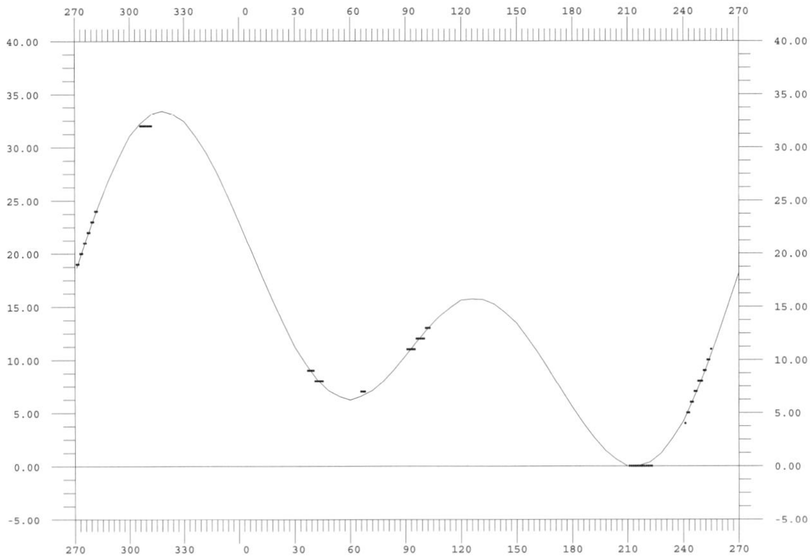

Fig D.1. The equation of time at the points given in P. Lond. 1278, but inverted to show the comparison with the *Handy Tables*

Neugebauer in his discussion of this Equation of Time raises the ghost of Serapion. He and others before him cite a passage of the *Great Commentary* of Theon, Ch. 9, which had been understood to be a reference by Theon to a certain Serapion. Anne Tihon in her edition has explained that here there is confusion in the text, and that this was only a passage which had come to be incorporated from an anonymous gloss by a somewhat later commentator who referred to one Serapion who had commented on a remark of Theon's.[9] Although Serapion is a common Egyptian name, Neugebauer, like others before him, was prepared to assume that this Serapion was a certain contemporary of Cicero, and wrote

> Theon in his *Great Commentary* to the *Handy Tables*, mentions Serapion as being concerned with the equation of time. If this Serapion was the well-known contemporary of Cicero we would have evidence from the first century BC for the recognition of such a correction (in tables based on the era of Philip).[10]

[9] Tihon (1985), text pp. 122.22-124.18, translation pp. 182-3, comment pp. 289-290.
[10] HAMA p. 584 n.39.

In his comments on the papyrus Neugebauer made similar remarks about the 'Serapion' of Theon's text. Coupled with his assertion that the Equation of Time in the papyrus, supposed to be associated with this 'Serapion', must have used the Era of Nabonassar, he proceded to suppose that this papyrus is part of treatise that represented work that marked an earlier stage preceeding the *Handy Tables*. All of that may be dismissed as unfounded supposition.

Other folia in the papyrus include on 4r, 4v, a fragment of the tables of mean motion of Saturn in 25 year intervals, and also in single years, based on the Era of Philip. The columns are laid out much as in the *Handy Tables*. On fols. 5v, 6v, there is a fragment of a tabulation of the length of the greatest day against geographical latitude.

Appendix E

The *Handy Tables* in Syriac usage

It is clear that this work was known in the Syriac community from at least the time of Sergius of Reshaina (ܣܪܓܝܣ ܪܫܥܝܢܝܐ) (fl. 500). Although he was not especially noted as mathematician, he had occasion to mention the *Handy Tables*, which he referred to as the Book of the Canon (ܟܬܒܐ ܕܩܢܘܢܐ) of Claudius Ptolemy.[11]

Severus Sebokht (ܣܐܘܪܐ ܣܒܘܟܬ) (fl. 650), Bishop of Qēnneshrīn near Aleppo, Abbot of the monastery of Qēnnēshrē, was a seriously devoted student of mathematical subjects.[12] The name Sebokht is Persian, *se-boxt*, meaning Saved by the Three, that is the Trinity; the Arabic form of the name is ساويرس سيبوخت.[13] He was engaged in a wide ranging study of Greek astronomy, and in particular he made regular use of the *Handy Tables* (Προχείρος ܦܪܘܟܝܪܘܣ). Severus explicitly gives Ptolemy as the author, either as the Προχείρος of Ptolemy or, in the *Treatise on the Astrolabe*, as the Canon (ܩܢܘܢܐ) of Ptolemy.[14] When he names Theon it is only to refer to his Commentary (σχόλιον ܣܟܠܝܘܢ) on the Προχείρος.[15] It is well known that the later Arabic authors depended, in some measure at least, on the Syriac scientific community, and since the *Handy Tables* are clearly attributed to Ptolemy by the Syriac authors, it is surprising that one finds so often that the Arabic authors take the author of the *Handy Tables* to be Theon instead of Ptolemy. Severus was also familiar with Ptolemy's *Almagest*, *Geography*, *Tetrabiblos* and *Carpus*.

His use of the *Handy Tables* is demonstrated in a number of passages. In the *Treatise on the Astrolabe*, for example, he refers to the 3rd table of the table of oblique ascensions for the fourth climate when he indicates the point opposite the first degree of

---

11 Sachau (1870), p. 125, lines 16-18.

12 Palmer (1993), p. 188; Sezgin (1978), p. 111. The two sites Qēnneshrīn and Qēnnēshrē are not to be confused, the latter lying on the Euphrates North East of Aleppo, as Palmer shows.

13 Compare the family name of the Nestorian physicians, Bokhtīshūʿ, which is similarly derived from the Persian *boxt īshuʿ*, Saved by Jesus (بوختيشوع).

14 The former in the *Treatise of the Constellations*, Nau (1910a, b), Nau (1931a, b), drawn from MS Paris BN Syr. 346. See fols 110v, 115v, 116rv, 122v For the treatise on the astrolabe, Nau (1899), 282, 287, 293.

15 Nau (1910b) 240; Paris BN Syr. 346, 125r. A doctorate thesis is being prepared by Mrs Émilie Claude-Villey on this manuscript and others.

Aries, that is the first degree of Libra.[16] It is plain that he knew the tables in just the arrangement of the present edition. He also gives the derivation according to these tables of the true longitudes of Sun and planets for the Diocletian year 245 Pachon 27, 6 p.m. (529 May 22).[17] All these positions lay in the sign Taurus, by way of his illustrating the possibility of a near-conjunction of all the planets.

In Chapter XVI of his *Treatise of the Constellations* Severus discusses the climates and oblique ascensions. He provides the increments in the ascension for steps of 30 degrees for each of the climates, the same values that are displayed at the foot of each table of A2.[18] These values are displayed here in Table E.1.

Sign/Climate:	1	2	3	4	5	6	7
ARIES	24;20[19]	22;37[20]	20;53	19;12	17;32	15;55[21]	14;20
Handy T	24;20	22;37	20;53	19;12	17;32	15;55	14;20
Almagest	24;20	22;37	20;53	19;12	17;32	15;55	14;20
GEMINI	27;4	25;38	24;12	22;46	21;19	19;52	18;23
Handy T	27;4	25;38	24;12	22;46	21;19	19;52	18;23
Almagest	27;4	25;38	24;12	22;46	21;19	19;52	18;23
CANCER	31;6	30;30	29;55	29;17	28;39	27;58	27;17
Handy T	31;6	30;30	29;55	29;17	28;39	27;58	27;17
Almagest	31;6	30;30	29;55	29;17	28;39	27;58	27;17
LEO	33;26	34;2[22]	34;37[23]	35;15	35;53	36;34	37;15
Handy T	33;26	34;2	34;37	35;15	35;53	36;34	37;15
Almagest	33;26	34;2	34;37	35;15	35;53	36;34	37;15
VIRGO	32;44	34;10	35;36	37;3	38;31	39;57	41;25
Handy T	32;44	34;10	35;36	37;3	38;31	39;57	41;25

[16] NAU (1899), 282, 249 (lines 6-7).
[17] NAU (1910a), NAU (1910b) 239, NEUGEBAUER (1959a).
[18] NAU (1931b), pp. 90-91.
[19] ms 21;20.
[20] ms 22;34.
[21] ms 15;25.
[22] ms 37;2.
[23] ms 34;36.

Sign/Climate:	1	2	3	4	5	6	7
Almagest	32;44	34;10	35;36	37;2	38;29	39;56	41;25
LIBRA	31;20	33;3	34;47	36;27	38;6	39;44	41;20
Handy T	31;20	33;3	34;47	36;27	38;6	39;44	41;20
Almagest	31;20	33;3	34;47	36;28	38;8	39;45	41;20

Table E.1. Oblique signs in each climate. These are shown for the Syriac text, the *Handy Tables* in the present edition and the *Almagest*.

Nau emended the numbers in this text on the assumption that any irregularities may be corrected by reference to the *Almagest*. In fact, while there are some clear scribal errors (indicated here in the annotation of table E.1) which may indeed be corrected in this way, other 'irregularities' are simply due to the adoption of the entries according to the text of A2 as we have it in the Byzantine mss. In the Table E.1 above this distinction has been maintained, where entries in the shaded portions reveal where the 30-degree increments given by Severus agree with A2, and disagree with the *Almagest*. It is clear that he was using the recension of the *Handy Tables* that is available from the Byzantine manuscripts. The distinction between the present recension and Ptolemy's original text has been made earlier in section **3.2.8.**

Most interestingly, Severus mentioned an Indian work on astronomy in which the calculations were done with 'nine signs', that is, the decimal place value system, which was not known in the Middle East before this time.[24] This is most important as showing that at least one Indian astronomical work, quite possibly that of Āryabhaṭa, was known by that time in a Persian translation. Apart from this deep interest in Greek and Indian astronomy he is recorded as having made a translation into Syriac of a Persian commentary on Aristotle's logic by Paul the Persian (fl. 570), a work apparently intended for the Persian King Khusrau Anoshirwan.[25] He was, moreover, as assistant to the Monophysite Patriarch Theodore, involved in the negotiations with Muʿāwiya, the first of the Umayyad Kings (661-680) in Damascus.[26] His career marks therefore

[24] NAU (1910a) 225, NAU (1910b) 248, MS Paris BN Syr. 346 170r.
[25] HUGONNARD-ROCHE (2004), p. 234, n.4.
[26] PALMER (1993), p. 30.

a critical juncture in the transmission of scientific knowledge, an occasion when a Syriac scholar studies not only Greek astronomy, but also Indian astronomy in Persian, and is even engaged with the very beginning of Muslim rule in Syria. This juncture anticipates the eventual flood of translations into Arabic from Greek, Persian and Indian sources. From the point of view of the present edition Sebokht provides a valuable witness to the state of the *Handy Tables*, a witness that antedates both the earliest Byzantine manuscripts and the Arabic versions.

The inferior texts of the palimpsest Syriac ms *Vat. Syr.* 623 includes the Greek text of parts II and III of table A1, as well as a portion of the Arabic translation of Theon's *Small Commentary*. It might well be the case therefore that this Greek text was that known to such Syriac authors as Severus, as well being the Greek text as known to Arabic authors who studied the *Handy Tables*. In any case these tables A1 (II, III), including as they do a portion of the equation of time, are of the greatest interest in that they agree with the recension of the work found in the Byzantine mss, especially in the column of the equation of time for the sign Leo, where the whole column reveals the very erroneous calculation that was discussed in **2.3.8**.

A scholiast writing in Apamea *ca* 462, comments on the *Great Commentary* of Theon in *Vat.gr.* 190, demonstrating the important fact that both the *Handy Tables* and the *Great Commentary* were known in Syria at that time. It has been argued also that the scholiast was one who added his remarks to those of Synesius of Cyrene, pupil of Hypatia, daughter of Theon.[27]

Further work on the Syriac astronomical authors, especially Severus Sebokht, is certain to throw important light on state of the Syriac scientific community.

---

[27] Mogenet (1985), p. 75-7.

Appendix F

THE *HANDY TABLES* IN ARABIC

That the *Handy Tables* appeared in Arabic guise is certain, although the supporting evidence is more confusing than one might expect. It would have helped if a copy of an Arabic version had come to light, but at least *Vat. syr.* 623, descibed below, provides a few lines of the Arabic version of Theon's *Short Commentary*. Apart from the various zījes, especially those of al-Battānī (*ca* 880) and al-Bīrūnī (*ca* 1030), one naturally consults the Taʾrīkh al-Yaʿqūbī (*ca* 870), and the well known Fihrist of Ibn al-Nadīm (*ca* 990), which are, respectively, more or less contemporary with these two zījes.

The *Handy Tables* were generally seen as the work of Theon. Al-Battānī, in his influential zīj al-Ṣabī, mentions Theon a number of times in connection with parallax (Chs. 39, 40, 44) and the Era of the Death of Alexander (Ch. 32). He refers to the 'Qānūn of Theon', and to the 'Tables (jadāwīl) composed by Theon the astronomer of Alexandria'.[28] In later passages he refers simply to the Tables of Theon.[29] That he has the Tables in front of him is however made clear by his remarking that in the first rows of the tables of mean motion for months only zeros occur.[30] This is indeed the case, as one sees in Tables A3c, A3d, A14c, A14d, which show zeroes in the first rows, an arrangement such that successive rows refer to the start, rather than the completion, of the month or day.

In his History (Taʾrīkh) al-Yaʿqūbī devotes a long article to Greek works, including those of Ptolemy.[31] The account is far more informative than that of the Fihrist, and includes a detailed digest of the contents of parts of the *Almagest*. There is no mention of Theon. The titles of Ptolemy's works are

---

[28] Ch. 32 (Eras): NALLINO (1899), Pars prima p. 69, line 20; Pars tertia (Arabic), p. 103, line 16; Ch. 39 (Parallax), Pars prima p. 82, line 27, Pars prima p. 124, line 7.

[29] Ch. 40 (Parallax); NALLINO (1899), Pars prima p. 84, line 40; Pars tertia (Arabic), p. 127, line 20; Ch.44 (solar eclipse): Pars prima p. 105, line 15; Pars tertia (Arabic), p. 159, line 2.

[30] NALLINO (1899), Pars prima p 103, lines 5, 15; Pars prima p. 69, line 20.

[31] HOUTSMA (1883) Vol. 1 pp. 106-161; the works of Ptolemy are summarised on pp. 150-161.

The *Almagest*
The armillary instrument
The instrument of plates (planisphere)
The qānūn on the science of the stars, their calculation, arrangement of their parts, and their equations.

The title of the last work somewhat resembles that of Ptolemy's instructions for the *Handy Tables*, προχείρων κανόνων διάταξις καὶ ψηφοφορία, as Sezgin has noted[32], yet from the rather detailed digest of the contents given by al-Yaqʿūbī, in 16 sections, it is clear that whatever work was available to him, it is far from being a translation of that work. Klamroth provided a translation of that section.[33]

In the *Fihrist* of Ibn al-Nadīm, that astonishing bio-bibliographical survey of Arabic literature, there are entries for both Ptolemy and Theon. Ptolemy is noted as the author of numerous works, but of these titles only the *Almagest*, the *Tetrabiblos*, and the *Geography* are readily identifiable with the Greek corpus, while one entitled somewhat obscurely 'Account of the locations of the stars', (kitāb al-iqtiṣaṣ aḥwāl al-kawākib) is known to be the *Hypotheses*.[34]

However apart from this entry on Ptolemy there is a section on the translators which includes a notice of Ptolemy's 'zīj':

> Ayyūb and Sim'ān translated the Zīj of Ptolemy for Muḥ. b. Khālid b. Yāḥya b. Barmak [705-782], and other ancient books.[35]

For Theon the Fihrist has a simple list of his works:[36]

> On the usage of the armillary sphere (ḥalaq);
> The Tables (jadāwīl) of the zīj of Ptolemy named the Handy Qānūn;[37]
> On the usage of the astrolabe;
> Introduction (mudkhal) to the Almagest, according to an old version.

[32] Sezgin (1974), p. 174.
[33] Klamroth (1888), 25-7.
[34] Dodge (1970), 640; Flügel (1871), pp. 267-8; Sezgin (1978), p. 94.
[35] Dodge (1970), 587; Flügel (1871), p. 355.
[36] Dodge (1970), 641; Flügel (1871), p. 268; Sezgin (1974), pp. 180-186; Sezgin (1978), p. 94.
[37] The edition has al-musayyar (المسير) 'motion', which should probably be emended to al-mayasar (الميسر) 'handy', as Klamroth (1888), p. 43, argues in connection with al-Yaʿqūbī; the Arabic words differ really only in the position of the dots under the ya.

From these entries in the Fihrist it is clear that the *Handy Tables* were known as the zīj of Ptolemy, but that the work was seen in some sense through Theon's commentary.

The apparent inconsistences between al-Yaʿqūbī and the Fihrist regarding the attributions of these works to Ptolemy and to Theon presents a difficulty that has been discussed at length by Klamroth and Sezgin.[38]

Al-Bīrūnī in both the *Chronology* and the *Qānūn al-Masʿūdī* made various references to the *Handy Tables,* considered always as the work of Theon. In the *Chronology,* he remarks of the Era of Philip, 'On it [this era] Theon of Alexandria has based the zīj called Qānūn'.[39] In the *Qānūn al-Masʿūdī*: 'in the Qānūn, the zīj of Theon'; all these notices are in maqālas 1 and 2, dealing with Eras.[40]

Summary by al-Yaʿqūbī of the Qānūn of Theon

The *Taʾrīkh al-Yaʿqūbī* is a history of pre-Islamic and Islamic periods written by Aḥmad al-Yaʿqūbī (d. 897). It includes valuable summaries of a number of Greek scientific and philosophical authors. Concerning Ptolemy he begins as follows.

و من حكماء اليونانيين بطلميوس وهو الذى وضع كتاب المجسطى وكتاب[ذات] الحلق و ذات الصفائح وهى الاسطرلاب و القانون

Of the scholars of Greece, Ptolemy, and by him, Almagest, Dhāt al-ḥalaq, Dhāt al-ṣafāʾiḥ (which is the Astrolabe), and the Qānūn.

He proceeds to give rather detailed summaries of those four works, including the contents of the Qānūn, as follows.[41]

وأمّا كتابه القانون في علم النجوم، وحسابها، وقسمة أجزائها، وتعديلها، فمن أتمّ كتب النجوم و أوضحها، وكان أوّل ما ابتدأ به في ذكر دور السماء التي تدور فيها هذه الكواكب.

باب في علم مسير الكواكب في كلّ يوم، فيقول: إنّ مسير الشمس في كلّ يوم يكون تسعاً وخمسين دقيقة ؛ ومسير أوج القمر سبع دقائق ؛ ومسير رأس التنّير، وهو الجوزهر، ثلاث دقائق ؛ ومسير زحل دقيقتان ؛ ومسير المشتري خمس دقايق؛ ومسير المريخ

---

[38] Klamroth (1888), Sezgin (1974) p. 180 s.
[39] Sachau (1878) 28; Sachau (1879) p. 32.
[40] Bīrūnī (1954), pp. 87, 129, 133.
[41] Houtsma (1883), pp. 159-161.

إحدى وثلاثون دقيقة ؛ ومسير الزهرة درجة وستّ وثلاثون دقيقة ؛ ومسير عطارد أربع درج وخمس دقائق؛ ومسيرقلب الأسد ستّ ثوانٍ.

باب في علم أوساط الكواكب، وتقويمها، وتعديلها، إذا كانت لا تمكن أن تقوم إلاّ بأوساطها.

باب في تحريك أرباع الفلك على ما ذكر أصحاب الطلسمات؛ انَّ ارباع الفلك تتحرّك ثمانية أجزاء مقبلة، وثمانية أجزاء مدبرة، والجزء درجة فتقبل قي كلّ ثمانين سنة، وتدبر على كلّ ثمانية سنة جزءاً.

باب في ميل الشمس وعرض الكواكب الستّة، وتباعدها من خطّ الاستواء إلى الشمال، وإلى الجنوب؛ ووضع لكلّ كوكب منها في ذلك جدولا ً؛ أمّا ميل الشمس، فميلها عن خطّ الاستواء؛ وأمّا ميل عرض الكواكب فتباعدها من مسير الشمس.

باب في مقام الكواكب السبعة ورجوعها، وكيف يلتمس على ذلك من زحل والمشتري والمريخ، إذا كان بين كلّ واحد منها وبين الشمس مائة عشرون، أو مائتان وأربعون درجة، ومن الزهرة وعطارد إذا تباعدا من الشمس تباعدهما الأكبر، فكان بين الزهرة وبينها ستّ وأربعون درجة، وبين عطارد ثلاث و عشرون درجة.

باب في طلوع الكواكب السبعة من تحت شعاع الشمس، ومغيبها من بين يديها ومن خلفها.

باب في تقويم الساعات وتعديلها، وإخراجها من الساعات المعوجّة إلى الساعات المستوية.

باب في علم عرض المدائن وطولها؛ وقسَّم مدائن العالم بين الأقاليم السبعة، فجعل لكلّ مدينة طولاً و عرضاً ، وجعلها في جدول سمّاه جدول المدائن، ووضعه على ثلاثة أبواب: فالباب الأوّل فيه تسمية المدائن.

والباب الثاني طول كلّ مدينة.

والباب الثالث عرض كلّ مدينة، وهو انحرافها عن حدّ رأس الجدي، والميزان إلى الشمال؛ ووضع لكلّ إقليم عرضه، وهو انحراف وسطه عن رأس الحمل، والميزان إلى الشمال، وأثبته على رأس جدول مطالعه، فإذا اردت عرض مدينة من مدائن العالم، وكانت ممّا قد أثبته في تسمية المدائن، وإلا ّ نظر إلى عرض أيّ إقليم هي أقرب، فأيّ إقليم وجد عرض تلك المدينة أقرب إلى عرضه، فتلك المدينة من ذلك الاقليم.

الباب فيه عرض كلّ إقليم، فقال الأوّل: ستّ عشرة درجة ودقيقة؛ والثاني ثلاث وعشرون درجة و إحدى عشرة دقيقة؛ والثالث ثلاثون درجة واثنتان وعشرون دقيقة؛ والرابع ستّ وثلاثون درجة؛ و الخامس أربعون درجة وستّ وخمسون دقيقة؛ والسادس خمس وأربعون درجة واثنتان وثلاقون دقيقة؛ السابع ثمان وأربعون درجة واثنتان وثلاثون دقيقة.

وباب ذكر فيه انحراف القمر، وهو الذي يسمّى البراكفيس[42]، وأخبر انّه رؤية القمر، وذلك انّ للقمر موضعين مختلفين: أحدهما موضع رؤيته، والآخر منزلته المعتدلة.

وباب في اجتماع الشمس والقمر والاستقبال، وكيف يحسب لذلك حتّى يصحّ.
وباب في كسوف القمر ونواحيه.
وباب في كسوف الشمس، وكيف يحسب في وقت الاجتماع.
وباب في تعديل ما يوجد بجداول الكواكب والطالع وغير ذلك.
وباب من التعديل في استخراج الطالع وفيه مائة وثمانون جدولاً؛ وبيّن كلّ قول بالاشكال.
وتسمية ملوك اليونانيّين والروم وما ملك كلّ ملك على ما بيّنّا من أسمائهم آخر هذا الفصل.

Translation

I Knowledge of the motion of the daily motion of the stars. It declares the daily motion of the Sun is 0;59, of the apogee of the Moon 0;7, of the node Draco called al-jauzahr 0;3, of Saturn 0;2, of Jupiter 0;5, of Mars 0;31, of Venus 1;36, of Mercury 4;5, of Regulus (qalb al-asad) 0;0,0,6 [6 thuwān *sic*].

II On the mean motion of the stars, their calculation, their equation, which cannot be done except with the means.

III On the motion of the quarters of the heaven, according to the astrologers. That is the quarters of the heaven move in accession 8 degrees and 8 degrees in recession, and move one degree forward in every 80 years, then move back one degree every 80 years.

---

[42] barākfīs, as in the edition of Houtsma, evidently a corruption of the Greek παραλλάξ.

IV On the declination of the Sun and the latitude of the 6 stars, their distance from the equator to the North and to the South. The location of each star is in a table. As to the declination of the Sun it is the distance from the equator; as to the latitude of the stars it is the distance from the path of the Sun.

V On the stations and retrogressions of the seven stars, and the scheme found for Saturn, Jupiter, Mars, such that when the distance between them and the Sun is 120 or 240 degrees, and for Venus and Mercury, if the distance is greater than 46 for Venus, 28 for Mercury.

VI On the emergence of the seven stars from under the rays of the Sun, and their disappearance before or after into it.

VII On the determination of the hour and its equation, and the conversion from unequal hour to equal hour.

VIII On knowing the latitude of places and their longitude and the distribution of places of the world over the 7 climates. Then assign to each place a longitude and latitude, and place them in a table named Table of Places, and arrange it under 3 heads: the first head is the name of the place, the second the longitude of the place, the third the latitude of the place, which is the separation from the boundary of Capricorn (*recte* Aries) and Libra to the North. Assign to each climate its latitude, which is the separation to the North of its mid-point away from the head of Aries and Libra. Place it at the head of the table of ascensions. Then if you want the latitude of a place among the places of the world, it is one of those established in the naming of the places. Otherwise note the latitude of some climate near to it, then whichever climate is found, the latitude of this place is near to that latitude [of the climate]; then this place is of this climate.

IX The latitude of every climate. It is declared that:
the first is 16; - [*recte* 16;27]
the second is 23;11 [*recte* 23;51]
the third is 30;22
the fourth is 36;0
the fifth is 40;56
the sixth is 45;32 [*recte* 45;30]
the seventh is 48;32

X On the deviation of the Moon, which is termed parallax: this tells us about the appearance of the Moon, which is to say that there are two differing positions: one of them is its apparent position and the other is its direct position.

XI On the conjunction of Sun and Moon and the opposition, and the way that is determined

XII On the eclipse of the Moon and its regions (*or* boundaries).

XIII On the eclipse of the Sun and the way the time of conjunction is calculated.

XIV On the equation which is found from tables of the stars, their ascensions, etc.

XV On the equation in the derivation of ascensions, and in which there are 180 tables.

The naming of the Kings of Greece and Rome who were reigned in each kingdom; what is known of their names is in the next section.

The *Small Commentary* on the *Handy Tables* in Arabic

Theon wrote two commentaries on the *Handy Tables*, and of these the shorter *Small Commmtary* was translated into Arabic. Indeed there survives a fragment of this translation which we find in the palimpsest of *Vaticanus syr.* 623, in which, as noted in detail elsewhere in this edition, there survive fragments of the Greek text of various tables.[43] Now, apart from that Greek text, there is also an Arabic text which has been shown to be the opening paragraph of an Arabic translation of Theon's *Small Commentary.*[44] The Syriac text was written on pages which were made by cutting the original folio horizontally into two halves, each half being folded on the vertical midline to create two folios of the Syriac ms. Each sheet was originally 167 × 246 mm. The original pages can be reconstituted

[43] Introduction V.

[44] Theon's work is given by Tihon (1978). The text is given at pp.199-298. The source of the Arabic text in the palimpsest was discovered by Proverbio (2002).

by means of an examination of the Arabic text, the 8 pages of the Syriac ms together making up recto and verso of a single folio of the original Arabic ms. The Syriac text with folios now numbered 115, 116, 121, 122 is written on the recto and verso of the quarters of the single folio of the earlier Arabic ms, as shown here:

Arabic page verso	
116^v ⇑	121^r ⇑
122^r ⇓	115^v ⇓

Arabic page recto	
121^v ⇑	116^r ⇑
115^r ⇓	122^v ⇓

Note that on 116 and 121 the present Syriac text runs up the page (as shown by the arrows) relative to the Arabic text. The Arabic text begins on 116^r + 121^v, continues to the lower half 122^v + 115^r, then onto the verso 121^r + 116^v, then 115^v + 122^r, On the recto there are 18 lines of Arabic text, on the verso 23. In the Syriac ms there were 4 folios 117-120 between 116 and 121, and on these 8 pages the inferior text is the Greek text of portions of the Handy Tables, A13, 6-7, and A14, a. The Syriac volume is dated A.D. 886, and the Arabic text, which is in a particularly well formed hand, identified as 'Christian Palestinian', may be judged to be also of the ninth century. A close analysis of the Arabic hand is given in an annex to Part I of this edition.

The word Φιλιππος is written over the corresponding Arabic فيليفوس (clearly visible in the photograph) and is in the same hand as that of the Greek text of the tables, so we may infer that the same scribe is responsible for the Greek and Arabic texts, and since the folios of the Greek and Arabic texts are the same size, it is quite possible that both texts formed part of one single manuscript. That manuscript can be presumed to include in any case not only the Greek text of the tables and but also that of Theon's commentary. This contrasts with the situation now available to us, where the commentries are found along with the tables only in manuscripts from the thirteenth century.

Here we reproduce the opening of this work as transcribed by Proverbio together with the corresponding Greek text.[45]

[45] The difficulties of reading the Arabic text are certainly not to be underestimated, but the transcription is given here as in Proverbio (2002). In particular the word نبية, which appears for 'treatise', is unrecognisable. In any case he gave only about half of what is found on these 8 pages.

> اما الطريقة المستقيمة لحساب قوانين النجوم العتيدة يا بني ابيفان فقُدّاو منحنا ذلك في خمس مصاحف في ثبية آخر
>
> Ἡ μὲν λογικωτέρα ἔφοδος τῆς διὰ τῶν προχείρων κανόνων ψηφοφορίας τῶν ἀστέρων, τέκνον Ἐπιφάνιε, γέγονεν ἡμῖν δι᾿ ἀκριβείας ἐν πέντε βιβλίοις ἐν ἑτέρῳ συντάγματι
>
> *Epiphanios, my child, we have already given you in another treatise, in five books, the rational method for the exact calculation of the stars according to the* Handy Tables.

The name *Handy Tables* is rendered as القوانين النجوم العتيدة, literally *ready (convenient) tables of the stars.* Both Proverbio and Paolo la Spisa remark that the Arabic version is rather literal.

It is remarkable indeed to find together in this Syriac manuscript of the ninth century both a fragment of the tables of the *Handy Tables* and a fragment of the Arabic translation of Theon's commentary on it, so that the manuscript is a tangible reverberation of the transmission of this Greek work through Syriac and into Arabic hands.

Appendix G

TRIGONOMETRIC FORMULAE

Notation:
Obliquity ε, Ecliptic longitude λ, Equatorial Right Ascension α, Oblique Ascension γ,
Declination δ, Ascensional Difference β, Seasonal Hour η, Geographic latitude ϕ.

Longitude λ to RightAscension α

$$\alpha = \arctan(\tan\lambda\cos\varepsilon)$$

RightAscension α to Longitude λ

$$\lambda = \arctan(\tan\alpha / \cos\varepsilon)$$

Longitude λ to ObliqueAscension γ

$$\delta = \arctan(\sin\lambda\sin\varepsilon),\ \beta = \arcsin(\tan\delta\tan\phi),$$
$$\alpha = \arctan(\tan\lambda\cos\varepsilon),\ \gamma = \alpha - \beta.$$

Oblique Ascension γ to Longitude λ

$$\cos A = -\cos\varepsilon\cos(\phi + \pi/2) + \sin\varepsilon\sin(\phi + \pi/2)\cos\gamma,$$
$$\lambda = \arctan\left[\frac{\sin\gamma\sin\varepsilon\sin(\phi + \pi/2}{\cos(\phi + \pi/2) + \cos A\cos\varepsilon}\right],$$

Longitude λ to Seasonal Hour η

$$\eta_1 = \gamma(\lambda,\phi),\ \eta_2 = \gamma(\lambda + \pi,\phi)$$
$$\eta = (\eta_2 - \eta_1) / 12.$$

Angle between ecliptic and meridian

$$\arcsin\sin\alpha / \sin\lambda$$

Angle between ecliptic and horizon.

Given λ:

$$b = \text{arcin}(\sin\lambda\sin\varepsilon / \cos\phi)$$

$$A = \arctan\left[\cot\left[\frac{\varepsilon + \phi}{2} + \frac{\pi}{4}\right]\frac{\cos\left[\frac{\lambda - b}{2}\right]}{\cos\left[\frac{\lambda + b}{2}\right]}\right]$$

Alternatively, given oblique ascension γ:
$\cos A = \cos \varepsilon \sin \phi + \sin \varepsilon \cos \phi \cos \gamma$
A is the angle between the ecliptic and the horizon.

Angle between ecliptic and Hour Circle (*Almagest* II.13)
Given Longitude λ, Equinoctial Hour τ, Latitude ϕ, Right Ascension at meridian α_0

$$\alpha_0 = \arctan(\tan \lambda \cos \varepsilon) - \tau$$

Longitude at meridian λ_0

$$\lambda_0 = \arctan(\tan \alpha_0 / \cos \varepsilon)$$

Declination at meridian δ_0

$$\delta_0 = \arcsin(\sin \lambda_0 \sin \varepsilon)$$

Zenith distance of ecliptic ζ_0

$$\zeta_0 = \phi - \delta_0$$

Angle of ecliptic at meridian

$$Z_0 = \text{arccoss}\left[\frac{\tan \delta_0}{\tan \lambda_0}\right],$$

$$\text{if } \lambda_0 = 0, Z_0 = \frac{\pi}{2} - \varepsilon$$

Define the triangle $AZ_0\,Z$, between the zenith, the given point of the ecliptic (at λ), and the intersection with the meridian (at λ_0).

$$AZ_0 = \zeta_0, ZZ_0 = \lambda - \lambda_0,$$

$$AZ = \arccos \cos \zeta_0 \cos \lambda - \lambda_0 + \sin \zeta_0 \sin \lambda - \lambda_0 \cos Z_0$$

$$Z = \text{arccoss}\left[\frac{\sin \zeta_0 \sin Z_0}{\tan \lambda_0}\right],$$

Ptolemy (*Almagest* II.13) tabulates the arcs AZ, $\pi - Z(\tau)$, $Z(-\tau)$ against τ, for each λ, and for each ϕ. His 'East Angle' is determined for positive values of τ (before Noon), 'West Angle' for negative values of τ, that is after Noon.

BIBLIOGRAPHY

Aaboe (1991)
A. Aaboe, J. P. Britton, J.A. Henderson, O. Neugebauer, A. Sachs, *Saros cycle dates and related Babylonian astronomical texts*, in *Transactions American Philosophical Society*, Vol. 81, Pt. 6, 1991.

Abel (1938)
Félix-Marie Abel, *L'Ère des Séleucides*, in *Revue Biblique* xlvii (1938), pp. 198-213.

Adler (2002)
William Adler, Paul Tuffin, *The Chronography of George Synkellos: A Byzantine Chronicle of Universal History from the Creation*, Oxford, Oxford University Press, 2002.

Bickerman (1943)
Elias J. Bickerman, *Notes on Seleucid and Parthian Chronology*, in *Berytus* Vol. 8 (1943-4), pp. 73-83.

Bīrūnī (1954)
Abū Rayḥān Muḥammad b. Aḥmad al-Bīrūnī *Al-Qānūnu'l-Mas'ūdī (Canon Masudicus)*, edited by the Bureau, 3 vols, Dāiratu'l-Ma'ārif-il-Oṣmānia, Hyderabad, 1954.

Boiy (2000)
Tom Boiy, *Dating methods during the early Hellenistic period*, in *Journal of Cuneiform Studies*, Vol. 52 (2000), pp. 115-121.

Bouché-Leclerq (1903)
Auguste Bouché-Leclerq, *Histoire des Lagides*, 4 vols., Paris 1903.

Bosworth (1992)
A.B. Bosworth, *Philip III Arrhidaeus and the Chronology of the Successors*, in *Chiron*,Vol. 22, 1992, pp. 55-80.

Bounoure (1992)
Pseudo-Callisthène, Le roman d'Alexandre. Traduit et commenté par Gilles Bounoure et Blandine Serret, Paris, Les Belles Lettres, 2004.

Brinkman (1968)
J.A. Brinkman, *A Political History of Post-Kassite Babylonia 1158-722 B.C*, in *Analecta Orientalia*, Vol. 43, Rome, 1968.

Britton (1992)
John Phillips Britton, *Models and Precision: The quality of Ptolemy's observations and parameters*, New York, 1992.

BUDGE (1889)
E.A. WALLIS BUDGE, *The History of Alexander the Great Being the Syriac Version of the Pseudo-Callisthenes*, Cambridge, 1889; repr. Gorgias Press 2003.

BUDGE (1896)
E.A. WALLIS BUDGE, *The life and exploits of Alexander the Great: Being a series of Ethiopic Texts.... With an English translation and notes*, 2 vols., London, Clay, 1896.

BUDGE (1933)
E.A. WALLIS BUDGE, *The Alexander Book in Ethiopia*, Oxford, 1933.

CIANCAGLINI (1998).
Claudia A. CIANCAGLINI, *Gli antecedenti del Romanzo Siriaco di Alessandro*, in FINAZZI (1998), pp. 55-93.

DELAMBRE (1817)
J. B. J. DELAMBRE, *Histoire de l'astronomie ancienne*, Paris, 1817.

DEPUYDT (1995)
Leo DEPUYDT, *"More valuable than all gold": Ptolemy's Royal Canon and Babylonian chronology*, in *Journal of Cuneiform Studies* Vol. 47, 1995, pp. 97-117.

DEPUYDT (1997)
Leo DEPUYDT, *The time of death of Alexander the Great: 11 June 323 B.C. (–322), ca. 4:00-5:00 PM*, in *Die Welt des Orients*, Vol. XXVIII, 1997, pp. 117-135.

DODGE (1970)
The Fihrist of al-Nadīm, Bayard DODGE, editor and translator, New York, Columbia University Press, 1970.

FINAZZI (1998)
La diffusione dell'eredità classica nell'età tardoantica e medievale. Il "Romanzo di Alessandro" e altri scritti, a cura di Rosa Bianca FINAZZI e Alfredo VALVO, Alessandria, Edizioni dell'Orso, 1998.

FLÜGEL (1871)
Kitab al-fihrist, Ibn al-Nadim, mit Anmerkungen hrsg. von G. FLÜGEL, Leipzig, 1871-1872.

FRASER (1972)
P.M. FRASER, *Ptolemaic Alexandria*, Oxford, Clarendon Press, 1972.

FRIEDLÄNDER (1913)
I. FRIEDLÄNDER, *Die Chadhirlegende und der Alexanderroman*, Leipzig, Teubner, 1913.

GINZEL (1906)
F.K. GINZEL, *Handbuch der mathematischen und technischen Chronologie*, 3 vols, Leipzig, 1906-1914.

GRAYSON (1975)
A.K.GRAYSON, *Assyrian and Babylonian Chronicles*, New York, 1975.

GRAYSON (1983)
A.K.GRAYSON, *Königslisten und Chroniken*, in *Reallexikon der Assyriologie*, Berlin, 1980-1983, bd.6, pp. 86-135.

GRZYBEK (1990)
Erhard GRZYBEK, *Du calendrier Macédonien au calendrier Ptolémaïque*, Basel, 1990.

HALLO (1988)
William W. HALLO, *The Nabonassar Era and other Epochs in Mesopotamian Chronology and Chronography*, in *A Scientific Humanist*, edited by E. LEICHTY, M. de J. ELLIS, P. GERARDI, Philadephia, 1988, pp. 175-190.

HALMA (1813)
N. HALMA, *Oeuvres de Ptolémée*, Eight vols., Paris, 1813-1828 (see vol. 1a, pp. 76-83)

HALPORN (2004)
Cassiodorus. Institutions of Divine and Secular Learning and On the Soul, translated with notes by James W. HALPORN, introduction by Mark VESSEY, Liverpool, University Press, 2004.

HAMA see NEUGEBAUER (1975).

HAMILTON (1987)
N.T. HAMILTON, N.M. SWERDLOW, G.J. TOOMER, *The Canobic Inscription : Ptolemy's Earliest Work*, in *From Ancient Omens to Statistical mechanics*, edited by J.L. BERGREN and B.R. GOLDSTEIN, Copenhagen, 1987, pp. 54-73.

HEIBERG (1898)
Claudii Ptolemaei Syntaxis mathematica, ed. J.L. HEIBERG, 2 vols, Leipzig, Teubner, 1898.

HEIBERG (1907)
Claudii Ptolemaei Opera astronomica minora, ed. J.L. HEIBERG, Leipzig, Teubner, 1907.

HONIGMANN (1929)
E. HONIGMANN, *Die sieben Klimata und die* ΠΟΛΕΙΣ ΕΠΙΣΗΜΟΙ: *eine Untersuchung zur Geschichte der Geographie und Astrologie im Altertum und Mittelalter*, Heidelberg, C. Winter, 1929.

HOUTSMA (1883)
Ibn-Wādhih qui dicitur al-Jaʿqubī, Historiae, edidit indicesque adjecit M. Th. HOUTSMA, Leiden, Brill, 1883.

HUGONNARD-ROCHE (2004)
Henri HUGONNARD-ROCHE, *La Logique d'Aristote du Grec au Syriaque*, Paris, Vrin, 2004.

JACOBY (1923)
Felix JACOBY, *Die Fragmente der griechischen Historiker*, Leiden: Brill, 1923 –.

JONES (1990)
Alexander JONES, *Ptolemy's First Commentator*, in *Transactions American Philosophical Society*, Vol. 80, part 7, Philadelphia, 1990.

JONES (1999a)
Alexander JONES, *The Horoscope of Proclus*, in *Classical Philology* 94 (1999), pp. 81-88.

JONES (1999b)
Astronomical Papyri from Oxyrhynchus (P. Oxy. 4133-4300a), edited with translations and commentaries by Alexander JONES, in *Memoirs of the American Philosophical Society*, Vol. 233, I-II, Philadelphia, 1999.

KENYON (1907)
F. G. KENYON, *Greek Papyri in the British Museum*, London, H. I. Bell, 1907.

KLAMROTH (1888)
M. KLAMROTH, *Über die Auszüge aus griechischen Schriftstellern bei al-Jaqʿûbî*. IV. *Mathematiker und Astronomen*, in *Zeitschrift der Deutschen morganländischen Gesellschaft*, Vol. 42 (1888), pp. 1-44.

KROLL (1926)
Historia Alexandri Magni (Pseudo-Callisthenes), Vol. I, *Recensio Vetusta*, edidit Guilelmus KROLL, Berlin, 1926.

KUGLER (1909)
F. X. KUGLER, *Sternkunde und Sterndienst in Babel* II: *Babylonische Zeitordnung*, Münster, 1909.

LABAT (1976)
René LABAT, *Manuel d'Épigraphie Akkadienne*, nouvelle édition, revue et corrigée par Florence MALBRAN-LABAT, Paris ,1948.

LEMAIRE (1996)
A. LEMAIRE, *Nouvelles inscriptions araméennes d'Idumée au Musée d'Israël, Supplément n° 3 à Transeuphratène*, Paris, Gabalda, 1996.

MERCIER (1987)
Raymond MERCIER, *Astronomical tables in the Twelfth century*, in *Adelard of Bath, an English Scientist and Arabist of the early Twelfth century*, ed. Charles BURNETT, London,Warburg Institute, 1987, pp. 87-118.

MEYER (1899)
Eduard MEYER, *Forschungen zur alten Geschichte*, Vol. 2, Halle, 1899.

MOGENET (1985)
Joseph MOGENET, *Le «Grand Commentaire» de Théon d'Alexandrie aux Tables Faciles de Ptolémée*. Livre I, revues et complétées par Anne TIHON, commentaire par Anne TIHON, *Studi e Testi*, 315, Vatican, 1985.

Mosshammer (1984)
Georgii Syncelli Ecloga Chronographica, edidit Alden A. Mosshammer, Berlin 1984.

Nallino (1899)
C.A. Nallino, *Al-Battānī sive Albatenii opus astronomicum, ad fidem codicis Escurialensis Arabice editum, Latine versum, adnotationes instructum,* 2 volumes, Milan 1903; repr Frankfurt a. M. 1969; *Pars tertia textum Arabicum continens,* Milan,1899.

Nau (1899)
F. Nau, *Le Traité sur l'Astrolabe Plan de Sévère Sabokt,* in *Journal Asiatique,* sér. 9, t. xiii (1899), pp. 56-303.

Nau (1910a)
F. Nau, *Notes d'astronomie Syrienne,* in *Journal Asiatique,* sér. 10, t. xvi (1910), pp. 209-228.

Nau (1910b)
F. Nau, *La cosmographie au viie siècle,* in *Revue de l'Orient Chrétien,* 15 (1910), pp. 225-254.

Nau (1931a, b)
F. Nau, *Le Traité sur les "constellations" écrit, en 661, par Sévère Sébokt Évêque de Qennesrin,* dans *Revue de l'Orient Chrétien,* Vol. 27 (1929-30), pp. 327-410; Vol. 28 (1930-31), pp. 85-100.

Neugebauer (1958)
O. Neugebauer, *The Astronomical Tables P. Lond. 1278,* in *Osiris* 13 (1958), pp. 93-113.

Neugebauer (1959a)
O. Neugebauer, *Regula Philippi Arrhidaei,* in *Isis* 50 (1959), pp. 477-478; reprinted in Neugebauer (1983).

Neugebauer (1959b)
O. Neugebauer, H.B. van Hoesen *Greek Horoscopes,* in *Memoirs of the American Philosophical Society,* Vol. 48, 1959.

Neugebauer (1975)
O. Neugebauer, *A history of ancient mathematical astronomy,* 3 vols, Berlin-Heidelberg-New York, Springer, 1975.

Neugebauer (1983)
O. Neugebauer, *Astronomy and History. Selected Essays,* New York-Berlin-Heidelberg-Tokyo, Springer, 1983.

Newall (1946)
Edward T. Newall, *The Dated Alexander Coinage of Sidon and Ake,* in *Yale Oriental Series. Researches* Vol. II , New Haven, Yale, 1946.

Nöldeke (1890)
Th. Nöldeke, *Beiträge zur Geschichte des Alexanderromans,* in *Denkschriften der Kaiserlichen Akademie der Wissenschafter in Wien,* Bd xxxvii, Wien, 1890.

Oppenheim (1977)
A. Leo Oppenheim, Erica Reiner, *Ancient Mesopotamia*, revised edition, Chicago, 1977.

Palmer (1993)
Andrew Palmer, with Sebastian Brock and Robert Hoyland, *The Seventh Century in the West-Syrian Chronicles*, Liverpool, University Press, 1993.

Pedersen (1974)
Olaf Pedersen, *A survey of the Almagest*, Odense, 1974.

Pestman (1967)
P.W. Pestman, *Chronologie égyptienne d'après les textes démotiques (332 av. J.-C. – 453 ap. J.-C.)*, in *Papyrologica Lugduno-Batava*, Vol. XV, Leiden, 1967.

Pingree (1997)
David Pingree, *Preceptum Canonis Ptolemei, Corpus des Astronomes Byzantins*, VIII, Louvain-la-Neuve, 1997.

Porten (2007a)
Bezalei Porten and Ada Yardeni, *Why the unprovenanced Idumaean ostraca should be published*, in *New Seals and Inscriptions, Hebrew, Idumaean, and cuneiform*, edited Meir Lubetski, Sheffield, Phoenix Press, 2007, pp. 73-98.

Porten (2007b)
Bezalei Porten and Ada Yardeni, *The house of Baalrim in the Idumaean Ostraca*, in *New Seals and Inscriptions, Hebrew, Idumaean, and cuneiform*, edited Meir Lubetski, Sheffield, Phoenix Press, 2007, pp. 99-147.

Proverbio (2002)
Delio Vania Proverbio, *Theonis Alexandrini Fragmentum Pervetus Arabice. Sul più antico manoscritto del* Commentarium parvum *di Teone Alessandrino. Notizia preliminare*, in *Rendiconti dell'Accademia Nazionale dei Lincei. Classe di Scienze Morali, storiche e filologiche*, ser. IX, 13, fasc 3 (2002), pp. 373-386.

Ptolemy (1538)
Joachim Camerarius, *Claudii Ptolemaei Magnae Constructionis idest Perfectae caelestium motuum pertractationis lib. XIII. Theonis Alexandrini in eosdem commentariorum lib. XI, Basileae apud Joannem Uualderum, an. 1538.*

Rome (1931)
A. Rome, *Commentaires de Pappus et de Théon d'Alexandrie sur l'Almageste,*. Tome I, *Pappus d'Alexandrie Commentaires sur les livres 5 et 6 de l'Almageste, Studi e Testi,* 54, Rome, 1931.

Rome (1936)
A. Rome, *Commentaires de Pappus et de Théon d'Alexandrie sur l'Almageste,* Tome II, *Théon d'Alexandrie Commentaires sur les livres 1 et 2 de l'Almageste, Studi e Testi* 72, Vatican, 1936.

Rome (1937)
A. Rome, *Les observations d'équinoxes et de solstices dans le chapitre 1 du livre 3 du Commentaire sur l' Almageste par Théon d'Alexandrie*, Première partie, dans *Annales de la Société Scientifique de Bruxelles*, 57, 1937, pp. 212-236.

Rome (1938)
A. Rome, *Les observations d'équinoxes et de solstices dans le chapitre 1 du livre 3 du Commentaire sur l' Almageste par Théon d'Alexandrie*, Seconde partie, dans *Annales de la Société Scientifique de Bruxelles*, 58, 1938, pp. 6-26.

Rome (1939)
A. Rome, *Le problème de l'équation du temps chez Ptolémée*, dans *Annales de la Société Scientifique de Bruxelles*, 59 (1939), pp. 211-224.

Rome (1943)
A. Rome, *Commentaires de Pappus et de Théon d'Alexandrie sur l'Almageste, Tome III, Théon d'Alexandrie, Commentaires sur les livres 3 et 4 de l'Almageste, Studi e Testi* 106, Vatican, 1943.

Rome (1948)
A. Rome, *La prosneuse des éclipses dans l'astronomie Ptolémaïque*, dans *L'Antiquité Classique* 17 (1948), pp. 509-518.

Rome (1952)
A. Rome, *The calculation of an eclipse of the Sun according to Theon of Alexandria*, in *Proceedings of the International Congress of Mathematicians*, Cambridge, Mass., Aug 30-Sep 6, 1950, American Mathematical Society, 1952.

Sachau (1870)
Eduard Sachau, *Inedita Syriaca*, Halle, 1870.

Sachau (1878)
Chronologie orientalischer Völker von Albérúni, herausgegeben von Dr C. Eduard Sachau, Leipzig 1878; repr. Leipzig, Harrassowitz, 1923.

Sachau (1879)
C. Edward Sachau, *The Chronology of Ancient Nations*, translation of the Athár-ul-Bákiya of Albírúní, London, 1879; repr. Frankfurt, 1969.

Sachs (1955)
Late Babylonian Astronomical and Related Texts, copied by T. G. Pinches and J. N. Strassmaier, prepared for publication by A.J. Sachs, Providence, Brown University Press, 1955.

Sachs (1988)
Astronomical Diaries and Related Texts from Babylonia, Volume I, *Diaries from 652 B.C. to 262 B.C.* by the late A.J. Sachs, completed by H. Hunger, *Österreichische Akad d. Wiss phil-hist Kl. Denksch*, Band 195, Vienna, 1988.

SACHS (2001)
Astronomical Diaries and Related Texts from Babylonia, Volume V, *Lunar and Planetary Texts*, ed H. SACHS, with A.J. SACHS amd J.M. STEELE. *Österreichische Akad d. Wiss., phil-hist Kl. Denksch*, Band 299, Vienna, 2001.

SALLMANN (1983)
Censorinus de die natali liber accedit anonymi cvivsdam epitoma disciplinarvm, edidit Nicolavs SALLMANN, Leipzig, Teubner 1983.

SCHNABEL (1923)
Paul SCHNABEL, *Berossos und die Babylonisch-Hellenistische Literature*, Leipzig, 1923.

SEZGIN (1974)
Fuat SEZGIN, *Geschichte des arabischen Schrifttums*, Bd V *Mathematik*, Leiden, Brill, 1974.

SEZGIN (1978)
Fuat SEZGIN, *Geschichte des arabischen Schrifttums*, Bd VI *Astronomie*, Leiden, Brill, 1978.

STAHLMAN (1960)
W.D. STAHLMAN, *The astronomical tables of codex Vaticanus 1291*, Ph. D Thesis Brown University, 1960, Ann Arbor, University Microfilms.

STEPHENSON (1974)
F.R. STEPHENSON, *Late Babylonian observations of 'lunar sixes'*, in *Philosophical Transactions of the Royal Society*, Series A, Vol. 276, London, 1974, pp. 118-121.

STONEMAN (1991)
Richard STONEMAN, *The Greek Alexander Romance*, translated with an introduction and notes, London, Penguin Books, 1991.

STONEMAN (2008)
Richard STONEMAN, *Alexander the Great. A Life in Legend*, Yale, University Press, 2008.

STRACK (1897)
Max L. STRACK, *Die Dynastie der Ptolemäer*, Berlin, 1897.

TANNERY (1893)
Paul TANNERY, *Recherches sur l'histoire de l'astronomie ancienne*, Paris, 1893.

TIHON (1973)
Anne TIHON, *Les scolies des Tables Faciles de Ptolémée*, in *Bulletin de l'Institut Historique Belge de Rome*, Fasc. XLIII, 1973, pp. 49-110.

TIHON (1978)
Anne TIHON, *Le « Petit Commentaire » de Théon d'Alexandrie aux Tables Faciles de Ptolémée. Histoire du texte, édition critique, traduction, Studi e Testi* 282, Vatican, 1978.

TIHON (1985)
Anne TIHON, *Théon d'Alexandrie et les Tables Faciles de Ptolémée,* in *Archives internationales d'histoire des sciences,* 35 (1985), pp. 106-123.

TIHON (1987)
Anne TIHON, *Le Livre V retrouvé du Commentaire à l'Almageste de Théon d'Alexandrie,* in *L'Antiquité classsique* t. LVI, 1987, pp. 201-218.

TIHON (1991)
Anne TIHON *Le «Grand Commentaire» de Théon d'Alexandrie aux Tables Faciles de Ptolémée. Livre II et III, Édition critique, traduction, commentaire, Studi e Testi* 340, Vatican, 1991.

TIHON (1992)
Anne TIHON, *Les Tables Faciles de Ptolémée dans les manuscrits en onciale (IXe-Xe siècles),* in *Revue d'Histoire des Textes,* t. XXII (1992), pp. 47-87.

TIHON (1999)
Anne TIHON, *Theon of Alexandria and Ptolemy's Handy Tables* in *Ancient Astronomy and Celestial Divination,* ed. N.M. SWERDLOW, Cambridge, MIT Press, 1999, pp. 357-369.

TIHON (2004)
Anne TIHON, *Les Tables faciles de Ptolémée: une édition critique,* in *Studies in the History of the Exact Sciences in Honour of David Pingree,* edited by C. BURNETT, J.P. HOGENDIJK, K. PLOFKER, M. YANO, Leiden, Brill, 2004.

TOOMER (1984)
G.J. TOOMER, *Ptolemy's Almagest,* London, Duckworth, 1984.

USENER (1898)
H. USENER, *Chronica Minora saec. IV - VII,* in vol. III, of *Monumenta Germaniae Historica Auct. Ant.* ed. Th. MOMMSEN, XIII, Berlin, 1898, pp. 359-455.

VAN BLADEL (2008)
Kevin VAN BLADEL, *The Alexander Legend in the Qur'ān 18:83-102,* in *The Qur'ān in its historical context,* edited by Gabriel Said REYNOLDS, London, Routledge, 2008, pp. 175-203.

VAN DALEN (1994)
Benno VAN DALEN, *On Ptolemy's table for the Equation of Time,* in *Centaurus* Vol. 37 (1994), pp. 97-153.

VAN DER WAERDEN (1953)
B.L. VAN DER WAERDEN, *Bemerkungen zu den Handlichen Tafeln des Ptolemaios, Sitzungsberichte Bayerischen Akademie, math-naturw. Kl.,* 1953, pp. 261-272.

VAN DER WAERDEN (1958a)
B.L. VAN DER WAERDEN, *Die Handlichen Tafeln de Ptolemaios,* in *Osiris* 13 (1958), pp. 54-78.

Van der Waerden (1959)
B.L. Van der Waerden, *Klaudios Ptolemaios, Paulys Realencyklopäedie* 23, 1959, cols. 1797-1831.

Van Thiel (1974)
Helmut van Thiel, *Leben und Taten Alexanders von Macedonien. Der griechische Alexanderroman nach der Handschrift L,* Heraus. u. übers., Darmstadt, 1974.

Verbrugghe (2001)
Gerald P. Verbrugghe and John M. Wickersham, *Berossos and Manetho, Native Traditions in Ancient Mesopotamia and Egypt,* Ann Arbor, University of Michigan Press, 2001.

Wacholder (1984)
Ben Zion Wacholder, *The beginning of the Seleucid Era and the chronology of the Diadochi,* in *Nourished with Peace: Studies in Hellenistic Judaism in Memory of Samuel Sandmel,* edd. F.E. Greenspahn, E. Hilgert, B.L. Mack, California, 1984.

Yallop (1997)
B. D. Yallop, *A method for Predicting the First Sighting of the New Crescent Moon* Nao Technical Note No. 69, June 1997, HM Nautical Almanac Office.

INDEX OF PERSONS

MANUSCRIPTS

PAPYRI

CONTENTS

PRINTED ON PERMANENT PAPER • IMPRIME SUR PAPIER PERMANENT • GEDRUKT OP DUURZAAM PAPIER - ISO 9706
N.V. PEETERS S.A., WAROTSTRAAT 50, B-3020 HERENT